4·2

초등 사회
자습서

개념

톡 톡

금성 초등
교과서와
함께 봐요!

체계적인 교과서 정리와 활동 풀이!

금성출판사

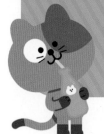

구성과 특징

BOOK 1 개념 톡톡

체계적인 교과서 정리와 활동 풀이

교과서 내용을 충실하게 정리하여 빈틈없이 학습할 수 있습니다.

1 단원 열기

배움 영상

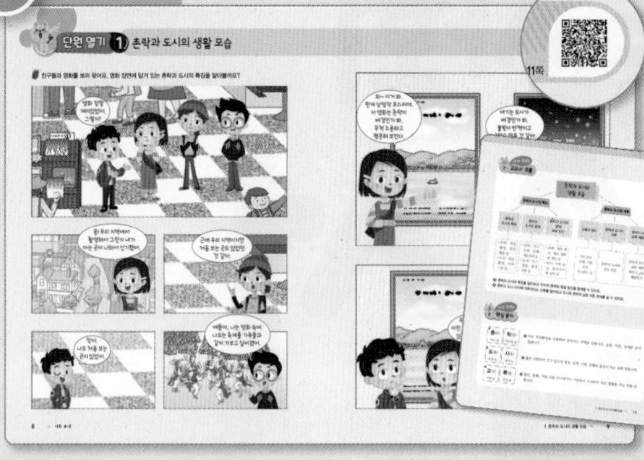

2 교과서 개념 정리와 활동 풀이

배움 영상

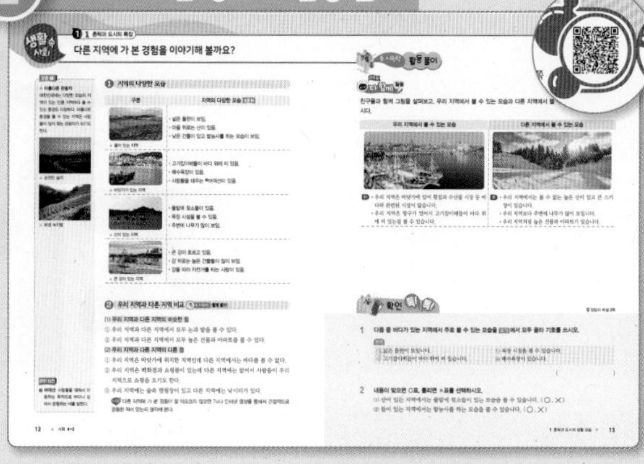

5 단원 마무리 활동 풀이

배움 영상

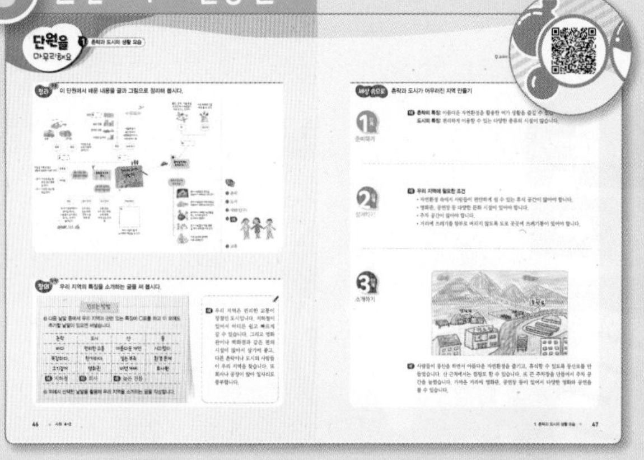

6 쪽지 시험

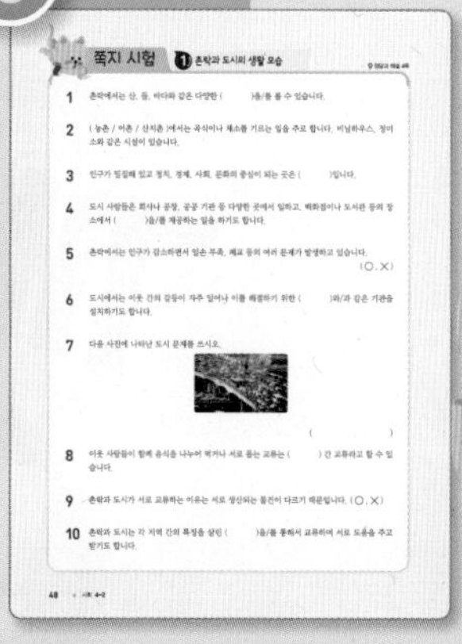

BOOK 2 문제 톡톡

학교 시험 완벽 대비

다양한 유형의 문제를 풀면서 시험에 자주 출제되는 내용을 알아볼 수 있습니다.

1 핵심 정리와 퍼즐 퀴즈

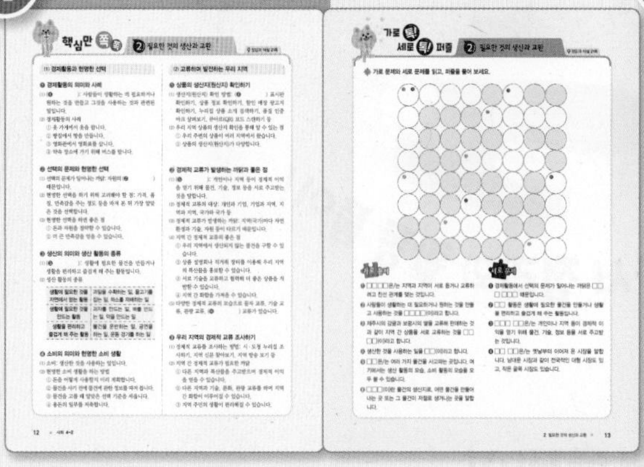

2 단원 평가 문제

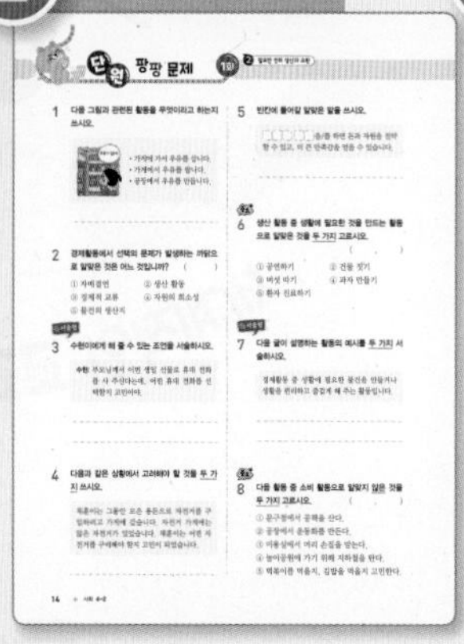

3 서술형 평가 문제

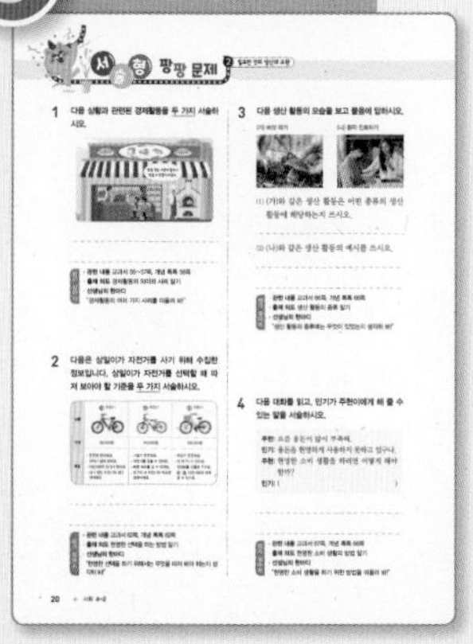

사회를
이해하고
다함께 탐구하자!

1 교과서의 핵심 내용이 담긴 배움 영상을 QR 코드로 담았습니다.

2 교과서와 똑같은 구성으로 체계적인 자기 주도 학습이 가능하도록 구성했습니다.

3 과정 중심 평가와 수행 평가를 대비하도록 다양한 유형의 문제를 준비했습니다.

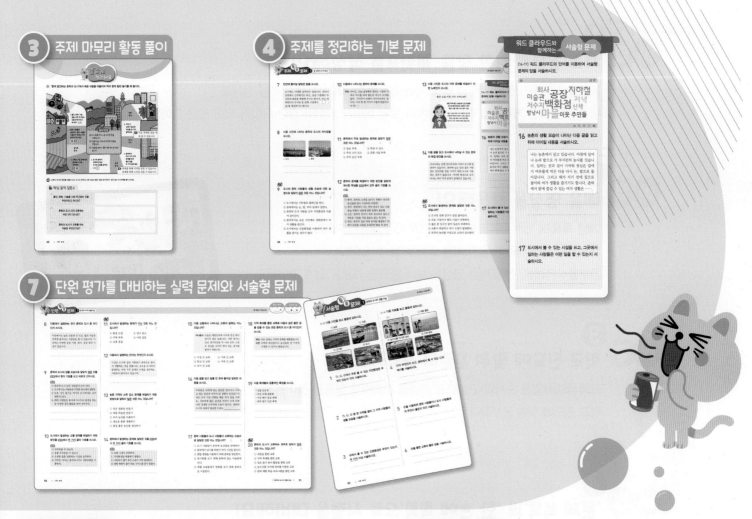

3 주제 마무리 활동 풀이

4 주제를 정리하는 기본 문제

워드 클라우드와 함께하는 **서술형 문제**

7 단원 평가를 대비하는 실력 문제와 서술형 문제

BOOK **3**
한 손에 톡톡

시험 직전 공부 꿀팁

핸드북 형태로 들고 다니며 시험 직전에
공부한 내용을 복습할 수 있습니다.

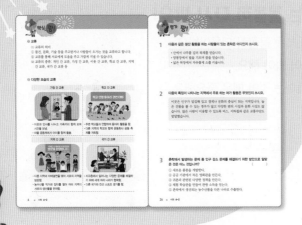

BOOK **4**
정답 톡톡

정확한 정답과 친절한 해설

정답과 해설로 실력을 점검하고 부족한 개념
은 **한눈에 쏙쏙** 으로 보충할 수 있습니다.

사회와 나를 친한 사이로 만드는 공부 비법

비법 1 사회 공부를 위한 맞춤 계획표를 작성해요!

공부를 시작하기 전에 나만의 맞춤 계획표를 작성하여 실천할 약속을 정해요.
내가 만든 맞춤 계획표를 따라 공부하다 보면 어느새 사회와 친한 사이가 되어 있을 거예요.

비법 2 배움 영상을 활용해요!

'개념 톡톡'에 있는 QR 코드를 스마트폰이나 태블릿 PC로 찍으면
교과서의 핵심 내용이 담긴 배움 영상을 볼 수 있어요.
공부를 시작하기 전에 배움 영상을 보며 중요한 개념을 쉽게 파악해요.

비법 3 학교 진도에 맞춰 꾸준히 공부해요!

교과서와 똑같은 순서와 구성으로 개념을 정리하고 활동을 풀이했어요.
학교 진도에 맞춰 공부하다 보면 체계적으로 자기 주도 학습을 실천할 수 있어요.

비법 4 '문제 톡톡'과 '한 손에 톡톡'으로 시험을 대비해요!

학교 시험이 다가오면 '문제 톡톡'에 있는 다양한 문제를 풀어 보며 실력을 확인해요.
작고 가벼운 '한 손에 톡톡'은 시험 기간에 들고 다니면서 활용하기 좋아요.

비법 5 맞은 문제는 빠르게, 틀린 문제는 꼼꼼히 다시 봐요!

공부를 마친 후에 맞은 문제는 빠르게, 틀린 문제는 꼼꼼히 되돌아봐요.
특히 틀린 문제는 꼭 표시해 두었다가 다시 풀어 봐야 해요.
사회와 친해지기 위해서는 복습하는 습관을 들이는 것이 매우 중요해요.

꾸준한 사회 공부를 위한 맞춤 계획표

○ 1일차	○ 2일차	○ 3일차	○ 4일차	○ 5일차
월 일	월 일	월 일	월 일	월 일
~ 쪽	~ 쪽	~ 쪽	~ 쪽	~ 쪽
○ 6일차	○ 7일차	○ 8일차	○ 9일차	○ 10일차
월 일	월 일	월 일	월 일	월 일
~ 쪽	~ 쪽	~ 쪽	~ 쪽	~ 쪽
○ 11일차	○ 12일차	○ 13일차	○ 14일차	○ 15일차
월 일	월 일	월 일	월 일	월 일
~ 쪽	~ 쪽	~ 쪽	~ 쪽	~ 쪽
○ 16일차	○ 17일차	○ 18일차	○ 19일차	○ 20일차
월 일	월 일	월 일	월 일	월 일
~ 쪽	~ 쪽	~ 쪽	~ 쪽	~ 쪽
○ 21일차	○ 22일차	○ 23일차	○ 24일차	○ 25일차
월 일	월 일	월 일	월 일	월 일
~ 쪽	~ 쪽	~ 쪽	~ 쪽	~ 쪽
○ 26일차	○ 27일차	○ 28일차	○ 29일차	○ 30일차
월 일	월 일	월 일	월 일	월 일
~ 쪽	~ 쪽	~ 쪽	~ 쪽	~ 쪽
○ 31일차	○ 32일차	○ 33일차	○ 34일차	○ 35일차
월 일	월 일	월 일	월 일	월 일
~ 쪽	~ 쪽	~ 쪽	~ 쪽	~ 쪽
○ 36일차	○ 37일차	○ 38일차	○ 39일차	○ 40일차
월 일	월 일	월 일	월 일	월 일
~ 쪽	~ 쪽	~ 쪽	~ 쪽	~ 쪽
○ 41일차	○ 42일차	○ 43일차	○ 44일차	○ 45일차
월 일	월 일	월 일	월 일	월 일
~ 쪽	~ 쪽	~ 쪽	~ 쪽	~ 쪽
○ 46일차	○ 47일차	○ 48일차	○ 49일차	○ 50일차
월 일	월 일	월 일	월 일	월 일
~ 쪽	~ 쪽	~ 쪽	~ 쪽	~ 쪽

차례

1. 촌락과 도시의 생활 모습

사 회를
이 해하고
다 함께
탐구하자!

공부 계획표

• 자신의 일정에 맞게 계획을 세워 보고, 실제 학습일을 적어 봅시다.
• 학습을 마무리한 후 얼마나 학습 목표를 달성했는지 스스로 점검해 봅시다.

친구들과 영화를 보러 왔어요. 영화 장면에 담겨 있는 촌락과 도시의 특징을 알아볼까요?

속 시원한 활동 풀이

교과서 **9~10**쪽

사회랑 놀아요 | 영화 장면에 숨겨진 물건을 찾아라!

영화 장면 속에 촌락과 도시에서 볼 수 있는 것들을 숨겨 두었어. 어느 곳에 숨겼는지 모두 찾아 볼래?

? 영화 속 각 장면의 사람들은 어떤 일을 하면서 살아갈지 이야기해 봅시다.

예 • 촌락의 할아버지는 농사를 지으면서 살 것 같습니다.
• 도시의 사람들은 회사에 출근하거나 가게에서 물건을 판매할 것 같습니다.

도움 영화 속 장면의 배경을 보고 그곳에서 살아가는 사람들이 어떤 일을 할지 예상해 보아요.

이 단원에서 나는

교과서 **11**쪽

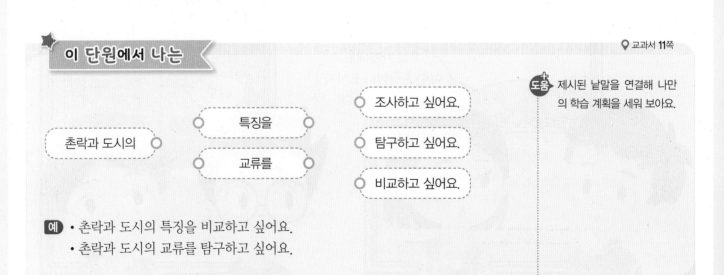

촌락과 도시의 — 특징을 — 조사하고 싶어요.
— 교류를 — 탐구하고 싶어요.
— 비교하고 싶어요.

도움 제시된 낱말을 연결해 나만의 학습 계획을 세워 보아요.

예 • 촌락과 도시의 특징을 비교하고 싶어요.
• 촌락과 도시의 교류를 탐구하고 싶어요.

교과서 흐름

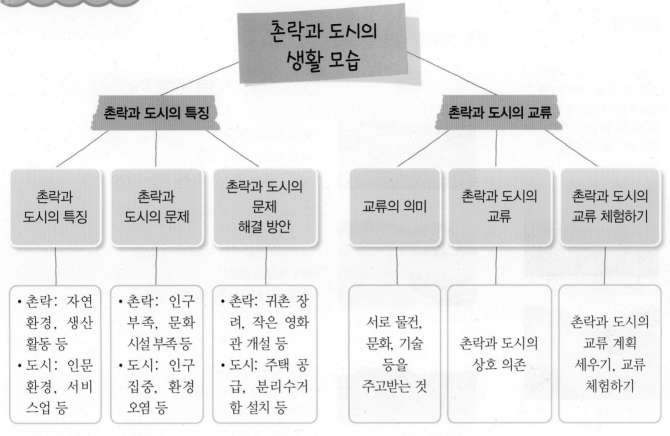

촌락과 도시의
생활 모습

촌락과 도시의 특징 | 촌락과 도시의 교류

촌락과 도시의 특징 | **촌락과 도시의 문제** | **촌락과 도시의 문제 해결 방안** | **교류의 의미** | **촌락과 도시의 교류** | **촌락과 도시의 교류 체험하기**

- 촌락: 자연환경, 생산 활동 등
- 도시: 인문환경, 서비스업 등

- 촌락: 인구 부족, 문화 시설 부족 등
- 도시: 인구 집중, 환경 오염 등

- 촌락: 귀촌 장려, 작은 영화관 개설 등
- 도시: 주택 공급, 분리수거함 설치 등

서로 물건, 문화, 기술 등을 주고받는 것

촌락과 도시의 상호 의존

촌락과 도시의 교류 계획 세우기, 교류 체험하기

🍀 촌락과 도시의 특징을 알아보고 각각의 문제와 해결 방안을 탐색할 수 있어요.

🍀 촌락과 도시 사이에 이루어지는 교류를 알아보고 도시와 촌락의 상호 의존 관계를 알 수 있어요.

핵심 용어

❶ **촌**(村) 마을 촌 **락**(落) 떨어질 락

❶ 주로 자연환경을 이용하여 살아가는 지역을 말합니다. 농촌, 어촌, 산지촌 등이 있습니다.

❷ **도**(都) 도읍 도 **시**(市) 저자 시

❷ 많은 사람들이 살고 있으며 정치, 경제, 사회, 문화의 중심이 되는 곳을 말합니다.

❸ **교**(交) 사귈 교 **류**(流) 흐를 류

❸ 물건, 문화, 기술 등을 주고받거나 사람들이 오가면서 서로 영향을 주는 것을 말합니다.

다른 지역에 가 본 경험을 이야기해 볼까요?

❶ 지역의 다양한 모습

구분	지역의 다양한 모습 보충 ❶
 ▲ 들이 있는 지역	• 넓은 들판이 보임. • 마을 뒤로는 산이 있음. • 낮은 건물이 있고 밭농사를 하는 모습이 보임.
 ▲ 바닷가가 있는 지역	• 고기잡이배들이 바다 위에 떠 있음. • 해수욕장이 있음. • 사람들을 태우는 ❶여객선이 있음.
 ▲ 산이 있는 지역	• 풀밭에 젖소들이 있음. • 목장 시설을 볼 수 있음. • 주변에 나무가 많이 보임.
 ▲ 큰 강이 있는 지역	• 큰 강이 흐르고 있음. • 강 뒤로는 높은 건물들이 많이 보임. • 강을 따라 자전거를 타는 사람이 있음.

❷ 우리 지역과 다른 지역 비교 속 시원한 활동 풀이

(1) 우리 지역과 다른 지역의 비슷한 점
① 우리 지역과 다른 지역에서 모두 논과 밭을 볼 수 있다.
② 우리 지역과 다른 지역에서 모두 높은 건물과 아파트를 볼 수 있다.

(2) 우리 지역과 다른 지역의 다른 점
① 우리 지역은 바닷가에 위치한 지역인데 다른 지역에서는 바다를 볼 수 없다.
② 우리 지역은 백화점과 쇼핑몰이 있는데 다른 지역에는 없어서 사람들이 우리 지역으로 쇼핑을 오기도 한다.
③ 우리 지역에는 숲속 캠핑장이 있고 다른 지역에는 낚시터가 있다.

> **내용+** 다른 지역에 가 본 경험이 잘 떠오르지 않으면 TV나 인터넷 영상을 통해서 간접적으로 경험한 적이 있는지 생각해 본다.

친구들과 함께 그림을 살펴보고, 우리 지역에서 볼 수 있는 모습과 다른 지역에서 볼 수 있는 모습을 발표해 봅시다.

우리 지역에서 볼 수 있는 모습	다른 지역에서 볼 수 있는 모습

예 • 우리 지역은 바닷가에 있어 횟집과 수산물 시장 등 바다와 관련된 시설이 많습니다. • 우리 지역은 항구가 있어서 고기잡이배들이 바다 위에 떠 있는걸 볼 수 있습니다.	**예** • 우리 지역에서는 볼 수 없는 높은 산이 있고 큰 스키장이 있습니다. • 우리 지역보다 주변에 나무가 많이 보입니다. • 우리 지역처럼 높은 건물과 아파트가 있습니다.

 확인 **톡! 톡!**

정답과 해설 **2쪽**

1 다음 중 바다가 있는 지역에서 주로 볼 수 있는 모습을 보기 에서 모두 골라 기호를 쓰시오.

보기
ㄱ 넓은 들판이 보입니다.   ㄴ 목장 시설을 볼 수 있습니다.
ㄷ 고기잡이배들이 바다 위에 떠 있습니다.   ㄹ 해수욕장이 있습니다.

(   )

2 내용이 맞으면 ○표, 틀리면 ✕표를 선택하시오.
(1) 산이 있는 지역에서는 풀밭에 젖소들이 있는 모습을 볼 수 있습니다. (○ , ✕)
(2) 들이 있는 지역에서는 밭농사를 하는 모습을 볼 수 있습니다. (○ , ✕)

촌락의 특징을 알아볼까요?

❶ 촌락의 의미와 종류

(1) **촌락**: 자연환경을 주로 이용하여 살아가는 지역이다.

(2) **촌락의 자연환경** (속 시원한 활동 풀이)

• 평평한 땅에 논이 넓게 펼쳐져 있음. • 논 사이에 집과 길이 있음.	• 넓은 바다와 모래사장, 낮은 산이 있음. • 낮은 건물과 집들이 있음.	• 산과 울창한 숲이 있음. • 산의 경사를 따라 집과 밭이 자리하고 있음.

(3) **촌락의 종류**: 들을 이용하여 농업을 주로 하는 농촌, 바다를 이용하여 어업을 하는 어촌, 산을 이용하여 임업과 목축업 등을 하는 산지촌으로 나눈다.

❷ 촌락의 특징 (속 시원한 활동 풀이)

(1) **농촌** 보충 ❶

자연환경	넓은 들이 있는 곳
생활 모습	• 논과 밭에서 곡식과 채소를 기르는 일 등 농업을 주로 함. • 소, 돼지 등의 가축을 기르는 축산업이나 식물을 키우는 화훼 산업을 함.
주요 시설	비닐하우스, ❶정미소, 농산물 저장 창고 같은 농업과 관련된 시설

(2) **어촌** 보충 ❷

자연환경	바다가 있는 곳
생활 모습	• 바다에서 물고기를 잡거나 기르고 김과 미역을 따는 일 등 어업을 주로 함. • 어업에 필요한 기구를 팔거나 배를 수리하는 일을 함. • 횟집이나 숙박 시설을 운영함.
주요 시설	등대, 수산물 ❷직판장 같은 어업과 관련된 시설

(3) **산지촌** 보충 ❸

자연환경	산이 많은 곳
생활 모습	• 산에서 나무를 길러 목재를 얻거나 나물이나 약초를 캐고, 버섯을 재배하는 일 등 임업을 주로 함. • 벌을 기르는 양봉을 함.
주요 시설	버섯 농장, ❸양봉장 같은 임업과 관련된 시설이나 목장

내용❸ 농촌, 어촌, 산지촌에서는 각 촌락의 생활을 체험할 수 있는 관광업이 발달하기도 한다.

속 시원한 **활동 풀이**

스스로 활동

1. 지도에 표시된 곳에서 사진을 찍는다면 각각 어떤 모습일지 ❶, ❷, ❸ 사진에서 찾아 봅시다.

전라북도

황해

0 20km

(m)
2,000
1,500
1,000
700
500
200
100
0

2. 그렇게 생각한 까닭을 자연환경과 관련지어 이야기해 봅시다.

> 예 파란색 동그라미는 땅이 낮고 평평한 지역, 보라색 동그라미는 바다와 가까운 지역, 녹색 동그라미는 산이 있는 지역이기 때문입니다.

스스로 활동

그림에 어울리는 생활 모습의 붙임 딱지를 붙여 보고 농촌, 어촌, 산지촌의 특징을 적어 봅시다.

구분	사람들의 생활 모습
▲ 농촌	예 • 논이나 밭에서 벼와 같은 곡식과 과일, 채소 등의 작물을 기릅니다. • 소, 돼지 등을 키웁니다.
▲ 어촌	예 • 물고기를 잡거나 김과 미역을 땁니다. • 바다에서 소금을 얻고, 바닷속에 들어가 해삼, 전복 등을 따기도 합니다.
▲ 산지촌	예 • 산에서 나무를 길러 목재를 얻거나 산나물이나 약초를 캡니다. • 버섯을 재배합니다.

잠깐! 확인해요

자연환경을 이용해 살아가는 지역을 ☐☐(이)라고 합니다.   (촌락   )

확인 톡! 톡!

정답과 해설 2쪽

1. 촌락에서 살아가는 사람들은 주로 무엇을 이용한 생산 활동을 하는지 쓰시오.   (   )

2. 서로 관련 있는 내용끼리 바르게 선으로 연결하시오.

(1) 어촌 •   • ㉠ 들을 이용하여 농업을 주로 하는 곳

(2) 농촌 •   • ㉡ 바다를 이용하여 어업을 주로 하는 곳

(3) 산지촌 •   • ㉢ 산을 이용하여 임업, 목축업 등을 하는 곳

도시의 특징을 알아볼까요?

보충 ❶

◉ 도시가 발달하는 곳
하천이 흐르고 땅이 평평한 곳, 교통이 편리한 곳은 도시가 발달하기에 유리하다. 우리나라의 도시는 서울을 포함한 수도권에 많이 분포되어 있다. 또한 교통이 편리한 해안 지역에 발달한 도시들도 있다.

보충 ❷

◉ 우리나라의 주요 도시
우리나라에는 1개의 특별시(서울특별시)와 6개의 광역시(인천, 대전, 대구, 광주, 울산, 부산광역시), 1개의 특별자치시(세종특별자치시)가 있다.

① 도시의 의미와 특징

(1) 도시: 인구가 ❶밀집해 있고 정치, 경제, 사회, 문화의 중심이 되는 곳이다.

(2) 도시의 특징 속 시원한 활동 풀이

① 높은 건물이 많고 주택과 아파트가 밀집되어 있다.

② 야구장, 영화관, 공연장 등 문화 시설과 편의 시설이 많다.

③ 버스, 지하철 등 교통수단이 발달했다.

④ 회사와 공장, 공공 기관 등이 있어 다양한 일자리가 있다.

> 내용➕ 공공 기관으로 도서관, 학교, 소방서, 경찰서, 시청, 구청, 주민 센터 등이 있다.

(3) 도시 사람들이 하는 일

① 회사나 공장, 공공 기관에서 일한다.

② 영화관이나 도서관 등 문화 시설이나 편의 시설에서 ❷서비스를 제공한다.

③ 백화점이나 상점에서 물건을 판매한다.

② 우리나라의 도시

(1) 도시의 모습: 사람들이 주로 하는 일에 따라 다양하게 나타난다.

(2) 우리나라의 도시 속 시원한 활동 풀이 보충 ❶, ❷

서울특별시	울산광역시

• 우리나라의 수도이자 정치, 경제, 사회, 문화의 중심 도시 • 가장 많은 사람들이 살고 있음.	• 해안 지역에 형성된 공업의 중심 도시 • 큰 기업과 공장이 많이 있음.
대전광역시	세종특별자치시

• 중부 지방과 남부 지방을 이어주는 교통의 중심 도시 • 과학 기술과 관련한 대학교와 연구소들이 있음.	• 새롭게 계획하여 만든 행정의 중심 도시 • 수도권에서 세종특별자치시로 옮긴 공공 기관들이 많이 있음.

용어 사전

❶ 밀집: 빈틈이 없이 빽빽하게 모여 있는 상태를 말한다.

❷ 서비스: 남을 위해 여러 일들을 해 주거나 도와주는 것을 말한다.

다 함께 활동

1 사진에서 무엇이 보이는지 이야기해 봅시다.

예 • 높은 건물과 넓은 도로가 있습니다.
 • 아파트가 있습니다.
 • 건물이 많고, 서로 붙어 있습니다.

2 도시에 어떤 특징이 있는지 생각해 보고, 오른쪽 사진에 알맞은 붙임 딱지를 붙여 봅시다.

높은 건물이 많고 다양한 회사가 있습니다.

야구장, 영화관 등 문화 시설이 많습니다.

버스, 지하철 등 교통 시설이 발달했습니다.

다양한 공공 기관이 있습니다.

스스로 활동

지도를 보고 도시의 특징을 이야기해 봅시다.

– 한국 도로 공사, 2020.

범 례
고속 철도
철도
고속 국도
● ○ 도시

0 50km

황 해

동 해

남 해

예 • 땅이 평평한 곳에 도시가 발달합니다.
 • 교통이 편리한 곳에 도시가 발달합니다.
 • 서울 근처에 도시가 많습니다.

잠깐! 확인해요

☐☐은/는 인구가 밀집해 있고 사람들이 다양한 일을 하며 살아갑니다.　　　（　　　도시　　　）

확인 톡! 톡!

📍정답과 해설 2쪽

1 도시의 특징으로 알맞은 것을 보기에서 모두 골라 기호를 쓰시오.

보기
㉠ 높은 건물이 많습니다.　　　　　　　　　㉡ 다양한 일자리가 있습니다.
㉢ 자연환경을 이용하여 생산 활동을 합니다.　㉣ 다양한 편의 시설과 교통 시설이 있습니다.

（　　　　　　　）

촌락과 도시를 비교해 볼까요?

보충 ①

◉ **자연환경이 비슷한 촌락과 도시의 비교**

자연환경이 비슷한 지역이라고 해도 그곳에 사는 사람들의 생활 모습과 경관에는 차이가 있다. 부산광역시와 강원도 삼척시는 모두 바다와 가까이 있다. 그러나 부산광역시의 사람들은 도시의 생활 모습을 보이고, 강원도 삼척의 사람들은 어촌의 생활 모습을 보인다.

▲ 부산광역시 수영구 남천동 일대

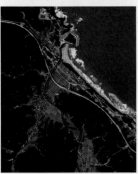

▲ 강원도 삼척시 근덕면 일대

용어 사전

❶ **여가**: 일이나 공부하는 시간에서 벗어나 남는 시간을 이르는 말이다.

❷ **인문환경**: 자연환경과 대비되는 말로 인간이 자연을 이용하여 만든 환경을 말한다.

---

① 촌락과 도시의 생활 모습 속 시원한 활동 풀이

(1) 촌락과 도시 주민들이 하는 일

① 촌락의 주민들은 자연환경을 활용하여 생산 활동을 한다.

② 도시의 주민들은 다양한 직업을 가지고 여러 곳에서 생산 활동을 한다.

(2) 촌락과 도시 주민들이 생활하는 곳

① 촌락의 주민들은 논, 밭, 바다, 산 등에서 일한다.

② 촌락에는 주로 낮은 건물과 집들이 드문드문 있다.

③ 도시의 주민들은 회사나 공장 등 건물에서 일한다.

④ 도시에는 주로 높은 건물과 집들이 모여 있다.

(3) 촌락과 도시 주민들의 ❶여가 생활

① 촌락의 주민들은 자연환경을 이용하는 낚시, 등산, 캠핑 등의 여가 활동을 한다.

② 도시의 주민들은 영화관, 미술관, 박물관 등의 ❷인문환경을 이용하는 여가 활동을 한다.

(4) 촌락과 도시 주민들의 교통 수단

① 촌락의 주민들은 가까운 거리는 걸어서 이동하고, 먼 거리를 이동할 때는 버스 등의 대중교통이나 자가용을 이용한다.

② 도시의 주민들은 출퇴근시 지하철, 버스 등의 대중교통이나 자가용을 이용하는 경우가 많다.

② 촌락과 도시의 공통점과 차이점

(1) 촌락과 도시의 공통점

① 사람들이 마을을 이루며 산다.

② 사람들이 자연환경과 더불어 살아간다.

③ 도로나 집, 건물 등 생활에 필요한 시설이 있다.

(2) 촌락과 도시의 차이점 **보충 ①**

촌락	도시
• 촌락의 사람들은 주로 자연환경을 이용하여 생산 활동을 함.	• 도시의 사람들은 회사에 다니거나 물건을 파는 등 다양한 생산 활동을 함.
• 촌락에는 낮은 건물이 많음.	• 도시에는 높은 건물이 많음.
• 집들이 드문드문 있음.	• 집들이 모여 있음.
• 촌락의 사람들은 자연환경을 이용하는 여가 생활을 즐김.	• 도시의 사람들은 인문환경을 이용하는 여가 생활을 즐김.

다 함께 활동

그림을 보고 농촌과 도시 주민의 생활 모습을 비교해 봅시다.

하는 일	**예** 농촌 주민은 자연환경을 이용하여 일을 하고, 도시 주민은 다양한 직업을 가지고 일을 합니다.
생활하는 곳	**예** 농촌 주민은 집들이 드문드문 있는 곳에서 살고, 도시 주민은 집들이 모여 있는 곳에서 삽니다.
여가 생활	**예** 농촌 주민은 밤낚시를 하고, 도시 주민은 밤에 영화를 봅니다.
예 교통수단	**예** 농촌 주민은 근처를 걸어 다니고, 도시 주민은 지하철을 탑니다.

잠깐! 확인해요

촌락과 도시는 사람들의 ☐☐ 활동에 차이가 있습니다.　　　　(　　　 생산 　　　)

 확인 톡! 톡!

📍정답과 해설 2쪽

1 주로 논, 밭, 바다, 산에서 일하는 지역은 어디인지 쓰시오.

(　　　　　　　　　　)

2 내용이 맞으면 ○표, 틀리면 ×표를 선택하시오.

(1) 촌락에서는 영화관, 미술관, 박물관 등의 시설을 이용한 여가 생활을 즐깁니다. (○ , ✕)

(2) 도시의 사람들은 다양한 직업을 가지고 여러 장소에서 생산 활동을 하며 살아갑니다. (○ , ✕)

촌락 문제와 해결 방안을 알아볼까요?

① 촌락에서 나타나는 문제 | 속 시원한 활동 풀이

(1) 인구 감소 현상

촌락과 도시의 인구 변화	촌락의 인구 구성 변화
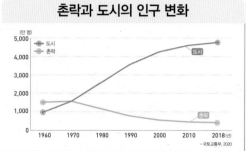	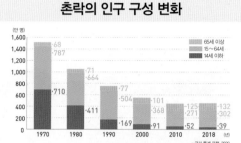
일자리, 교육 시설이 부족하여 젊은 사람들이 도시로 빠져 나가 촌락의 전체 인구가 줄어들고 있음. **보충 ①**	촌락에 사는 노인 인구는 조금씩 늘어나 65세 이상 노인 인구 비율이 높아지고, 14세 이하 인구의 수는 크게 감소하고 있음.

(2) 일손 부족 문제: 일을 할 수 있는 사람이 줄어들어 농사지을 때 일손이 부족하다.

(3) 학생 수 감소 문제: 학생 수가 줄어들어 학교가 문을 닫고 있다.

(4) 문화 시설과 편의 시설 부족: 영화관 같은 문화 시설과 병원과 같은 편의 시설이 부족하여 생활이 불편하다.

(5) 주민 소득 감소: 외국에서 값싼 농산물이 들어오면서 국산 농산물이 경쟁하기 힘들어져 소득이 줄어들고 있다.

② 촌락 문제의 해결 방안 | 속 시원한 활동 풀이

종류	해결 방안
일손 부족 해결 방안	• 농사를 지을 때 사용할 수 있는 다양한 농기계를 개발함. • 첨단 기술을 활용한 농업용 드론이나 스마트 온실 등을 도입함. **보충 ②**
학생 수 감소 해결 방안	• 학생들과 젊은 사람이 촌락으로 올 수 있도록 ❶귀촌 관련 정책을 만들고 지원함. • 귀촌에 대한 정보를 알리기 위해서 ❷박람회를 열거나 상담소를 만들어 여러 정보를 제공함.
문화 시설과 편의 시설 부족 해결 방안	• 가까운 곳에서 문화생활을 할 수 있게 작은 영화관을 만듦. • 촌락의 폐교나 마을 회관을 이용하여 촌락 사람들이 교육받을 수 있는 공간으로 이용함.
주민 소득 감소 해결 방안	• 품질이 더 좋은 농수산물을 연구하여 생산하고, 새로운 ❸품종을 개발하여 생산량을 늘림. • 촌락에 체험 학습관을 만들어 관광 소득을 얻음. • 촌락에서 생산되는 농수산물을 다른 나라로 수출하여 소득을 얻음.

속 시원한 **활동 풀이**

그림을 살펴보고 촌락에 어떤 문제가 나타나는지 이야기해 봅시다.

예 • 문화 시설과 교통 시설이 부족하여 생활이 불편합니다.
• 촌락은 전체 인구 중 노인 인구의 비율이 높아 일손이 부족합니다.
• 외국의 값싼 농수산물이 들어와서 촌락의 농수산물이 잘 안 팔려 소득이 감소하고 있습니다.
• 촌락의 학생 수가 줄어들어 학교 문을 닫습니다.

다 함께 활동

그림에서 촌락 문제의 해결 방안을 찾아보고, 또 어떤 해결 방안이 있을지 친구들과 이야기해 봅시다.

예 • 교통 시설을 늘리고 폐교나 마을 회관을 이용하여 여가를 즐길 수 있는 문화 시설을 만듭니다.
• 젊은 사람이 촌락으로 올 수 있도록 여러 지원 정책을 실시합니다.
• 기계와 첨단 기술을 활용하여 일손 부족 문제를 해결합니다.
• 품질 좋은 농수산물을 개발하여 소득을 높입니다.

잠깐! 확인해요

촌락에 사는 젊은 사람들이 줄어들면서 여러 문제가 발생했습니다. (○ , ×)　　　　(○)

 **확인 톡! 톡!**

정답과 해설 2쪽

1　촌락에서 일손 부족, 학생 수 감소 등의 문제가 발생하는 이유가 무엇인지 쓰시오.
（　　　　　）

2　도시에 살고 있는 사람들이 다시 촌락으로 돌아가서 생활하거나 생산 활동을 하는 것이 무엇인지 쓰시오.
（　　　　　）

탐구해요

도시 문제와 해결 방안을 알아볼까요?

1 도시에서 나타나는 문제

(1) **도시 문제의 원인**: 우리나라 인구의 대부분이 도시에 살면서 인구가 집중되어 여러 문제가 발생한다.

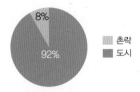

- 국토 교통부, 2020.

▲ 우리나라의 촌락과 도시 인구 비율(2018년)

(2) **도시 문제의 종류** 속 시원한 활동 풀이

주택 문제	• 오래되고 낡은 주택이 많음. • 많은 인구에 비해 주택이 부족함.
교통 문제	• 자동차가 많아 교통이 혼잡함. • 주차 공간이 부족해 불편함.
환경 문제	• 자동차 매연으로 공기가 좋지 않음. • 거리에 쓰레기가 많이 버려져 있음. • 공장에서 나온 오염된 물로 수질 오염이 생김.
기타 문제	• 교통 소음, 생활 소음이 발생하여 갈등이 생김. • 범죄 문제가 많이 발생함. • 사람이 너무 많아 일자리가 부족해짐.

2 도시 문제의 해결 방안 속 시원한 활동 풀이

종류	해결 방안
주택 문제	• 오래된 주택을 새롭게 개발함. • 아파트를 많이 건설함.
교통 문제	• 자가용 대신 대중교통을 이용함. • 목적지가 같은 경우에는 이웃끼리 ❶카풀을 함. • 차량 2부제, 자동차 요일제 등의 정책을 만듦. 보충❶❷ • 공용 주차장을 만듦.
환경 문제 보충❸	• 쓰레기를 분리해서 배출함. • 길에 쓰레기통과 분리수거함을 설치함. • 오염된 물을 정화하는 시설을 설치함.
기타 문제	이웃 간의 갈등 해결을 위해 이웃 분쟁 ❷조정 센터를 만듦.

 활동

그림을 살펴보고 도시에 어떤 문제가 나타나는지 이야기해 봅시다.

예 • 주택이 부족하고 집이 너무 붙어 있습니다.
• 쓰레기가 너무 많아 길에 함부로 버려져 나쁜 냄새가 납니다.
• 공장에서 오염된 물을 그대로 흘려 보내 수질이 오염됩니다.
• 차가 너무 많아서 교통이 혼잡하고 소음이 생깁니다.
• 주차 공간이 부족합니다.

다 함께 활동

그림에 나타난 도시 문제의 해결 방안을 살펴보고, 다양한 도시 문제를 어떤 방법으로 해결할 수 있는지 토의해 봅시다.

예 • 아파트를 짓습니다.
• 쓰레기를 분리배출합니다.
• 공장에서 나오는 물을 관리하는 시설을 만듭니다.
• 자가용 대신 대중교통을 이용합니다.
• 공용 주차장을 만듭니다.

잠깐! 확인해요

도시 문제는 도시에 많은 ☐☐이/가 모여 살기 때문에 생깁니다.   (사람(인구)   )

 **확인** 톡! 톡!

📍 정답과 해설 2쪽

1 쓰레기 분리배출 홍보, 오염된 물을 정화하는 시설 설치와 같은 해결 방법은 도시의 어떤 문제를 해결하기 위한 것인지 쓰시오.   (   )

2 차량 2부제, 공용 주차장 만들기와 같은 해결 방법은 도시의 어떤 문제를 해결하기 위한 것인지 쓰시오.
          (   )

함께 해요

촌락과 도시의 문제가 해결된 지역의 모습을 표현해 볼까요?

보충 ❶

◉ 우리 지역의 문제 확인하기
평소에 자신이 불편했던 경험이 있는지 생각해 본다. 그리고 가족, 친구, 임산부, 노약자 등 다른 사람들이 불편할 수 있는 경우가 있을지도 고려해 본다.

보충 ❷

◉ 촌락과 도시의 문제 해결 방안의 예
· 촌락: 사람들이 도시로 떠나 농촌에 일손이 부족하다. → 체험 학습이 있는 학교를 만들어 학생들을 데려온다.
· 도시: 차가 많아서 교통이 혼잡하다. → 차량 2부제를 시행하여 교통 혼잡을 줄인다.

용어 사전

❶ 공익 광고: 기업이나 단체가 개인적인 이익보다는 다수의 이익을 위해 만든 광고이다.

① 문제가 해결된 촌락과 도시의 모습 표현 방법

(1) **표현 방법의 종류:** 그림 그리기, 입체 모형 만들기, 공익 광고 만들기 등
(2) **표현 방법의 특징**

① 그림 그리기: 문제가 해결된 촌락이나 도시의 모습을 상상하여 그림으로 나타내고 색칠한다.

② 입체 모형 만들기: 문제가 해결된 촌락이나 도시의 모습을 우유 팩, 박스 등의 다양한 재료를 사용하여 입체 모형으로 제작한다.

③ ❶공익 광고 만들기: 촌락이나 도시의 문제에 대한 해결 방안을 홍보하는 포스터나 영상 등의 공익 광고를 제작한다.

② 문제가 해결된 촌락과 도시의 모습 표현 활동

(1) 문제가 해결된 촌락과 도시의 모습 표현하기 **속 시원한 활동 풀이** **보충 ❶ ❷**

❶ 우리가 살고 있는 촌락이나 도시 문제들을 떠올려 본다.
❷ 해결하고 싶은 문제 중 한 가지를 선택하고, 그 해결 방안을 이야기한다.
❸ 살기 좋은 촌락과 도시의 모습을 다양한 방법으로 표현해 본다.

(2) 문제가 해결된 촌락과 도시의 모습 소개하기
① 친구들에게 살기 좋은 촌락과 도시의 모습을 소개한다.
② 친구들이 만든 작품을 보고 어떤 점이 좋은지 이야기해 본다.

활동 도우미 촌락과 도시 문제 해결을 위한 공익 광고 만들기

❶ 촌락이나 도시의 문제를 떠올립니다.
❷ 촌락이나 도시의 문제를 조사하고, 문제의 해결 방안을 선정합니다.
❸ 해결 방안에 대한 사람들의 관심을 끌 수 있는 공익 광고를 만듭니다.
❹ 공익 광고는 누구나 이해하기 쉽고, 공감할 수 있어야 합니다. 또한 시선을 사로잡는 색과 형태를 생각하며 만들어야 합니다.

▶ 공익 광고의 예

촌락이나 도시의 문제	예 우리 지역에는 사람들이 너무 많이 살고 있어 항상 도로에 차가 많아 교통이 혼잡합니다.
문제 해결 방안	예 가까운 거리는 자전거를 이용할 수 있도록 마을 전체에 자전거 도로를 설치하고 공공 자전거 대여소를 만듭니다.

문제가 해결된 촌락이나 도시의 모습

확인 톡! 톡!

📍정답과 해설 2쪽

1 다음 내용에서 알맞은 말에 ○표 하시오.

(공익 광고 / 입체 모형)은/는 다수의 이익을 위해 만든 포스터나 영상 등을 말합니다.

2 문제가 해결된 촌락과 도시의 모습을 표현하는 활동을 순서대로 기호를 쓰시오.

㉠ 해결하고 싶은 문제 중 한 가지를 선택합니다.
㉡ 친구들과 함께 문제 해결 방안을 이야기합니다.
㉢ 우리가 살고 있는 촌락이나 도시 문제들을 떠올려 봅니다.
㉣ 살기 좋은 촌락과 도시의 모습을 다양한 방법으로 표현해 봅니다.

(   )

'촌락과 도시의 특징'에서 배운 내용을 떠올리며 가로, 세로, 대각선을 연결해 문제의 답을 찾아봅시다.

도	귀	비	기	리	망	청
자	촌	러	승	도	폐	표
아	우	화	수	몽	시	지
버	자	전	자	용	로	환
타	자	동	농	오	안	경
제	주	도	수	촌	일	오
촌	락	악	문	리	토	염

① 자연환경을 주로 이용해 살아가는 지역을 말해요.

② 도시에 살던 사람이 촌락으로 삶의 터전을 옮기는 것을 말해요.

③ 정치, 경제, 사회, 문화의 중심지이며 사람들이 많이 모여 사는 곳이에요.

④ 주민 대부분이 농작물 재배 등의 일에 종사하는 촌락을 말해요.

⑤ 도시 문제 중 하나로, 사람들이 버린 쓰레기, 공장에서 배출하는 가스나 폐수 등으로 자연이 더럽혀지는 일을 말해요.

도움 촌락과 도시의 특징에서 배운 내용을 떠올리며 문제를 풀어요. 문제를 풀고 나서 낱말 판에서 알맞은 단어를 찾아보아요.

핵심 꿀꺽 질문

촌락과 도시의 특징에는 어떤 것들이 있나요?

촌락과 도시의 차이점은 무엇일까요?

촌락과 도시 문제 해결 방안에는 어떤 것들이 있을까요?

1 빈칸에 들어갈 알맞은 말을 쓰시오.

> 자연환경을 주로 이용해서 살아가는 지역을
> □□(이)라고 합니다.

2 다음에서 설명하는 지역에 사는 사람들의 생활 모습을 쓰시오.

> 이 지역에는 평야가 넓게 펼쳐져 있고 사람들이 모여 마을을 이루고 있습니다. 마을을 지나다 보면 논과 밭이 많이 보이는 평화로운 곳입니다.

중요
3 산지촌 사람들의 생활 모습에 대한 설명으로 알맞지 <u>않은</u> 것은 어느 것입니까? (   )

① 산에서 나는 나물을 캔다.
② 벌을 기르는 양봉을 한다.
③ 산에서 나무를 길러 목재를 얻는다.
④ 양식장을 만들어 김과 미역을 기른다.
⑤ 버섯 농장이나 목장 등의 시설에서 일한다.

4 다음과 같은 특징을 지닌 촌락은 어디인지 쓰시오.

> • 등대, 수산물 직판장 등이 있습니다.
> • 주민들은 주로 어업을 합니다.

5 도시의 특징으로 알맞은 것을 보기에서 두 가지 골라 기호를 쓰시오.

보기
ㄱ 사람들이 많고 높은 건물이 많다.
ㄴ 집들이 모여 있지 않고 드문드문 있다.
ㄷ 사람들이 자연환경을 이용하여 살아간다.
ㄹ 영화관 등 여가 생활을 즐길 수 있는 시설이 풍부하다.

6 다음에서 설명하는 도시로 알맞은 곳은 어디입니까? (   )

> 이곳은 행정을 위해서 새롭게 계획된 도시입니다. 수도권에 집중되어 있던 행정 기관들이 이곳으로 옮겨졌습니다.

① 서울특별시   ② 대전광역시
③ 울산광역시   ④ 세종특별자치시
⑤ 제주특별자치도

7 빈칸에 들어갈 알맞은 말을 쓰시오.

> 도시에는 다양한 일자리가 있습니다. 회사나 공장에서 근무하기도 하고, 공공 기관에서 주민들의 불편을 해결해 주기도 합니다. 또는 영화관이나 도서관 등 문화 시설에서 ☐☐☐ 을/를 제공하기도 합니다.

8 다음 사진에 나타난 촌락과 도시의 차이점을 쓰시오.

▲ 도시

▲ 촌락

9 도시와 촌락 사람들의 생활 모습에 대한 설명으로 알맞지 <u>않은</u> 것은 어느 것입니까?
( )

① 도시에서는 지하철로 출퇴근을 한다.
② 촌락에서는 논, 밭, 바다 등에서 일한다.
③ 촌락과 도시 사람들 모두 자연환경과 더불어 살아간다.
④ 촌락에서는 늦은 시간에도 영화관에서 여가 생활을 즐긴다.
⑤ 도시에서는 인문환경을 이용하여 여가 생활을 즐기는 경우가 많다.

10 다음에서 나타나는 촌락의 문제를 쓰시오.

> **주민:** 아이고, 오늘 읍내에서 열리는 시장에 가려고 버스를 타러 왔는데 버스가 오지를 않네. 기다린지 30분이 넘어가는데도 말이야. 어디 한 번 가기가 이렇게 힘들어서야 원……

11 촌락에서 주로 발생하는 문제로 알맞지 <u>않은</u> 것은 어느 것입니까? ( )

① 일손 부족
② 학생 수 감소
③ 주민 소득 감소
④ 문화 시설 부족
⑤ 주차 공간 부족

12 촌락의 문제를 해결하기 위한 방안을 알맞게 제시한 학생을 보기 에서 모두 골라 기호를 쓰시오.

> 보기
> ㉠ 현석: 촌락의 소득을 높이기 위해서 외국의 농산물을 많이 수입하면 어떨까?
> ㉡ 민지: 촌락에서 사는 것에 관심이 있는 사람들을 위해서 귀촌에 관한 정책이 필요해.
> ㉢ 고은: 촌락의 인구가 계속 감소하고 있으니 새로운 시설을 지을 필요는 없는 것 같아.
> ㉣ 정민: 촌락의 일손 부족 문제를 해결하기 위해서 농업용 드론을 도입하면 좋을 것 같아.

13 다음 사진은 도시의 어떤 문제를 해결하기 위한 노력인지 쓰시오.

층간 소음 이웃 사이 서비스란?

공동 주택 층간 소음으로 인한 분쟁을 조기에 합리적으로 조정하기 위해 '층간 소음 이웃 사이 센터' 개설

'층간 소음 이웃 사이 센터'에 접수된 민원에 대하여 전문가 전화 상담 및 현장 소음 측정 서비스를 제공, 당사자 간의 이해와 분쟁 해결 유도

14 다음 글을 읽고 도시에서 나타날 수 있는 문제와 해결 방안을 쓰시오.

우리나라는 전체 인구의 90% 이상이 도시에 집중되어 있습니다. 촌락에 살고 있던 젊은 사람들도 일자리를 얻을 시기가 되면 도시로 이동하는 경우가 많습니다. 이러한 현상으로 도시에서는 여러 가지 문제가 발생하고 있습니다.

중요
15 도시에서 발생하는 문제로 알맞은 것은 어느 것입니까? (   )

① 도시의 전체 인구가 점점 줄어든다.
② 의료 시설이나 편의 시설이 부족하다.
③ 젊은 층 인구가 없어 일손이 부족하다.
④ 교통이 복잡하고 대기 오염이 발생한다.
⑤ 외국의 농산물 수입으로 소득이 감소한다.

워드 클라우드와 함께하는 **서술형 문제**

[16-17] 워드 클라우드의 단어를 이용하여 서술형 문제의 답을 서술하시오.

회사 공장 지하철
미술관 저녁
저수지 백화점 산책
밤낚시 마을 이웃 주민들

16 농촌의 생활 모습이 나타난 다음 글을 읽고 뒤에 이어질 내용을 서술하시오.

나는 농촌에서 살고 있습니다. 아침에 일어나 논과 밭으로 가 부지런히 농사를 짓습니다. 일하는 곳과 집이 가까워 점심은 집에서 여유롭게 먹은 다음 다시 논, 밭으로 돌아갑니다. 그리고 해가 지기 전에 집으로 돌아와 여가 생활을 즐기기도 합니다. 촌락에서 밤에 즐길 수 있는 여가 생활은 …….

17 도시에서 볼 수 있는 시설을 쓰고, 그곳에서 일하는 사람들은 어떤 일을 할 수 있는지 서술하시오.

문화 예술 공간으로 재탄생한 지하철역

서울시의 지하철역인 영등포시장역이 새로운 모습으로 바뀌었습니다. 서울시는 영등포시장역과 같이 노후한 지하철역을 선정하여 시민들이 일상 속에서 즐길 수 있는 문화 예술 공간으로 변화시켰습니다. 영등포시장역은 '시장의 재발견'이라는 콘셉트를 중심으로 지역 예술가, 시장 상인, 지하철 승객, 지역 주민들 모두가 즐기고 서로 교류할 수 있는 문화 예술 공간으로 재탄생했습니다.

시장

지역 예술가들이 공연을 열거나 자신이 제작한 제품을 판매하고 홍보할 수 있도록 만든 시장입니다. 지역 예술가들은 시장을 통해 자신들의 창작 활동을 보여 줄 수 있고, 지하철을 이용하는 시민들은 일상 속에서 쉽게 문화 예술 활동을 즐길 수 있습니다.

스튜디오

제작, 사진, 영상 촬영, 편집 등 다양한 창작 활동이 가능한 스튜디오입니다. 이 공간에서 시민들과 지역 예술가들은 다양한 예술 활동을 펼칠 수 있습니다.

라운지

지역 특성을 살린 음료를 파는 카페, 지역 예술가의 작품을 전시한 갤러리 등 다양한 공간이 모여 있는 라운지입니다. 시민들은 이 공간에서 소규모 강연을 듣거나 작품을 자유롭게 관람하고 카페에 앉아 휴식을 취할 수 있습니다.

교류란 무엇일까요?

보충 ❶

● 도농 교류의 날
정부는 도시와 농촌의 교류를 활발하게 만들기 위해 매년 7월 7일을 도농 교류의 날로 정하여 기념하고 있다.

▲ 도농 교류의 날 기념행사

보충 ❷

● 국제기구
지구촌에서 일어나는 다양한 문제들은 한 국가의 노력만으로 해결하기 힘든 경우가 많다. 그래서 여러 나라가 협력하는 국제기구를 만들어 지구촌 문제를 함께 해결하기 위해 노력한다.

1 교류의 의미와 종류

(1) 교류의 의미

① 교류란 물건, 문화, 기술 등을 주고받거나 사람들이 오가는 것이다.

② 교류를 통해 서로에게 도움을 주고 가깝게 지낼 수 있다.

(2) 교류의 종류: 개인 간 교류, 가정 간 교류, 이웃 간 교류, 학교 간 교류, 지역 간 교류, 국가 간 교류 등

2 다양한 모습의 교류 🟠 속 시원한 활동 풀이

(1) 가정 간 교류

① 이웃과 인사를 나누고 가족끼리 함께 모여 시간을 보낸다.

② 마을 공동체에서 아이들을 함께 돌본다.

(2) 학교 간 교류

① 주변 학교들끼리 연합하여 동아리 활동을 한다.

② 다른 지역의 학교와 함께 운동회나 공동 축제를 개최한다.

(3) 지역 간 교류

① 다른 지역과 ❶자매결연을 맺어 서로의 지역을 방문하고 교류하는 행사를 개최한다. 보충 ❶

② ❷농수산물 직거래 장터를 열어 여러 지역이 서로의 생산물을 판매한다.

(4) 국가 간 교류

① 지구촌에서 일어나는 다양한 문제를 해결하기 위해서 세계 여러 나라와 함께 협력한다. 보충 ❷

② 다른 나라와 ❸친선 스포츠 경기를 한다.

내용＋ 지역 간 교류의 유형

교류 분야	주요 교류 활동
행정 교류	공무원 교환 근무, 공무원 연수, 조사단 파견 등
경제 교류	농수산물 판매, 특산물 전시회, 무역 교류 등
문화 교류	친선 스포츠 경기, 미술 전시회, 공연 등
방문 교류	유학생 교류, 행사 참여, 홈스테이 등
기타	자연재해 발생 시 구조 및 지원 활동, 의료 봉사 등

용어 사전

❶ 자매결연: 지역이나 단체가 서로 돕거나 교류하기 위해 좋은 관계를 맺는 것을 말한다.

❷ 농수산물 직거래 장터: 농수산물을 살 사람과 팔 사람이 직접 거래하는 장터이다.

❸ 친선: 서로 간에 친하고 사이가 좋은 것을 말한다.

 활동

그림을 보고, 내가 경험한 것이나 경험해 보고 싶은 교류의 모습을 친구들과 이야기해 봅시다.

가정 간 교류	학교 간 교류

예 새로 이사 온 이웃집에서 떡을 돌리며 인사를 합니다.	예 학교 연합 동아리에 가입하여 다른 학교의 학생들과 함께 활동합니다.
지역 간 교류	국가 간 교류

예 자매결연을 맺은 지역을 방문하여 체험 활동을 합니다.	예 각 나라의 대통령이 만나 국가의 중요한 일을 함께 의논합니다.

예 • 한 지역에서 자연재해가 발생했을 때, 다른 지역 사람들이 복구 봉사 활동을 하러 온 모습을 뉴스에서 보았습니다.
• 우리 집 근처에서 다른 지역의 농산물을 파는 직거래 장터가 열렸습니다.

 **확인** 톡! 톡!

📍정답과 해설 3쪽

1 물건, 문화, 기술 등을 주고받거나 사람이 오가는 것이 무엇인지 쓰시오.

( )

2 교류의 종류에는 어떤 것이 있는지 두 가지 쓰시오.

( )

촌락과 도시의 교류는 왜 필요할까요?

보충 ①

● **가까운 지역 간 교류**
교통의 발달로 서로 멀리 떨어져 있는 지역도 교류할 수 있게 되었다. 하지만 서로 가까이 붙어 있는 지역 간의 교류가 멀리 떨어져 있는 지역 간의 교류보다 더욱 자주 일어난다.

1 촌락과 도시의 교류가 필요한 까닭

(1) 촌락과 도시의 교류가 필요한 까닭
① 촌락과 도시는 자연환경, 기술, 문화 등이 다르기 때문에 생산되는 물건이 다르다.
② 촌락과 도시가 서로 교류하지 않으면 지역에서 생산되지 않거나 부족한 것을 구하기 어렵다. **속 시원한 활동 풀이**

(2) 촌락과 도시의 교류가 지니는 장점
① 서로의 부족한 점을 채워 줄 수 있다.
② 서로 도움을 주고받으며 함께 발전할 수 있다. **보충 ①**

2 촌락과 도시의 다양한 교류 모습

촌락에서 생산한 우유를 도시에 판매함.

촌락에 가서 다양한 촌락 ❶체험 활동을 함.

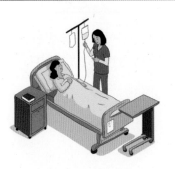

촌락에 없는 첨단 의료 시설을 이용하기 위해 도시에 방문함.

도청과 같은 ❷공공 기관에서 일을 처리하기 위해 도시에 방문함.

내용┿ 촌락과 도시의 교류 유형에는 자매결연을 통해 이루어지는 인적 교류, 상품을 거래하며 이루어지는 물적 교류, 농촌 문화를 체험할 수 있는 체험 교류, 관광을 통해 이루어지는 여가 교류 등이 있다.

용어 사전

❶ **체험 활동**: 직접 몸으로 겪고 느끼며 하는 활동을 말한다.
❷ **공공 기관**: 주민 전체의 이익과 생활의 편의를 위해 국가나 지방 자치 단체가 세우거나 관리하는 기관이다.

 속 시원한 **활동 풀이**

공부한 날

___월 ___일

📍교과서 38~39쪽

다 함께 활동

그림에 나타난 촌락과 도시의 특징을 비교하고, 교류가 필요한 까닭을 친구들과 이야기해 봅시다.

촌락과 도시의 특징 비교	예 • 촌락에는 사람이 적고, 도시에는 사람이 많습니다. • 촌락에는 논과 밭이 있는데, 도시에는 공장과 높은 건물들이 있습니다. • 사람들이 도시에서는 영화를 보러 가고, 촌락에서는 캠핑이나 해수욕을 하고 있습니다.
촌락과 도시의 교류가 필요한 까닭	예 • 촌락과 도시는 부족한 것이 다르고, 생산되는 물건이 다르기 때문에 교류를 통해 서로 부족한 점을 채워 줄 수 있습니다. • 서로 도움을 주고받으며 함께 더 발전할 수 있습니다.

잠깐! 확인해요

촌락과 도시는 생산되는 물건이 서로 다르기 때문에 ☐☐이/가 필요합니다.   (교류   )

확인 톡! 톡!

📍정답과 해설 3쪽

1 빈칸에 들어갈 알맞은 말을 쓰시오.

촌락과 도시가 서로 교류하지 않으면 지역에서 ☐☐되지 않거나 부족한 것을 구하기 어렵습니다.

(   )

2 도시 사람들이 촌락에 가서 직접 몸으로 겪고 느끼며 하는 다양한 활동이 무엇인지 쓰시오.

(   )

촌락과 도시는 어떤 교류를 하고 있을까요?

보충 ❶

● **비대면 · 온라인 지역 축제**
코로나바이러스 감염증 – 19의 영향으로 그동안 개최되던 지역 축제들이 온라인으로 개최되고 있다. 온라인으로 해당 누리집에 접속하면 직접 지역 축제에 가지 않아도 축제에 참여하여 다른 지역과 교류할 수 있다.

보충 ❷

● **해미 읍성**

충청남도 서산시 해미면에 있는 성으로, 조선 시대에 만들어져 방어 임무를 담당하던 곳이다.

❶ 촌락과 도시의 교류 모습

(1) 촌락과 도시의 교류 모습 🔵 **속 시원한** 활동 풀이

촌락 사람들이 도시를 방문하는 경우	도시 사람들이 촌락을 방문하는 경우

• 첨단 의료 시설이 있는 종합 병원을 방문함. • 공연장이나 대형 경기장에서 전시, 스포츠 경기를 관람함. • 물건을 구매할 때 백화점이나 대형 상점가를 방문함.	• 농수산물 직거래 장터에 가서 상품을 구매함. • 자연환경을 이용한 등산, 낚시, 농촌 체험, 갯벌 체험 등의 여가 활동을 즐김. • 기업이나 학교에서는 촌락의 마을과 ❶자매 결연을 하고 일손 돕기 봉사 활동을 함.

(2) 촌락과 도시의 교류를 통해 알 수 있는 점: 촌락과 도시가 ❷상호 의존하며 도움을 주고받고 있다.

❷ 지역 축제를 통한 촌락과 도시의 교류

(1) 우리나라 대표 지역 축제 보충 ❶

강릉 단오제	음력 4월 5일부터 5월 7일까지 강원도 강릉 대관령에서 제사를 지내면서 마을의 안전과 풍년을 기원하는 축제임.
서산 해미 읍성 축제	충청남도 서산시 해미면 해미 읍성 일대에서 개최되며 지역 역사 문화 축제로 조선 시대의 생활상을 체험해 볼 수 있음. 보충 ❷
부산 국제 영화제	부산광역시 해운대에서 개최되는 국제 영화 축제로 다양한 나라의 영화를 초청하여 상영함.
영주 풍기 인삼 축제	경상북도 영주시 풍기읍에서 열리는 축제로 인삼과 관련된 다양한 체험을 할 수 있는 특산물 축제임.

(2) 지역 축제의 특징: 역사나 특산물 등 지역의 특성을 살려 축제로 이용한다.

(3) 지역 축제를 통한 교류의 좋은 점

① 새로 접하는 지역의 문화를 체험할 수 있다.

② 우리 지역의 문화와 전통을 다른 지역의 사람들에게 알릴 수 있다.

③ 지역 축제에 많은 사람들이 오면 관광 수입 등의 경제적 이익을 얻을 수 있다.

④ 촌락에서 축제가 열리면 그 지역의 특산물을 편리하게 구매할 수 있다.

용어 사전

❶ **자매결연:** 지역이나 단체가 서로 돕거나 교류하려고 친선 관계를 맺는 것을 말한다.

❷ **상호 의존:** 서로 의지하여 이쪽과 저쪽 모두에 도움이 되는 것을 말한다.

 스스로 활동

촌락과 도시가 서로 교류하며 상호 의존하는 사례를 조사해 봅시다.

주제	예 성남시와 가평군의 교류
교류하는 모습	 예 • 가평군에 비가 많이 와 피해를 입자 성남시에서 피해 복구 구호 물품을 보내주었습니다. • 가평군에서 생산한 농산물을 파는 직거래 장터를 성남시에 열었습니다.
교류의 좋은 점	예 • 가평군 주민들은 성남시에서 보내준 구호 물품 덕분에 더 빨리 피해를 복구하고 일상으로 돌아갈 수 있습니다. • 성남시 주민들은 농산물 직거래 장터를 통해 가평군에서 생산한 농산물을 싸게 살 수 있고, 가평군 주민들은 높은 소득을 얻을 수 있습니다.
생각하거나 느낀 점	예 촌락과 도시에 사는 사람들이 교류함으로써 서로 부족한 점을 채우고 도움을 주고받을 수 있습니다.

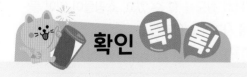 잠깐! 확인해요

촌락과 도시는 상호 의존하는 관계를 맺고 있습니다. (○ , ✕)　　　　　　　　(○)

확인 톡! 톡!

정답과 해설 3쪽

1 지역이나 단체가 서로 돕거나 교류하려고 친선 관계를 맺는 것이 무엇인지 쓰시오.

(　　　　　　　　)

2 강원도 강릉 대관령에서 열리는 축제로, 제사를 지내면서 마을의 안전과 풍년을 기원하는 축제는 무엇인지 쓰시오.

(　　　　　　　　)

촌락과 도시의 교류를 체험해 볼까요?

함께 해요

보충 ❶

● **농촌 체험 휴양 마을**
농촌의 활기를 되찾고 소득을 늘리기 위해 나라에서 지정한 마을을 농촌 체험 휴양 마을이라고 한다. 농촌 체험 휴양 마을에 방문하면 다채로운 농촌 체험 활동과 여가를 즐길 수 있다.

▲ 농촌 체험 휴양 마을의 논 썰매 체험

보충 ❷

● **1사 1촌 운동**
기업 및 단체와 농촌 마을이 더불어 잘 살아가기 위해 서로 교류하는 운동이다. 기업과 단체는 농촌 마을에서 휴식과 체험 등을 하며 여가를 즐길 수 있다. 또한 농수산물 직거래, 일손 돕기 봉사 활동 등을 통해 농촌도 도움을 받을 수 있다.

용어 사전

❶ **보완**: 모자라거나 부족한 것을 보충하여 완전하게 하는 것을 말한다.

❶ 촌락과 도시의 교류 체험 활동 방법

(1) **교류 체험을 계획할 때 생각할 점**: 교류하는 양쪽 지역 모두에 도움이 될 수 있는 교류에 대해 생각해 본다.

(2) **촌락과 도시의 교류 체험 활동 순서** 보충 ❶ ❷

> ❶ 지역 카드를 준비하고, 모둠별로 서로 다른 한 개의 지역을 선택한다.
> ❷ 우리 모둠이 맡은 지역의 특징을 살펴보고, 우리 지역에 필요한 것이 무엇인지 이야기한다.
> ❸ 다른 지역의 특징을 살피며 우리 지역에 부족한 것을 ❶보완하고 발전하기 위한 교류 계획을 세운다.
> ❹ 다른 지역과 교류한 후 카드 뒷면에 확인 표시를 주고받는다.

❷ 촌락과 도시의 교류 체험 활동

(1) **촌락과 도시 교류 계획서 작성** (속 시원한) 활동 풀이

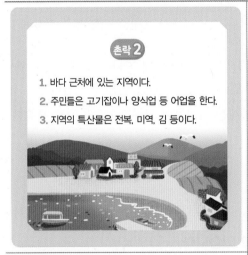

촌락 2
1. 바다 근처에 있는 지역이다.
2. 주민들은 고기잡이나 양식업 등 어업을 한다.
3. 지역의 특산물은 전복, 미역, 김 등이다.

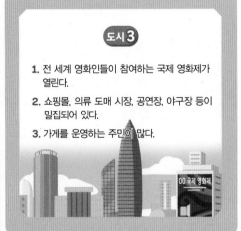

도시 3
1. 전 세계 영화인들이 참여하는 국제 영화제가 열린다.
2. 쇼핑몰, 의류 도매 시장, 공연장, 야구장 등이 밀집되어 있다.
3. 가게를 운영하는 주민이 많다.

촌락 2 **의 특징**: 바다가 있어 주민들은 주로 어업을 하고, 수산물이 풍부함.

촌락 2 **에 필요한 것**: 문화 시설, 편의 시설 등

도시 3 **의 특징**: 국제 영화제, 공연장 등 다양한 문화 활동을 할 수 있고, 쇼핑몰이 있어 물건을 사기에도 편리함.

도시 3 **에 필요한 것**: 농수산물, 여가 시설 등

(2) **교류하면 좋은 점**

① 촌락 2의 사람들은 도시 3을 방문하여 축제에 참여하고 공연을 보는 등 문화 생활을 할 수 있다.

② 도시 3의 사람들은 촌락 2를 방문하여 어촌 체험을 하거나 바닷가에서 휴식할 수 있다.

촌락과 도시 교류 계획서

우리 모둠이 선택한 지역		

촌락3
1. 지역 대부분 산으로 이루어져 있다.
2. 산나물과 버섯이 지역의 대표적인 특산물이다.
3. 스키장이 있어 관광업에 종사하는 주민도 있다.

도시2
1. 역사가 오래되고 문화유산이 많은 지역이다.
2. 관광과 관련된 일자리가 늘어나면서 인구가 증가하였다.
3. 주민들은 관광과 관련된 일을 한다.

선택한 지역의 특징	예 높은 산이 있어 산나물, 버섯이 특산물로 유명하고, 스키장이 있습니다.	예 문화유산이 많아 관광할 곳이 많고, 주민들이 관광과 관련된 일을 합니다.
선택한 지역에서 필요한 것	예 역사 체험 활동을 할 수 있는 시설, 편의 시설 등	예 농수산물, 여가 시설 등

교류 계획

예
• 도시2의 유적지나 박물관에서 촌락3의 주민들이 참여할 수 있는 역사 체험 프로그램을 개발하여 촌락3의 주민들이 방문할 수 있도록 합니다.
• 도시2에서 촌락3의 농산물을 직거래로 판매할 수 있는 장터를 엽니다.
• 촌락3에서 산과 관련된 체험 프로그램을 개발하여 도시2의 주민들이 참여하여 여가 생활을 즐길 수 있도록 합니다.

 **확인 톡! 톡!**

📍 정답과 해설 **3**쪽

1 촌락과 도시의 교류를 체험하기 위한 활동을 순서대로 기호를 쓰시오.

㉠ 다른 지역과 교류한 후 카드 뒷면에 확인 표시를 주고받습니다.
㉡ 지역 카드를 준비하고, 모둠별로 서로 다른 한 개의 지역을 선택합니다.
㉢ 우리 모둠이 맡은 지역의 특징을 살펴보고, 필요한 것이 무엇인지 이야기합니다.
㉣ 다른 지역의 특징을 살피며 우리 지역에서 부족한 것을 보완하기 위한 계획을 세웁니다.

(   )

즐겁게 정리해요

● '함께 발전하는 촌락과 도시'에서 배운 내용을 떠올리며 짝과 함께 말판 놀이를 해 봅시다.

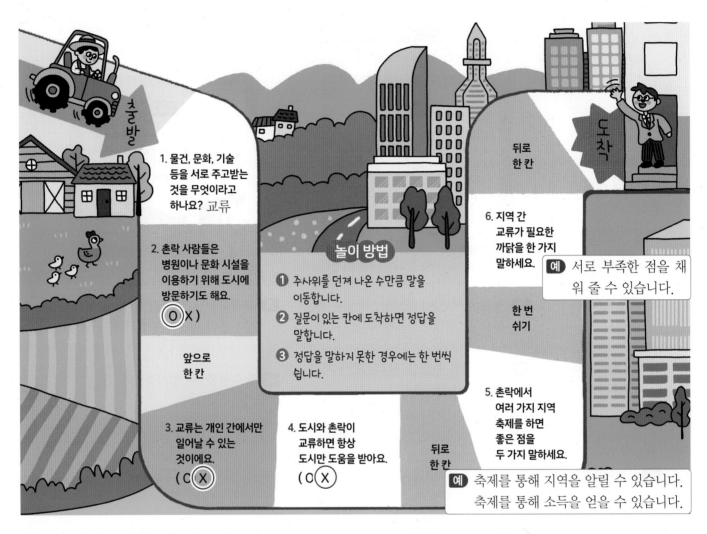

출발

1. 물건, 문화, 기술 등을 서로 주고받는 것을 무엇이라고 하나요? 교류

2. 촌락 사람들은 병원이나 문화 시설을 이용하기 위해 도시에 방문하기도 해요. (Ⓞ X)

앞으로 한 칸

3. 교류는 개인 간에서만 일어날 수 있는 것이에요. (O Ⓧ)

4. 도시와 촌락이 교류하면 항상 도시만 도움을 받아요. (O Ⓧ)

놀이 방법

❶ 주사위를 던져 나온 수만큼 말을 이동합니다.
❷ 질문이 있는 칸에 도착하면 정답을 말합니다.
❸ 정답을 말하지 못한 경우에는 한 번씩 쉽니다.

뒤로 한 칸

6. 지역 간 교류가 필요한 까닭을 한 가지 말하세요.

예 서로 부족한 점을 채워 줄 수 있습니다.

한 번 쉬기

5. 촌락에서 여러 가지 지역 축제를 하면 좋은 점을 두 가지 말하세요.

뒤로 한 칸

예 축제를 통해 지역을 알릴 수 있습니다. 축제를 통해 소득을 얻을 수 있습니다.

도착

도움 교류의 의미와 종류를 떠올려 보고 도시와 촌락의 교류 모습과 좋은 점을 생각하면서 말판 놀이 속 문제를 풀어 보세요.

🍓 핵심 꿀꺽 질문 ❓

물건, 문화, 기술을 서로 주고받는 것을 무엇이라고 하나요?

촌락과 도시 간의 교류에는 어떤 것이 있나요?

촌락과 도시가 교류를 하는 까닭은 무엇인가요?

1 빈칸에 들어갈 알맞은 말을 쓰시오.

> ☐☐은/는 물건, 문화, 기술 등을 주고받거나 사람이 오가는 것을 말합니다. 우리는 이것을 통해 서로 도움을 주고 가깝게 지낼 수 있습니다.

2 다음 대화를 읽고 이와 비슷한 교류 경험을 쓰시오.

> **성민:** 앗! 수학 시간에 필요한 삼각자를 깜박하고 못 챙겼네.
> **은정:** 괜찮아. 내가 하나 빌려줄게.
> **성민:** 고마워. 나는 대신 미술 시간에 사용할 색종이를 넉넉히 가져왔어. 너에게 조금 나눠 줄게.
> **은정:** 와~! 내가 갖고 싶어 하던 색종이네. 정말 고마워.

3 다음에서 설명하는 교류의 종류로 알맞은 것은 어느 것입니까? ( )

> 연합 동아리에 가입하여 다른 학교의 학생들과 함께 활동합니다.

① 가정 간 교류   ② 학교 간 교류
③ 개인 간 교류   ④ 지역 간 교류
⑤ 국가 간 교류

4 빈칸에 들어갈 알맞은 말을 쓰시오.

> 촌락과 도시는 교류를 통해서 서로 도움을 주고받으며 함께 ☐☐할 수 있습니다.

중요
5 촌락과 도시의 교류가 필요한 까닭으로 알맞지 않은 것은 어느 것입니까? ( )

① 촌락과 도시의 문화가 다르기 때문이다.
② 촌락과 도시에서 생산되는 물건이 다르기 때문이다.
③ 촌락과 도시가 지니고 있는 기술이 다르기 때문이다.
④ 촌락과 도시에서 살고 있는 사람들의 나이가 다르기 때문이다.
⑤ 촌락과 도시에서 이용할 수 있는 자연환경이 다르기 때문이다.

6 밑줄 친 부분에 해당하는 경험에는 무엇이 있는지 쓰시오.

> 정은이는 촌락에 살고 있습니다. 지난 여름 방학에 도시에 있는 이모네 집에 놀러가서 촌락에서는 하기 힘든 다양한 경험을 하고 집으로 돌아왔습니다.

7 촌락 사람들이 도시를 방문하는 까닭으로 알맞지 <u>않은</u> 것은 어느 것입니까? ( )

① 공연을 보기 위해서이다.
② 농촌 체험을 하기 위해서이다.
③ 야구 경기장을 방문하기 위해서이다.
④ 대형 상점가를 방문하기 위해서이다.
⑤ 도시에 있는 편리한 시설을 이용하기 위해서이다.

중요
8 도시 사람들이 촌락을 방문하는 까닭으로 알맞지 <u>않은</u> 것은 어느 것입니까? ( )

① 등산을 하기 위해서이다.
② 낚시를 하기 위해서이다.
③ 갯벌 체험을 하기 위해서이다.
④ 일손 돕기 봉사 활동을 하기 위해서이다.
⑤ 촌락에 있는 큰 백화점을 방문하기 위해서이다.

9 다음에서 설명하는 단어를 쓰시오.

이곳은 농수산물을 살 사람과 팔 사람이 직접 거래하는 장터를 말합니다. 이곳을 이용하면 촌락에서 생산된 싱싱한 농수산물을 구매할 수 있습니다.

10 담양군 사람들이 광주광역시에 가서 이용할 수 있는 시설로 알맞지 <u>않은</u> 것은 어느 것입니까?
( )

① 미술관   ② 공연장
③ KTX역   ④ 대형 병원
⑤ 농촌 체험장

11 빈칸에 들어갈 알맞은 말을 쓰시오.

촌락과 도시는 축제를 통해 교류하기도 합니다. 도시 사람들은 지역 축제를 통해서 새로운 경험을 하고, 촌락 사람들은 지역 축제를 통해 소득을 올립니다. 이처럼 촌락과 도시는 서로 교류하면서 ☐☐☐☐하고 있습니다.

12 다음에서 설명하는 축제가 무엇인지 쓰시오.

음력 4월 5일부터 5월 7일까지 강원도 강릉 대관령에서 제사를 지내면서 마을의 안전과 풍년을 기원하는 축제입니다.

13 다음에서 설명하는 축제가 무엇인지 쓰시오.

> 부산광역시 해운대에서 개최되는 국제 영화 축제입니다. 이 축제에서는 다양한 나라의 영화를 초청하여 상영합니다.

_____

14 다음 사진과 같이 도시와 촌락이 교류할 때 각각 어떤 좋은 점이 있는지 쓰시오.

_____
_____

중요
15 지역 축제에 대한 설명으로 알맞은 것은 어느 것입니까? ( )

① 지역 축제는 해당 지역 주민만 참여한다.
② 지역 축제에서는 지역의 특산물은 구매하기 힘들다.
③ 지역 축제를 하면 축제가 열린 지역에만 이익이 생긴다.
④ 지역 축제는 지역의 특산물을 이용하여 도시에서 주로 열린다.
⑤ 지역 축제를 통해서 촌락과 도시가 도움을 주고받으며 더욱 가까워질 수 있다.

[16-17] 워드 클라우드의 단어를 이용하여 서술형 문제의 답을 서술하시오.

> ### 지역 축제
> 도움 교류 소득
> 농수산물 직거래 장터
> 경제적 이익 체험 활동

16 다음 사례에서 밑줄 친 곳에 들어갈 알맞은 내용을 서술하시오.

> 도시에 위치한 ○○초등학교 4학년 학생들은 농촌 현장 체험 학습을 다녀왔습니다. 정미소에서 쌀이 만들어지는 과정을 살펴보고, 직접 떡을 만드는 체험도 했습니다. 이러한 교류를 통해 학생들은 평소에 할 수 없었던 귀중한 경험을 하고 촌락 사람들은 _____

_____
_____

17 ㉠에 들어갈 단어를 쓰고, 관련 있는 사례를 서술하시오.

> 촌락과 도시는 서로 생산되는 물건을 주고받는(㉠)를 하고 있습니다.

(1) ㉠: _____

(2) 도시와 촌락의 교류 사례: _____

국가 간 교류, 한류 열풍

교류는 물건이나 사람이 오가는 것 외에 문화를 서로 주고받는 것을 의미하기도 합니다. 다른 나라와 서로 문화를 주고 받는 것도 국가 간의 교류라고 할 수 있습니다. 요즘 우리나라의 음식뿐만 아니라 음악, 웹툰, 영화까지 다양한 문화가 전 세계에 퍼져나가 큰 인기를 얻고 있습니다.

음악

우리나라 가수들의 음악이 전 세계에서 인기를 끌고 있습니다. 다양한 국가의 사람들이 우리나라 가수의 공연을 보러 오고, 우리나라 가수들의 음악이 해외 음악 순위에서도 상위권에 오르고 있습니다. 우리나라 가수가 부르는 노래 가사를 이해하기 위해 한국어를 배우는 외국인들도 점점 늘어나고 있습니다.

음식

드라마와 예능 방송에 한식을 먹는 장면이 자주 나오면서 한식이 인기를 끌고 있습니다. 비빔밥, 불고기와 같은 전통적인 한식뿐만 아니라 감자 핫도그 등 한국식으로 재해석한 음식들도 많은 인기를 끌고 있습니다.

화장품

한국 연예인의 인기가 올라가면서 그들이 사용하는 화장품에 대한 수요도 늘어나고 있습니다. 특히 우리나라 화장품은 우수한 품질과 저렴한 가격, 예쁜 포장으로 해외에서 큰 인기를 얻고 있습니다.

드라마

우리나라 드라마가 한국적인 감수성과 소재로 전 세계에서 호평을 받고 있습니다. 이에 한국 문화를 소비하는 해외 시청자들이 생겼습니다. 그들은 우리나라 드라마에 나온 소품과 의상을 구매하고 드라마의 장면을 재현하기도 합니다.

정리 콕콕 이 단원에서 배운 내용을 글과 그림으로 정리해 봅시다.

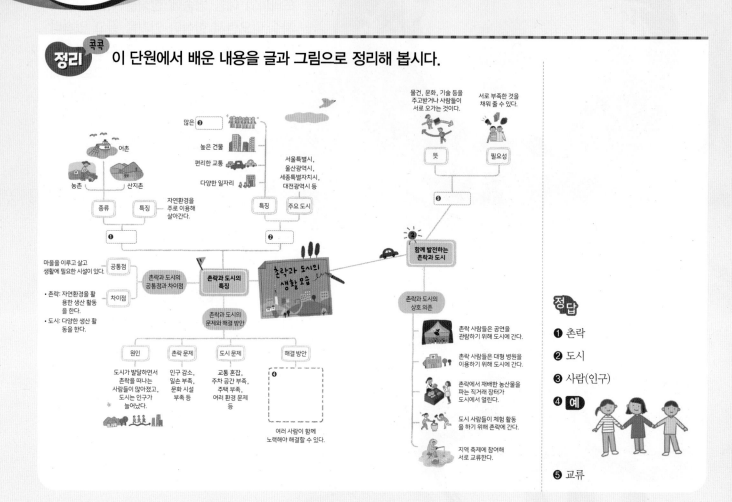

물건, 문화, 기술 등을 주고받거나 사람들이 서로 오가는 것이다.

서로 부족한 것을 채워 줄 수 있다.

많은 ❸

높은 건물

편리한 교통

다양한 일자리

서울특별시, 울산광역시, 세종특별자치시, 대전광역시 등

뜻 / 필요성

어촌 / 농촌 / 산지촌

종류 / 특징

자연환경을 주로 이용해 살아간다.

특징 / 주요 도시

❶ / ❷ / ❺

함께 발전하는 촌락과 도시

마을을 이루고 살고 생활에 필요한 시설이 있다.

공통점 / 차이점

촌락과 도시의 공통점과 차이점

촌락과 도시의 특징

촌락과 도시의 생활 모습

- 촌락: 자연환경을 활용한 생산 활동을 한다.
- 도시: 다양한 생산 활동을 한다.

촌락과 도시의 문제와 해결 방안

촌락과 도시의 상호 의존

촌락 사람들은 공연을 관람하기 위해 도시에 간다.

촌락 사람들은 대형 병원을 이용하기 위해 도시에 간다.

촌락에서 재배한 농산물을 파는 직거래 장터가 도시에서 열린다.

도시 사람들이 체험 활동을 하기 위해 촌락에 간다.

지역 축제에 참여해 서로 교류한다.

원인 / 촌락 문제 / 도시 문제 / 해결 방안

도시가 발달하면서 촌락을 떠나는 사람들이 많아졌고, 도시는 인구가 늘어났다.

인구 감소, 일손 부족, 문화 시설 부족 등

교통 혼잡, 주차 공간 부족, 주택 부족, 여러 환경 문제 등

❹

여러 사람이 함께 노력해야 해결할 수 있다.

정답

❶ 촌락

❷ 도시

❸ 사람(인구)

❹ 예

❺ 교류

창의 팡팡 우리 지역의 특징을 소개하는 글을 써 봅시다.

만드는 방법

❶ 다음 낱말 중에서 우리 지역과 관련 있는 특징에 ○표를 하고 이 외에도 추가할 낱말이 있으면 써넣습니다.

촌락	도시	산	들
바다	편리한 교통	아름다운 자연	시끄럽다.
복잡하다.	한가하다.	일손 부족	환경 문제
고기잡이	영화관	버섯 재배	회사원
예 지하철	예 회사	예 높은 건물	

❷ 위에서 선택한 낱말을 활용해 우리 지역을 소개하는 글을 작성합니다.

예 우리 지역은 편리한 교통이 장점인 도시입니다. 지하철이 있어서 어디든 쉽고 빠르게 갈 수 있습니다. 그리고 영화관이나 백화점과 같은 편의 시설이 많아서 살기에 좋고, 다른 촌락이나 도시의 사람들이 우리 지역을 찾습니다. 또 회사나 공장이 많아 일자리도 풍부합니다.

세상 속으로 촌락과 도시가 어우러진 지역 만들기

1단계
준비하기

예 **촌락의 특징:** 아름다운 자연환경을 활용한 여가 생활을 즐길 수 있습니다.
도시의 특징: 편리하게 이용할 수 있는 다양한 종류의 시설이 많습니다.

2단계
설계하기

예 **우리 지역에 필요한 조건**
• 자연환경 속에서 사람들이 편안하게 쉴 수 있는 휴식 공간이 많아야 합니다.
• 영화관, 공연장 등 다양한 문화 시설이 있어야 합니다.
• 주차 공간이 많아야 합니다.
• 거리에 쓰레기를 함부로 버리지 않도록 도로 곳곳에 쓰레기통이 있어야 합니다.

3단계
소개하기

예 사람들이 등산을 하면서 아름다운 자연환경을 즐기고, 휴식할 수 있도록 등산로를 만들었습니다. 산 근처에서는 캠핑도 할 수 있습니다. 또 큰 주차장을 만들어서 주차 공간을 늘렸습니다. 가까운 거리에 영화관, 공연장 등이 있어서 다양한 영화와 공연을 볼 수 있습니다.

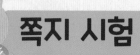
1 촌락에서는 산, 들, 바다와 같은 다양한 ( )을/를 볼 수 있습니다.

2 (농촌 / 어촌 / 산지촌)에서는 곡식이나 채소를 기르는 일을 주로 합니다. 비닐하우스, 정미소와 같은 시설이 있습니다.

3 인구가 밀집해 있고 정치, 경제, 사회, 문화의 중심이 되는 곳은 ( )입니다.

4 도시 사람들은 회사나 공장, 공공 기관 등 다양한 곳에서 일하고, 백화점이나 도서관 등의 장소에서 ( )을/를 제공하는 일을 하기도 합니다.

5 촌락에서는 인구가 감소하면서 일손 부족, 폐교 등의 여러 문제가 발생하고 있습니다.

(○ , ✕)

6 도시에서는 이웃 간의 갈등이 자주 일어나 이를 해결하기 위한 ( )와/과 같은 기관을 설치하기도 합니다.

7 다음 사진에 나타난 도시 문제를 쓰시오.

( )

8 이웃 사람들이 함께 음식을 나누어 먹거나 서로 돕는 교류는 ( ) 간 교류라고 할 수 있습니다.

9 촌락과 도시가 서로 교류하는 이유는 서로 생산되는 물건이 다르기 때문입니다. (○ , ✕)

10 촌락과 도시는 각 지역 간의 특징을 살린 ( )을/를 통해서 교류하며 서로 도움을 주고받기도 합니다.

1 다음에서 설명하는 곳이 어떤 촌락인지 쓰시오.

- 이곳은 산이 많은 곳에 있습니다.
- 이곳 주민들은 목재를 생산하거나 버섯을 재배하는 일 등 임업을 주로 합니다.

2 다음 사진과 같은 모습이 나타나는 촌락에서 볼 수 있는 시설을 <u>두 가지</u> 쓰시오.

3 어촌 사람들이 주로 하는 생산 활동을 보기에서 골라 기호를 쓰시오.

보기
ㄱ 양봉   ㄴ 어업
ㄷ 임업   ㄹ 벼농사

중요

4 촌락과 도시의 공통점으로 알맞은 것은 어느 것입니까?   (   )

① 교통이 편리하다.
② 주차 문제가 심각하다.
③ 높은 건물들이 많이 있다.
④ 젊은 사람이 없어 일손이 부족하다.
⑤ 사람들이 자연환경과 더불어 살아간다.

5 빈칸에 들어갈 알맞은 말을 쓰시오.

도시에는 높은 건물이 많고, 이동하는 사람도 많습니다. 그리고 버스나 지하철 같은 ☐☐☐☐이/가 발달해 있습니다.

6 우리나라의 수도이며 현재 가장 많은 인구가 살고 있는 도시는 어느 곳입니까?   (   )

① 광주광역시   ② 대전광역시
③ 부산광역시   ④ 서울특별시
⑤ 울산광역시

7 도시의 특징으로 알맞은 것을 보기에서 두 가지 골라 기호를 쓰시오.

보기
ㄱ 높은 산 속에 있다.
ㄴ 교통이 편리한 곳에 있다.
ㄷ 지역에 공장이나 대기업이 많다.
ㄹ 주로 나이가 많은 사람들이 모여 산다.

8 다음에서 설명하는 곳이 촌락과 도시 중 어디인지 쓰시오.

> 이곳에서는 높은 건물과 큰 도로, 많은 차들과 바쁘게 움직이는 사람들을 볼 수 있습니다. 이곳에는 다양한 공공 기관, 회사, 공장 등의 시설이 있습니다.

9 촌락과 도시의 생활 모습으로 알맞지 않은 것을 보기 에서 찾아 기호를 쓰고 바르게 고치시오.

> 보기
> ㉠ 촌락과 도시 모두 사람들이 모여 산다.
> ㉡ 도시에 사는 사람들은 다양한 장소에서 일한다.
> ㉢ 늦은 시간 즐기는 여가로 도시에서는 심야 영화가 있다.
> ㉣ 촌락 사람들은 회사에 다니거나 물건을 파는 등 다양한 생산 활동을 하며 살아간다.

10 도시에서 발생하는 교통 문제를 해결하기 위한 방안을 보기 에서 두 가지 골라 기호를 쓰시오.

> 보기
> ㉠ 아파트를 더 짓는다.
> ㉡ 공용 주차장을 더 짓는다.
> ㉢ 오염된 물을 정화하는 시설을 설치한다.
> ㉣ 가까운 거리는 걸어다니거나 대중교통을 이용한다.

중요

11 도시에서 발생하는 문제가 <u>아닌</u> 것은 어느 것입니까? ( )

① 환경 오염　　　② 인구 감소
③ 주택 부족　　　④ 이웃 갈등
⑤ 교통 혼잡

12 다음에서 설명하는 단어는 무엇인지 쓰시오.

> 이것은 도시에 살던 사람들이 촌락으로 돌아가 생활하는 것을 말합니다. 요즈음 도시에서 발생하는 여러 가지 문제로 이것을 생각하는 사람들이 많아지고 있습니다.

13 농촌 지역의 소득 감소 문제를 해결하기 위한 방법으로 알맞지 <u>않은</u> 것은 어느 것입니까? ( )

① 작은 영화관 만들기
② 체험 학습관 만들기
③ 우리 농산물 수출하기
④ 새로운 품종 개발하기
⑤ 품질 좋은 농산물 생산하기

14 촌락에서 발생하는 문제로 알맞은 것을 보기 에서 두 가지 골라 기호를 쓰시오.

> 보기
> ㉠ 교통 시설이 부족하다.
> ㉡ 자연환경을 체험하기 힘들다.
> ㉢ 아파트가 많아 층간 소음이 자주 발생한다.
> ㉣ 종합 병원이 없어 의료 서비스를 받기 힘들다.

15 다음 상황에서 나타나는 교류의 종류는 어느 것입니까? ( )

> **아나운서:** 오늘은 대한민국과 미국의 친선 축구 경기가 있는 날입니다. 이번 경기는 친선 경기인만큼 두 나라 모두 스포츠 정신을 지키며 매너 있는 경기를 펼치기 바랍니다.

① 가정 간 교류　　② 가족 간 교류
③ 학교 간 교류　　④ 지역 간 교류
⑤ 국가 간 교류

16 다음 글을 읽고 밑줄 친 곳에 들어갈 알맞은 내용을 쓰시오.

> 여러분은 나에게 없는 물건을 빌리거나 가지고 있는 물건과 바꾸어 본 경험이 있나요? 아마도 모두 이런 경험을 해본 적이 있을 거에요. 서로에게 없는 물건을 바꾸어 쓰게 되면 나와 상대방 모두에게 도움이 됩니다. 촌락과 도시의 교류가 필요한 이유도 _____

_____

_____

17 촌락 사람들과 도시 사람들이 교류하는 모습으로 알맞은 것은 어느 것입니까? ( )

① 도시 사람들이 촌락에 농산물을 판매한다.
② 촌락에서 낚시를 하면서 여가 시간을 즐긴다.
③ 종합 병원을 이용하기 위해 촌락을 방문한다.
④ 전시회를 보기 위해 촌락에 있는 미술관에 간다.
⑤ 대형 쇼핑몰에서 영화를 보기 위해 촌락으로 이동한다.

18 지역 축제를 통한 교류로 다음과 같은 좋은 점을 얻을 수 있는 곳은 촌락과 도시 중 어디인지 쓰시오.

> **유민:** 새로 접하는 지역의 문화를 체험했습니다.
> **수연:** 지역의 특산물이나 농산물을 싼 가격에 구매할 수 있어서 좋았습니다.

_____

19 다음 축제들의 공통적인 특징을 쓰시오.

> • 강릉 단오제
> • 부산 국제 영화제
> • 서산 해미 읍성 축제
> • 원주 풍기 인삼 축제

_____

_____

중요⭐

20 촌락과 도시가 교류하는 경우로 알맞지 <u>않은</u> 것은 어느 것입니까? ( )

① 귀촌을 통한 교류
② 지역 축제를 통한 교류
③ 일손 돕기 봉사 활동을 통한 교류
④ 농수산물 직거래 장터를 이용한 교류
⑤ 촌락 체험 학습 프로그램을 통한 교류

[1-3] 다음 사진을 보고 물음에 답하시오.

㉠ 농촌

㉡ 어촌

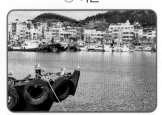

㉢ 산지촌

㉣ 도시

1 ㉠, ㉡, ㉢에서 주로 볼 수 있는 자연환경은 무엇이 있는지 각각 서술하시오.

_____

_____

2 ㉠, ㉡, ㉢ 중 한 지역을 골라 그 지역 사람들의 생활 모습을 서술하시오.

_____

_____

3 ㉣에서 볼 수 있는 인문환경은 무엇이 있는지 <u>두 가지</u> 이상 서술하시오.

_____

_____

[4-6] 다음 자료를 보고 물음에 답하시오.

㉠ (   )

㉡ 체험 활동

㉢ 농수산물 직거래 장터

㉣ 지역 축제

4 ㉠이 무엇인지 쓰고, 촌락에서 할 수 있는 ㉡의 예시를 서술하시오.

_____

_____

5 ㉢을 이용하면 촌락 사람들이나 도시 사람들에게 무엇이 좋은지 각각 서술하시오.

_____

_____

6 ㉣을 통한 교류의 좋은 점을 서술하시오.

_____

_____

2. 필요한 것의 생산과 교환

사 회를
이 해하고
다 함께
탐구하자!

공부 계획표

• 자신의 일정에 맞게 계획을 세워 보고, 실제 학습일을 적어 봅시다.
• 학습을 마무리한 후 얼마나 학습 목표를 달성했는지 스스로 점검해 봅시다.

공부할 내용		쪽수	계획일	달성
단원 열기 필요한 것의 생산과 교환		54~57쪽	월 일	◯
1 경제활동과 현명한 선택	우리도 경제활동을 하고 있다고요?	58~59쪽	월 일	◯
	선택의 문제는 왜 일어날까요?	60~61쪽	월 일	◯
	현명한 선택을 하려면 어떻게 해야 할까요?	62~63쪽	월 일	◯
	시장에서 생산과 소비의 모습을 찾아볼까요?	66~67쪽	월 일	◯
	시장놀이를 해 볼까요?	68~69쪽	월 일	◯
	즐겁게 정리해요, 주제 톡톡 문제	70~73쪽	월 일	◯
2 교류하며 발전하는 우리 지역	교실에 있는 물건들은 어디에서 왔을까요?	76~77쪽	월 일	◯
	우리 지역의 상품이 어디에서 왔는지 조사해 볼까요?	78~79쪽	월 일	◯
	지역의 경제적 교류를 알아볼까요?	82~83쪽	월 일	◯
	우리 지역의 경제적 교류를 소개해 볼까요?	84~85쪽	월 일	◯
	즐겁게 정리해요, 주제 톡톡 문제	86~89쪽	월 일	◯
단원 마무리	**단원을** 마무리해요, 쪽지 시험	92~94쪽	월 일	◯
	단원 톡톡 문제, 서술형 톡톡 문제	95~98쪽	월 일	◯

친구 생일잔치 준비를 하려고 시장에 왔어요. 함께 시장 안을 둘러볼까요?

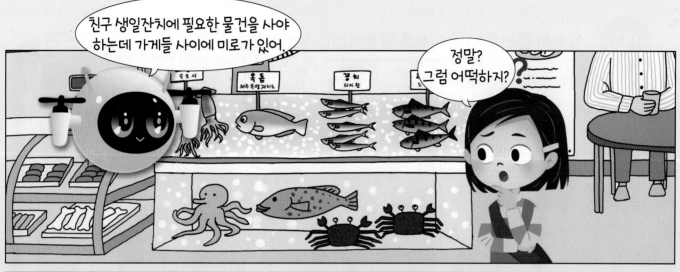

📍교과서 53~54쪽

사회랑 놀아요 · 필요한 물건을 사서 미로를 탈출하라!

친구 생일잔치에 필요한 물건은 바나나, 음료수, 통닭, 떡볶이, 케이크야. 이것들을 모두 사서 미로를 빠져나가자. 아래 주의 사항은 꼭 지켜야 해.

사야 할 것

주의 사항
1. 생일잔치에 필요한 물건은 순서대로 사야 해요.
2. 사람이 너무 많은 곳은 친구를 잃어버릴 수 있으니 피해요.
3. 공사 중인 곳은 다칠 수 있으니 피해요.
4. 한 번 지나간 길은 또 지나갈 수 없어요.

❓물건을 사기 위해 들른 가게들의 이름 첫 글자를 모아 말해 봅시다.

❓ 물건을 사기 위해 들른 가게들의 이름 첫 글자를 모아 말해 봅시다.

📝 • 현대 과일, 명인 식료품, 한류 통닭, 선물 분식, 택해요 빵집에 가야 합니다.
 • 들른 가게들의 이름 첫 글자를 모으면 '현명한 선택'입니다.

도움 사야 할 물건을 사기 위해서 어떤 가게에 가야 할지 생각해 보아요.

이 단원에서 나는

📍교과서 55쪽

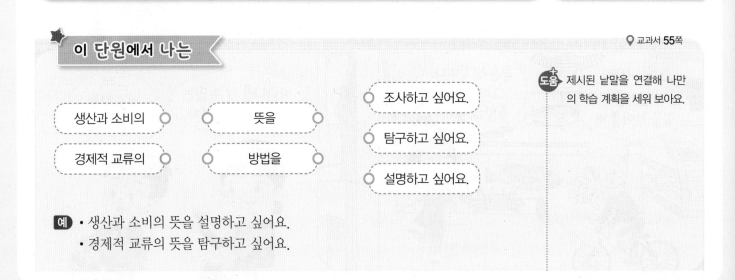

- 생산과 소비의 ○ ──── ○ 뜻을 ○ ──── ○ 조사하고 싶어요.
- 경제적 교류의 ○ ──── ○ 방법을 ○ ──── ○ 탐구하고 싶어요.
 ○ 설명하고 싶어요.

도움 제시된 낱말을 연결해 나만의 학습 계획을 세워 보아요.

📝 • 생산과 소비의 뜻을 설명하고 싶어요.
 • 경제적 교류의 뜻을 탐구하고 싶어요.

미리 맛보는
교과서 흐름

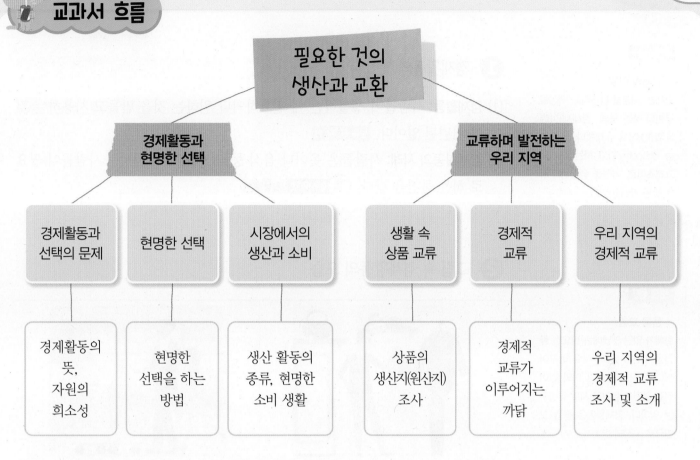

필요한 것의
생산과 교환

경제활동과
현명한 선택

교류하며 발전하는
우리 지역

| 경제활동과 선택의 문제 | 현명한 선택 | 시장에서의 생산과 소비 |

| 생활 속 상품 교류 | 경제적 교류 | 우리 지역의 경제적 교류 |

경제활동의 뜻, 자원의 희소성

현명한 선택을 하는 방법

생산 활동의 종류, 현명한 소비 생활

상품의 생산지(원산지) 조사

경제적 교류가 이루어지는 까닭

우리 지역의 경제적 교류 조사 및 소개

🍀 경제활동의 뜻을 이해하고, 경제활동에서 현명한 선택을 하는 방법을 알 수 있어요.

🍀 우리 지역과 다른 지역 간에 경제적 교류가 이루어지는 까닭을 알 수 있어요.

미리 맛보는
핵심 용어

❶ 생(生) 날 생   **산(産)** 낳을 산

❶ 사람들이 생활하는 데 필요하거나 원하는 것을 만드는 일입니다.

❷ 소(消) 사라질 소   **비(費)** 쓸 비

❷ 생산한 것을 사용하는 일입니다.

❸ 경(經) 다스릴 경   **제(濟)** 도울 제   **적(的)** 목표 적   **교(交)** 섞일 교   **류(流)** 흐를 류

❸ 개인, 지역, 국가 등이 경제적 이익을 얻기 위해 물건, 기술, 정보 등을 서로 주고받는 것을 말합니다.

우리도 경제활동을 하고 있다고요?

① 경제활동의 뜻

(1) 경제활동: 사람들이 생활하는 데 필요하거나 원하는 것을 만들고 사용하는 것과 관련된 일이다. 보충 ❶, ❷, ❸

(2) 경제활동의 사례: 사람들은 옷이나 음식 등을 사고, 가게에서는 사람들이 필요로 하는 물건을 판다. 속 시원한 **활동 풀이**

② 그림 속 경제활동의 모습

• ❶할인 매장에서 옷을 팖.
• 할인 매장에 가서 옷을 삼.

• 할인 매장에서 음식 재료를 팖.
• 할인 매장에 가서 음식 재료를 삼.

• 영화관에서 영화를 ❷상영함.
• 영화관에 가서 영화표를 삼.

• 문구점에서 공책을 팖.
• 문구점에 가서 공책을 삼.

• 빵 가게 주인이 빵을 만듦.
• 빵 가게에 가서 빵을 삼.

• 버스 기사가 버스를 운전함.
• 약속 장소에 가기 위해 버스를 탐.

속 시원한 **활동 풀이**

교과서 56~57쪽

스스로 활동

지난주에 내가 한 경제활동에는 어떤 것이 있는지 이야기해 봅시다.

예 대형 서점에 가서 평소에 읽고 싶었던 책을 샀습니다.

예 컴퓨터용품 가게에 가서 마우스를 샀습니다.

예 운동용품 가게에 방문하여 농구공을 샀습니다.

예 학교를 마치고 가는 길에 떡볶이를 사 먹었습니다.

확인 톡! 톡!

정답과 해설 7쪽

1 사람들이 생활하는 데 필요하거나 원하는 것을 만들고 사용하는 것과 관련된 일이 무엇인지 쓰시오.

(   )

2 경제활동을 다음 글에서 모두 골라 기호를 쓰시오.

이번 주 일요일은 내 생일입니다. 부모님께서 생일 선물로 신발을 사 주시기로 해서 집 근처 신발 가게에 갔습니다. ㉠ 부모님은 신발 가게에서 내가 원하는 신발을 고르라고 하셨습니다. 나는 예쁜 신발을 하나 골랐고, ㉡ 부모님께서 그 신발을 생일 선물로 사 주셨습니다. 그리고 식당에 가서 ㉢ 가족과 함께 맛있는 저녁을 사 먹었습니다. 오는 길에 시장에 들러 시장 구경을 했습니다. ㉣ 시장의 수산물 가게에서는 손님에게 대게를 팔고 있었고, 빵집에서는 제빵사가 빵을 만들고 있었습니다. 시장 구경을 마치고 집으로 돌아왔습니다. 즐거운 하루였습니다.

(   )

3 내용이 맞으면 ○표, 틀리면 ×표를 선택하시오.

⑴ 집에서 숙제를 하는 것은 경제활동입니다. (○ , ×)

⑵ 옷 가게에서 옷을 살지 고민하는 것은 경제활동이 아닙니다. (○ , ×)

선택의 문제는 왜 일어날까요?

① 일상생활에서 겪는 선택의 문제

남자아이가 분식점에서 어떤 음식을 먹을지 고르고 있음.

여자아이가 모자 판매대 앞에서 어떤 모자를 살지 고르고 있음.

남자아이가 놀이공원에서 어떤 놀이 기구를 탈지 고르고 있음.

여자아이가 옷 가게에서 어떤 옷을 살지 고르고 있음.

아주머니가 시장에서 어떤 수산물을 살지 고르고 있음.

아저씨가 영화관에서 어떤 영화를 볼지 고르고 있음.

② 선택의 문제가 일어나는 까닭

(1) **희소성**: 사람이 필요로 하거나 원하는 것은 많지만 돈이나 자원은 **❶한정되어** 있는 상태를 말한다. 속 시원한 활동 풀이

(2) 일상생활 속에서 경제활동을 할 때 선택의 문제가 발생하는 까닭: 자원의 희소성 때문이다. 보충❶, ❷

활동 도우미 '오늘 뭐 먹지'

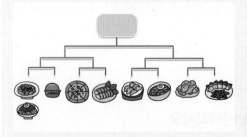

❶ ❷토너먼트 형식으로 내가 가장 먹고 싶은 음식을 고르고, 그렇게 선택한 기준을 말해 봅니다.

❷ 주어진 예산(35,000원) 안에서 먹을 음식을 고르고, 그렇게 선택한 기준을 말해 봅니다.

1 친구들이 고민하는 까닭을 이야기해 봅시다.

예 분식점 앞에 있는 친구는 분식점에서 파는 튀김, 김밥, 어묵, 떡볶이를 다 먹고 싶은데, 쓸 수 있는 돈이 3,000원이어서 무엇을 먹을지 고민합니다.

예 모자 판매대 앞에 있는 친구는 공룡 모자와 토끼 모자가 모두 마음에 드는데, 한 개만 살 수 있어서 어느 것을 살지 고민합니다.

예 놀이공원에 간 친구는 타고 싶은 놀이 기구가 많은데, 자신에게 주어진 시간이 30분밖에 없어서 어떤 놀이 기구를 탈지 고민합니다.

2 만약 돈이나 시간이 많다면 친구들이 어떤 선택을 했을지 생각해 봅시다.

예 • 사 먹고 싶은 것을 다 사 먹을 수 있습니다.
  • 사고 싶은 것을 모두 살 수 있습니다.
  • 타고 싶은 놀이 기구를 다 탈 수 있습니다.

잠깐! 확인해요

경제활동에서 선택의 문제에 부딪히는 것은 자원의 ☐☐☐ 때문입니다.   (희소성   )

확인 톡! 톡!

📍 정답과 해설 7쪽

1 빈칸에 공통으로 들어갈 알맞은 말을 쓰시오.

☐☐의 문제는 경제활동을 하는 모든 사람에게 일어나며, 무엇을 ☐☐할지는 사람마다 다릅니다.

(   )

2 원하는 것에 비해 쓸 수 있는 돈이나 자원이 한정된 상태가 무엇인지 쓰시오. (   )

현명한 선택을 하려면 어떻게 해야 할까요?

❶ 현명하지 못한 선택

(1) 선택을 하고 후회한 까닭 보충❶

똑같은 가방을 더 싸게 파는 곳을 보고 속상했어요.

산 운동화와 비슷한 것이 집에 있다는 것을 깜빡했어요.

다른 가게에서 가방의 가격을 비교해 보지 않았기 때문임.

집에 비슷한 운동화가 있는지 살펴보지 않았기 때문임.

색깔이 예뻐서 잘 살펴보지 않고 샀는데, 금세 망가졌어요.

친구들이 재미있다고 해서 알아보지 않고 영화를 봤는데 별로 재미가 없었어요.

볼펜이 튼튼한지 잘 살펴보고 따져 보지 않았기 때문임.

영화에 대해 좀 더 알아보지 않고 친구의 말만 들었기 때문임.

(2) 현명하지 못한 선택을 한 까닭: 선택을 할 때 가격, 필요성 등 여러 가지를 ❶고려하지 않았기 때문이다.

❷ 현명한 선택을 하는 방법

(1) 현명한 선택을 할 때 고려해야 할 점 예 가방을 살 때 숙 시원한 활동 풀이 보충❷

· 나에게 꼭 필요한지, 용돈이 충분한지 살펴본다.

· 필요한 기능이 있는지, 튼튼한지, 색과 모양이 마음에 드는지 알아본다.

· 산 뒤에 만족감을 느꼈는지 따져 본다.

물건의 필요성, 가격, ❷품질, 만족감을 주는 정도 등을 꼼꼼히 따져 본 뒤 현명하게 선택하는 것이 중요하다.

(2) 현명한 선택이 필요한 까닭: 현명한 선택을 하면 돈과 자원을 ❸절약할 수 있을 뿐만 아니라 더 큰 만족감을 얻을 수 있다.

내용➕ 선택을 할 때의 기준은 다양하며 사람마다 다를 수 있다.

 **다 함께** 활동

교과서 62쪽의 사례를 읽고 현명한 선택을 하려면 어떻게 해야 할지 친구들과 이야기해 봅시다.

	🚲 **가** 자전거	🚲 **나** 자전거	🚲 **다** 자전거
❶ 여러 자전거의 정보를 수집하고 분석해 봅시다.	• 가격: 80,000원 • 튼튼한 편임. • 어린이에게 인기가 많고, 학생이 탔던 자전거임.	• 가격: 120,000원 • 빠른 속도를 냄. • 친구의 자전거와 비슷한 모양임.	• 가격: 100,000원 • 짐 바구니가 있음. • 안전모를 주고, 다른 자전거보다 오래 탈 수 있음.

(좋음 ★★★, 보통 ★★☆, 좋지 않음 ★☆☆)

❷ 자전거를 선택할 때 필요한 기준을 정하고, 그 기준에 따라 평가해 봅시다.	기준 상품	가격이 적당해요	튼튼해요	모양이 좋아요	예 보관이 편리해요
	🚲 **가** 자전거	★★★	★★☆	★★☆	★★☆
	🚲 **나** 자전거	★★☆	★★☆	★★★	★★☆
	🚲 **다** 자전거	★★★	★★★	★★☆	★★☆

❸ 각자 기준에 따라 선택을 하고 그 까닭을 이야기해 봅시다.	예 • 내가 선택한 자전거: 🚲 **다** 자전거 • 선택한 까닭: 가격이 적당하고, 오래 탈 수 있기 때문입니다.
❹ 현명한 선택을 한 것인지 선택을 되돌아보고 평가해 봅시다.	예 물건의 가격과 품질을 잘 따져 보았기 때문에 현명한 선택을 한 것 같습니다.

잠깐! 확인해요

현명한 선택을 하려면 가격만 따져 보고 물건을 사야 합니다. (○ , ✕)　　　　(✕)

 **확인 톡! 톡!**

📍 정답과 해설 7쪽

1 다음 내용에서 알맞은 말에 ○표 하시오.

　　현명한 선택을 하면 돈과 자원을 절약할 수 있고 더 큰 (우월감 / 만족감)을 얻을 수 있습니다.

2 내용이 맞으면 ○표, 틀리면 ✕표를 선택하시오.
⑴ 물건을 선택할 때 가장 중요한 것은 물건의 가격입니다. (○ , ✕)
⑵ 선택을 할 때의 기준은 다양하며 사람마다 다를 수 있습니다. (○ , ✕)

사고 싶어도 살 수 없는 것

사람들이 필요로 하거나 원하는 것은 많지만 쓸 수 있는 돈이나 자원은 한정되어 있습니다. 이러한 자원의 희소성 때문에 경제활동에서 선택의 문제가 발생합니다. 그런데 필요한 돈이나 자원이 있는데도 물건을 사기 어려운 경우가 있습니다. 이때 '품귀 현상'이 일어났다고 말합니다. 특정 물건을 원하는 사람들이 매우 많거나 일정한 수량만 판매하는 경우에 품귀 현상이 일어나곤 합니다.

선풍기 품귀

갑자기 날씨가 매우 더워
지자 선풍기를 사려는 사
람이 많아져서 선풍기 품
귀 현상이 일어났습니다.

과자 품귀

특정 과자가 맛있다는 입
소문이 퍼지자 그 과자를
사려는 사람이 많아져서
과자 품귀 현상이 일어났
습니다.

천일염(소금) 품귀

비가 많이 오고 태풍이 불
어 소금 생산량이 줄어들
면서 소금 품귀 현상이 일
어났습니다.

캐릭터 상품 품귀

인터넷을 통해 특정 캐릭
터의 인기가 높아지면서
캐릭터 상품 품귀 현상이
일어났습니다.

케이크 품귀

빵집에서 특정 케이크를
한 달 동안만 판매하면서
케이크 품귀 현상이 일어
났습니다.

신발 품귀

신발 가게에서 특정 신발
을 100켤레 한정으로 판매
해서 신발 품귀 현상이 일
어났습니다.

시장에서 생산과 소비의 모습을 찾아볼까요?

❶ 생산과 소비의 뜻 속 시원한 활동 풀이

(1) **생산**: 생활에 필요한 물건을 만들거나 생활을 편리하고 즐겁게 해 주는 활동을 뜻한다.

(2) **소비**: 생산한 것을 사용하는 일을 뜻한다.

❷ 생산 활동의 종류

(1) **생활에 필요한 것을 자연에서 얻는 활동**

▲ 과일 ❶수확하기   ▲ 물고기 잡기   ▲ 채소 재배하기

(2) **생활에 필요한 것을 만드는 활동**

▲ 과자 만들기   ▲ 배 만들기   ▲ 약 만들기

(3) **생활을 편리하고 즐겁게 해 주는 활동**

▲ 물건 ❷운반하기   ▲ 공연하기   ▲ 운동 경기하기

❸ 현명한 소비 생활

(1) **생산과 소비의 관련성**: 사람들은 생산 활동을 통해 ❸소득을 얻고, 이를 이용해 소비 생활을 한다. 보충❶

(2) **현명한 소비 생활을 하기 위한 방법** 속 시원한 활동 풀이 보충❷❸

① 돈을 어떻게 사용할지 미리 계획한다.

② 물건을 사기 전에 물건에 관한 정보를 따져 본다.

③ 물건을 고를 때 알맞은 선택 기준을 세운다.

④ 용돈의 일부를 저축한다.

 속 시원한 **활동 풀이**

교과서 64~67쪽

스스로 활동

1 그림에서 생산과 소비의 모습을 찾아 써 봅시다.

생산	예 • 물건을 운반합니다. • 머리 손질을 합니다. • 의사가 진료합니다.
소비	예 • 과일을 삽니다. • 만두를 사 먹습니다. • 병원에서 진료를 받습니다.

2 붙임4 의 카드를 생산 활동과 소비 활동으로 구분해 봅시다.

생산 활동	소비 활동
예 무 수확하기, 요리하기, 나물 캐기, 떡 만들기, 딸기 따기, 생선 팔기	예 자전거 사기, 꽃 사기, 옷 사기, 신발 사기, 지하철 타기, 피자 사 먹기

스스로 활동

1 지난주에 내가 경험한 소비 생활을 이야기해 봅시다.

예 문구점에 가서 색연필을 샀습니다.

2 나는 현명한 소비 생활을 하고 있는지 해당하는 것에 V 표를 해 봅시다.

내용	예	아니요
용돈을 받으면 저축을 먼저 한다.	예 V	
물건을 아껴서 사용하고 다 쓴 물건을 재활용한다.		V
친구가 물건을 살 때 불필요한 물건을 따라 사지 않는다.	V	

잠깐! 확인해요

물건을 운반하는 것은 ☐☐ 활동입니다.　　　　　　　　(　　생산　　)

확인 톡! 톡!

정답과 해설 7쪽

1 **내용이 맞으면 ○표, 틀리면 ×표를 선택하시오.**

(1) 야구장에 가기 위해 지하철을 타는 것은 소비 활동입니다. (○ , ×)

(2) 연극배우가 공연장에서 공연을 하는 것은 소비 활동입니다. (○ , ×)

시장놀이를 해 볼까요?

❶ 시장놀이 준비하기

(1) 시장놀이 활동: 학급 전체를 소비 활동 모둠과 생산 활동 모둠으로 나누어 빵과 케이크 시장놀이를 해 보면서 생산과 소비를 체험해 볼 수 있다.

(2) 활동 모둠별 준비 사항

구분	소비 활동 모둠	생산 활동 모둠
준비 사항	• 소비 활동 모둠은 주사위를 던져 나온 수(수×1,000원)만큼 돈을 나누어 가짐. • 가진 돈으로 빵과 케이크를 얼마나 살지 생각함. • 좋아하거나 사고 싶은 빵과 케이크를 소비 활동 모둠의 선택 카드에 쓰고, 쓴 카드를 칠판에 붙임.	• 생산 활동 모둠은 세 장의 선택 카드 중 하나를 뽑음. • 소비 활동 모둠이 칠판에 붙인 카드를 보고, 어떤 빵과 케이크를 만들지 생각함. • 팔고 싶은 빵과 케이크를 생산자 카드에 그리고, 뒷면에 제품명과 가격을 씀.
주의할 점	소비 활동 모둠은 가진 돈을 다 쓰면 더 이상 원하는 것을 살 수 없으므로 현명하게 소비하는 방법을 떠올리며 소비를 해야 함. 보충❶	소비자가 원하는 것을 만들어야 더 많이 팔 수 있기 때문에 소비 활동 모둠이 쓴 선택 카드의 내용을 확인해야 함.

❷ 시장놀이하기 (속 시원한 활동 풀이)

(1) 시장놀이를 할 때 주의해야 할 점

① 서로 존중해야 한다.

② 규칙을 잘 지켜야 한다.

(2) 생산 활동 모둠이 해야 할 일: 빵과 케이크를 많이 판매하기 위해 우리 가게의 빵과 케이크가 좋다는 것을 적극적으로 ❶홍보한다. 보충❷

(3) 소비 활동 모둠이 해야 할 일: 현명한 소비를 하기 위해 가게를 둘러보며 어떤 빵과 케이크를 어느 가게에서 살 것인지 계획을 세운다.

(4) 시장놀이 순서 보충❸

> ❶ 생산 활동 모둠은 각자의 빵 가게에서 제품 홍보를 한다.
> ❷ 소비 활동 모둠은 어떤 빵과 케이크를 어느 가게에서 살 것인지 계획을 세운다.
> ❸ 빵과 케이크를 사고팔며 시장놀이를 한다.
> ❹ 시장놀이를 하고 난 후 질문지를 참고하여 소감을 발표한다.

내용+ 생산자는 상품과 가격을 잘 정해서 팔아야 하고, 소비자는 비교를 잘해서 사야 한다.

보충❶

● **착한 소비**

현명한 소비 생활을 위한 선택 기준은 사람마다 다를 수 있다. 최근에는 소비 활동을 할 때 사회와 환경에 미치는 영향까지 고려하는 '착한 소비'가 등장했다. 착한 소비는 물건을 살 때 환경을 훼손하지 않았는지, 동물에게 좋은 환경을 제공했는지 등의 기준을 따져 보는 소비 활동이다.

보충❷

● **물건을 홍보하는 방법**

실제로는 신문이나 텔레비전 광고, 인터넷 광고, 홍보물, 제품 설명회, PPL 광고 등 다양한 방법으로 물건을 홍보할 수 있다.

보충❸

● **다양한 형태의 시장**

시장에는 생산자와 소비자가 직접 만나 물건을 사고파는 전통 시장이나 할인 매장 등이 있다. 소비자는 물건을 직접 보고 살 수 있어 믿을 수 있고, 생산자는 소비자의 반응을 쉽게 파악할 수 있다. 최근에는 인터넷의 발달로 시장에 직접 방문하지 않아도 물건을 사고팔 수 있는 시장이 생겨났다.

용어 사전

❶ **홍보:** 어떤 일이나 소식 등을 널리 알리는 것을 뜻한다.

생산 활동 모둠 제품 홍보하기	예 • 저희 가게의 빵과 케이크는 다른 가게보다 가격이 쌉니다. • 저희 가게의 빵과 케이크는 모양을 예쁘게 만들었습니다.
소비 활동 모둠 현명한 소비하기	예 • 같은 종류의 빵은 판매하는 가게마다 가격을 비교해 보고 샀습니다. • 사기 전에 어떤 가게의 빵과 케이크가 더 맛있는지 알아봤습니다.

소감 발표하기

예 ◀ 소비 활동 모둠 질문지 ▶

어떤 빵과 케이크를 샀고, 그 까닭은 무엇인가요?
저희 모둠은 가진 돈에 맞추어 모둠 친구들이 좋아하는 단팥빵, 크림빵, 초콜릿케이크를 샀습니다.

빵과 케이크를 얼마나 샀고, 그 까닭은 무엇인가요?
저희 모둠은 단팥빵과 크림빵 중에 단팥빵을 좀 더 먹고 싶었기 때문에 단팥빵 3개, 크림빵 1개, 초콜릿케이크 2개를 샀습니다.

재미있었거나 어려웠던 점, 알게 된 점은 무엇인가요?
실제로 물건을 살 때에도 물건의 가격을 잘 비교해야겠다고 다짐했습니다.

예 ◀ 생산 활동 모둠 질문지 ▶

빵과 케이크의 가격을 얼마로 했고, 그 까닭은 무엇인가요?
저희 모둠은 빵 카드 4장, 케이크 카드 2장을 뽑아서 빵의 가격은 각각 500원, 케이크의 가격은 각각 1,000원으로 하였다가 잘 팔리지 않아서 할인 판매를 했습니다.

우리 가게 빵과 케이크의 특징은 무엇인가요?
저희 가게의 빵과 케이크는 건강에 좋은 재료로 만들었고, 모양을 예쁘게 만들었습니다.

재미있었거나 어려웠던 점, 알게 된 점은 무엇인가요?
빵과 케이크를 많이 팔려면 어떻게 해야 할지 생각하는 것이 어렵기도 했지만 재미있었습니다.

확인 톡! 톡!

정답과 해설 7쪽

1 시장놀이를 할 때 모둠별로 해야 할 일을 보기에서 모두 골라 기호를 쓰시오.

보기
㉠ 소비 활동 모둠은 내가 사고 싶은 물건을 마음대로 삽니다.
㉡ 소비 활동 모둠은 가게를 둘러보며, 어떤 물건을 살지 계획을 세웁니다.
㉢ 생산 활동 모둠은 우리 가게의 물건이 좋다는 것을 소비 활동 모둠에 알립니다.
㉣ 생산 활동 모둠은 소비자가 원하는 물건이 무엇인지 파악하고, 물건을 만듭니다.

(   )

2 내용이 맞으면 ○표, 틀리면 ×표를 선택하시오.

(1) 생산 활동 모둠은 자신의 물건을 적극적으로 홍보해야 합니다. (○ , ×)
(2) 소비 활동 모둠은 물건을 살 때 여러 가게의 물건을 비교해야 합니다. (○ , ×)

'경제활동과 현명한 선택'에서 배운 내용을 떠올리며 친구들의 설명에 알맞은 낱말을 빈칸에 써 봅시다.

경제활동과 관련하여 배운 내용을 기억해 풀어 보아요.

🍓 핵심 꿀꺽 질문 ❓

내가 경험한 경제활동의 모습은
무엇이 있었나요?

현명한 선택을 하려면 어떤 것을
따져 보고 선택해야 할까요?

생산 활동을 어떻게 나눌 수 있을까요?

1 빈칸에 들어갈 알맞은 말을 쓰시오.

사람들은 가게에서 옷이나 음식 재료 등 필요한 물건을 사고, 가게에서는 사람들이 필요로 하는 물건을 팝니다. 이처럼 사람들이 생활하는 데 필요하거나 원하는 것을 만들고 사용하는 것과 관련된 일을 ☐☐☐☐(이)라고 합니다.

중요

2 다음 활동 중 경제활동으로 알맞지 않은 것은 어느 것입니까? ( )

① 시장에서 생선을 판다.
② 빵집에서 빵을 만든다.
③ 가게에서 떡볶이를 사 먹는다.
④ 학교에 가기 위해 버스를 탄다.
⑤ 영화관에서 어떤 영화를 볼지 고민한다.

3 다음 그림을 보고 친구가 고민을 하는 까닭을 쓰시오.

타고 싶은 것이 많은데, 시간이 30분밖에 없어.

4 선택의 문제인 것을 보기에서 모두 골라 기호를 쓰시오.

보기

㉠ 케이크를 만들어 판매한다.
㉡ 축구공을 살지 야구공을 살지 고민한다.
㉢ 단팥빵을 살지 크림빵을 살지 고민한다.
㉣ 아이스크림을 살지 음료수를 살지 고민한다.

5 빈칸에 들어갈 알맞은 말을 쓰시오.

선생님: 윤지야, 일상생활에서 선택의 문제가 일어나는 까닭은 무엇일까?
윤 지: 그것은 _____

6 빈칸에 들어갈 알맞은 말을 쓰시오.

선택의 기준은 사람마다 다를 수 있습니다. 하지만 ☐☐☐ ☐☐을/를 하려면, 그 물건이 꼭 필요한 것인지, 가격은 적당한지, 품질은 좋은지 등 선택의 기준을 세우고 소비를 해야 합니다.

7 현명한 선택을 할 때 고려해야 할 점으로 알맞지 <u>않은</u> 것은 어느 것입니까? ( )

① 가격
② 품질
③ 필요성
④ 만족감
⑤ 가게의 이름

8 다음과 같은 경우 민진이가 선택해야 할 물건의 기호를 쓰시오.

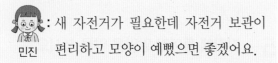

민진 : 새 자전거가 필요한데 자전거 보관이 편리하고 모양이 예뻤으면 좋겠어요.

상품	㉠	㉡	㉢
가격	80,000원	120,000원	100,000원
모양	보통	예쁨.	예쁨.
특징	의자가 넓어 편함.	자전거를 접을 수 있음.	짐 바구니가 있음.

중요★

9 현명한 선택을 하면 좋은 점으로 알맞은 것은 어느 것입니까? ( )

① 돈과 자원을 절약할 수 있다.
② 가장 비싼 물건을 살 수 있다.
③ 내가 원하는 물건을 모두 살 수 있다.
④ 용돈으로 살 수 없는 물건을 살 수 있다.
⑤ 가장 오래되고 가격이 싼 물건을 살 수 있다.

10 다음 활동 중 생산 활동으로 알맞지 <u>않은</u> 것은 어느 것입니까? ( )

① 우유를 산다.
② 약을 만든다.
③ 과자를 만든다.
④ 물고기를 잡는다.
⑤ 운동 경기를 한다.

11 빈칸에 공통으로 들어갈 알맞은 말을 쓰시오.

생산한 것을 사용하는 일을 ☐☐(이)라고 합니다. 사람들이 과일을 사거나 병원에서 진료받는 모습 등은 ☐☐ 활동에 해당합니다.

12 소비 활동을 보기 에서 <u>두 가지</u> 골라 기호를 쓰시오.

보기
㉠ 물건을 운반한다.
㉡ 만두를 사 먹는다.
㉢ 의사가 진료를 한다.
㉣ 미용실에서 머리 손질을 받는다.

13 다음은 어떤 종류의 생산 활동인지 쓰시오.

> • 물건 운반하기
> • 환자 진료하기
> • 머리 손질하기
> • 무대에서 공연하기

중요

14 현명한 소비 생활을 하기 위한 방법으로 알맞지 **않은** 것은 어느 것입니까? ( )

① 용돈을 모두 저축한다.
② 돈을 어떻게 사용할지 미리 계획한다.
③ 물건을 살 때 가격이 적당한지 따져 본다.
④ 물건을 고를 때 알맞은 선택의 기준을 세운다.
⑤ 물건을 사기 전에 나에게 꼭 필요한 물건인지 생각해 본다.

15 시장놀이를 할 때 생산 활동 모둠의 준비 사항을 순서대로 기호를 쓰시오.

> ㉠ 소비 활동 모둠이 칠판에 붙인 카드를 보고 어떤 물건을 만들지 생각합니다.
> ㉡ 세 장의 선택 카드 중 하나를 뽑아 만들 물건의 수량을 정합니다.
> ㉢ 팔고 싶은 물건을 생산자 카드에 그리고, 뒷면에 제품명과 가격을 씁니다.

워드 클라우드와 함께하는 서술형 문제

[16-17] 워드 클라우드의 단어를 이용하여 서술형 문제의 답을 서술하시오.

> 활동 즐거움 기준 돈
> 생활 **자원** 현명 자연
> 편리 **만족감** 선택
> 절약 **생산** 소비 필요

16 진선이와 같은 방법으로 선택을 하면 좋은 점을 서술하시오.

> 진선이는 그동안 모은 용돈으로 새 자전거를 사기로 하고, 여러 자전거의 정보를 수집하고 분석했습니다. 분석한 정보를 이용해 선택의 기준을 정하고, 기준에 따라 평가한 뒤 자전거를 구입했습니다. 진선이는 새로 산 자전거에 만족했습니다.

17 (가), (나)가 각각 어떤 종류의 생산 활동에 해당하는지 서술하시오.

(가) 물고기 잡기

(나) 과자 만들기

세계의 색다른 시장

시장은 오래전부터 생산 활동과 소비 활동이 동시에 활발하게 이루어져 사람들이 모이는 장소였습니다. 과일, 농수산물, 가구, 꽃 등 사고파는 물건의 종류에 따라 시장의 종류도 다양합니다. 또한 나라에 따라 시장의 모습은 모두 다릅니다. 최근 인터넷 쇼핑이 발달하면서 직접 시장을 찾는 사람들이 줄어들었지만, 여전히 세계 곳곳에는 많은 사람이 찾는 다양한 시장이 있습니다.

태국의 수상 시장

태국에는 긴 운하 위에 보트를 가게 삼아 과일, 쌀국수, 기념품 등 다양한 물건을 판매하는 수상 시장이 있습니다.

홍콩의 트램이 지나가는 시장

트램은 홍콩을 대표하는 교통수단입니다. 홍콩에는 트램이 지나가는 도로의 양옆에 전통 시장이 있습니다.

네덜란드의 꽃 시장

네덜란드의 수도인 암스테르담에는 유럽에서 볼 수 있는 꽃들이 모여 있는 꽃 시장이 있습니다.

이집트의 낙타 시장

낙타는 사막이 많은 이집트에서 소중한 운송 수단으로 여겨집니다. 이집트에는 낙타를 거래하는 시장이 있습니다.

프랑스의 벼룩시장

프랑스 파리에는 오래된 음반이나 책, 미술품, 가구 등 다양한 골동품을 살 수 있는 벼룩시장이 있습니다.

교실에 있는 물건들은 어디에서 왔을까요?

보충 ❶

● 논산 딸기와 나주 배
충청남도 논산시는 물이 맑고 햇볕이 잘 비춰 딸기가 자라기에 아주 좋은 자연환경을 가지고 있어 딸기가 많이 재배되고 매년 딸기 축제도 열린다. 전라남도 나주시는 일교차가 크고 강수량이 풍부하여 배를 키우기에 적합한 자연환경을 가지고 있다. 나주 배는 달고, 식감이 좋은 것으로 유명하다.

보충 ❷

● 원산지 표시 제도
우리나라는 소비자를 보호하기 위해 1991년부터 농수산물의 원산지를 포장지 겉면에 표시하도록 하는 원산지 표시 제도를 시행하고 있다.

❶ 급식 재료가 어디에서 왔는지 알아보기

(1) 급식 재료가 어느 지역에서 왔는지 알아보는 방법

① 급식 안내판을 살펴본다.

② ❶영양사 선생님께 여쭈어본다.

(2) 급식 재료가 온 지역 보충 ❶

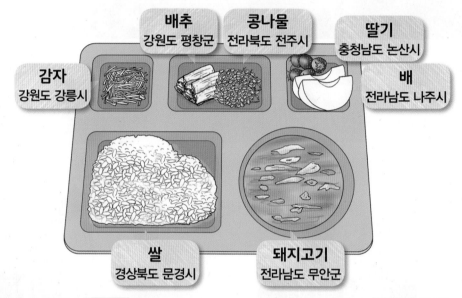

배추 강원도 평창군 — 콩나물 전라북도 전주시 — 딸기 충청남도 논산시
감자 강원도 강릉시
배 전라남도 나주시
쌀 경상북도 문경시
돼지고기 전라남도 무안군

(3) 급식 재료의 ❷생산지(❸원산지)로 알 수 있는 점: 급식 재료가 다양한 지역에서 온다는 것을 알 수 있다. 보충 ❷

❷ 교실의 물건이 어디에서 왔는지 알아보기

(1) 교실에 있는 다양한 물건: 학생들의 옷, 컴퓨터, 우유, 가방, 교과서, 공책, 필기구 등이 있다.

(2) 교실의 물건이 어디에서 왔는지 알아보는 방법 속 시원한 활동 풀이

▲ 옷의 꼬리표를 확인해 봄. ▲ 우유 뒷면을 확인해 봄. ▲ 공책 뒷면을 확인해 봄. ▲ 필기구의 포장지 겉면을 확인해 봄.

(3) 교실에 있는 물건의 생산지(원산지)로 알 수 있는 점: 교실에 있는 물건이 여러 지역에서 왔다는 것을 알 수 있다.

용어 사전

❶ 영양사: 과학적으로 식생활의 영양에 관한 지도를 하는 사람이다.
❷ 생산지: 어떤 물품이 만들어진 지역이나 나라를 뜻한다.
❸ 원산지: 물건의 생산지를 가리키는 말로, 어떤 물건을 만들어 낸 곳이나 물건이 저절로 난 곳을 뜻한다.

 **활동 풀이**

📍 교과서 **74~75**쪽

 **스스로 활동**

교실에 있는 다양한 물건과 내가 입고 있는 옷이 어디에서 왔는지 살펴보고 이야기해 봅시다.

	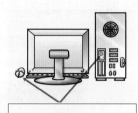		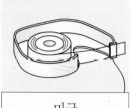
경기도 파주시	중국	경기도 화성시	미국
예 책의 뒤에 있는 속지를 보고, 경기도 파주시에서 왔음을 알았습니다.	예 컴퓨터 본체와 마우스가 생산된 곳을 찾아보았더니 중국이었습니다.	예 사용하던 공책 뒷면을 보고, 경기도 화성시에서 만들어졌음을 알았습니다.	예 스카치테이프의 포장지 겉면을 살펴보고, 미국에서 만들어졌음을 알았습니다.

전라북도 고창군	부산광역시	필리핀	베트남
예 우유의 뒷면을 확인해 보고, 전라북도 고창군에서 왔음을 알았습니다.	예 신발이 어디에서 만들어졌는지 찾아보았더니 부산광역시였습니다.	예 자주 입는 티셔츠가 어디에서 왔는지 살펴보았더니 필리핀이었습니다.	예 오늘 쓰고 온 모자가 생산된 나라를 꼬리표에서 찾아보니 베트남이었습니다.

 **확인 톡! 톡!**

📍 정답과 해설 **8**쪽

1 어떤 물품이 만들어진 지역이나 나라를 뜻하는 말이 무엇인지 쓰시오.　　（　　　　　　　　）

2 다음 내용에서 알맞은 말에 ○표 하시오.

　학교 급식의 재료와 교실에 있는 물건은 (우리 지역에서만 / 다양한 지역에서) 왔습니다.

우리 지역의 상품이 어디에서 왔는지 조사해 볼까요?

보충 ①

● **수산물 원산지 표시판**
우리나라는 모든 수산물에 원산지 표시를 하도록 되어 있다. 그 확인 방법은 매우 간단하여 표시판의 색깔만 보아도 원산지를 구분할 수 있다. 파란색 표시판은 국내산, 흰색은 원양산, 노란색은 수입산을 의미한다.

보충 ②

● **친환경 농산물 인증 제도**
자연환경을 오염시키는 화학 비료, 농약 등을 최대한 사용하지 않고 재배한 농산물을 나라가 인증해 주는 제도이다.

▲ 유기농 인증   ▲ 무농약 인증
   마크   마크

용어 사전

① 품질 인증 마크: 정부나 기관이 제품의 품질을 일정한 기준으로 검사하여 그 우수성을 인정해 주는 제도이다.
② 큐아르(QR) 코드: 'Quick Response(빠른 응답)'의 약자로 바코드보다 훨씬 많은 정보를 담을 수 있는 격자무늬의 2차원 코드이다.

① 생산지(원산지) 표시 방법

(1) 각종 상품에 표시되어 있는 것: 각 상품이 어느 지역에서 왔는지 표시되어 있다.

(2) 우리가 사용하는 상품이 어느 지역에서 왔는지 조사하는 방법 보충 ①

원산지 표시판 확인하기	상품 정보 확인하기	할인 매장 광고지 확인하기

누리집에서 상품 소개 검색하기	❶품질 인증 마크 살펴보기 보충 ②	스마트폰으로 ❷큐아르(QR) 코드 스캔하기

내용 ➕ 큐아르(QR) 코드에는 상품의 생산지(원산지)뿐만 아니라 사진 및 동영상 정보, 지도 정보, 인터넷 주소 등도 담을 수 있다.

② 우리 지역 상품의 생산지(원산지)

(1) 우리 지역에 있는 상품의 생산지(원산지) 조사 (속 시원한) 활동 풀이

우리 지역에서 생산되는 상품		쌀	
우리나라의 여러 지역에서 온 상품		다른 나라에서 온 상품	
상품	생산지(원산지)	상품	생산지(원산지)
크레파스	서울특별시 성동구	땅콩잼	미국
소고기	충청북도 음성군	망고	인도
귤	제주특별자치도	소고기	오스트레일리아
부추	경기도 양평군	커피	브라질

(2) 조사를 통해 알 수 있는 점

① 주변에서 볼 수 있는 상품의 생산지(원산지)가 다양하다는 것을 알 수 있다.

② 지역끼리 상품을 주고받으며 서로 협력한다는 점을 알 수 있다.

(3) 지역 간에 상품이 들어오고 나가는 까닭: 지역마다 더 잘 생산하는 상품이 다르기 때문이다.

우리 지역에 있는 상품이 우리나라의 어느 지역에서 왔는지 조사해 보고, 조사한 결과를 이야기해 봅시다.

1 우리 지역에 있는 상품이 어디에서 왔는지 조사해 봅시다.

상품의 이름	생산지(원산지)
예 오징어	예 강원도 속초시
화장지	경기도 평택시
마늘	경상북도 의성군
치약	충청북도 청주시
버섯	전라남도 고흥군

2 조사한 상품이 어디에서 왔는지 지도에 표시해 봅시다.

3 지도에 표시한 상품을 보고, 알게 된 점을 친구들과 이야기해 봅시다.

예 • 우리가 평소에 쓰는 다양한 상품이 여러 지역에서 온다는 것을 알게 되었습니다.
• 각 지역에 사는 사람들이 다양한 상품을 만들어 사고팔고 있으므로 서로 협력해야 한다는 것을 느낄 수 있었습니다.

우리 지역에 있는 상품은 여러 지역에서 온 것입니다. (○ , ✕)　　　　　(○)

확인 톡! 톡!

정답과 해설 8쪽

1 제품의 품질을 일정한 기준으로 검사하여 그 우수성을 인증해 주는 제도가 무엇인지 쓰시오.

(　　　　　　　)

2 빈칸에 들어갈 알맞은 말을 쓰시오.

상품의 생산지(원산지)를 확인하는 방법으로 ☐☐☐ ☐☐을/를 스마트폰으로 스캔하는 것이 있습니다.

(　　　　　　　)

세계의 음식 축제

우리가 즐기는 먹을거리 중에는 다른 나라에서 온 것이 많이 있습니다. 세계 여러 나라는 자신들의 땅에서 많이 생산되거나 유명한 음식을 다른 나라에 수출합니다. 어떤 나라에서는 이러한 먹을거리를 활용하여 축제를 열기도 합니다. 축제가 열리면 전 세계에서 찾아온 사람들이 함께 음식을 먹으며 축제를 즐깁니다.

프랑스 레몬 축제

프랑스 남부의 작은 마을인 망통에서는 매년 2월에 레몬 축제가 열립니다. 축제 기간 내내 레몬, 오렌지 등의 과일로 꾸민 다채로운 구조물을 볼 수 있습니다.

오스트레일리아 수박 축제

친칠라 지역은 오스트레일리아 최대의 수박 생산지입니다. 이곳에서는 매년 2월에 수박 축제가 열립니다. 축제 기간 동안 수박을 이용한 다양한 게임을 즐길 수 있습니다.

프랑스 초콜릿 축제

프랑스 파리에서는 매년 10월에 초콜릿 축제가 열립니다. 이 축제는 세계 최대의 초콜릿 축제입니다. 축제 기간 동안 유명 초콜릿 요리사가 만드는 최상급의 초콜릿을 맛볼 수 있습니다.

아일랜드 굴 축제

아일랜드는 대표적인 굴 생산국입니다. 아일랜드 굴 축제는 매년 9월 말에 개최됩니다. 축제 기간 동안 신선한 굴로 만든 요리를 무료로 마음껏 먹을 수 있습니다.

스위스 순무 축제

스위스에서는 매년 11월에 순무 축제가 열립니다. 축제 기간에는 다양한 모양으로 조각한 순무를 볼 수 있고, 순무로 만든 등불을 들고 행진을 하기도 합니다.

지역의 경제적 교류를 알아볼까요?

보충 ❶

◉ **상품 전시회**
일정한 기간 동안 품질이 우수한 상품을 소개하는 행사이다. 이를 통해 생산자는 홍보의 기회를 얻을 수 있고, 소비자는 질 좋은 상품을 저렴하게 구입할 수 있다.

보충 ❷

◉ **직거래 장터**

생산자와 소비자가 직접 거래하는 시장이다. 이를 통해 생산자는 합리적인 가격으로 물건을 팔고 소비자는 보다 저렴한 가격에 물건을 살 수 있다.

❶ 경제적 교류가 발생하는 까닭

(1) **경제적 교류**: 개인이나 지역 등이 경제적 이익을 얻기 위해 물건, 기술, 정보 등을 서로 주고받는 것을 뜻한다.

(2) **지역이나 국가 간 경제적 교류가 발생하는 까닭**: 지역이나 국가마다 자연환경과 기술, 자원 등이 다르기 때문이다.

❷ 다양한 경제적 교류의 모습

(1) 경제적 교류의 대상

개인과 기업	개인과 기업은 상품이나 기술, 정보 등을 교환하며 다양한 경제적 교류를 함.
기업과 지역	기업과 지역은 ❶업무 협약을 맺고, 함께 지역 행사를 여는 등 다양한 경제적 교류를 함.
지역과 지역	도시, 농촌, 어촌, 산지촌 등 지역과 지역이 다양한 경제적 교류를 함.
국가와 국가	남는 상품이나 자원은 다른 국가로 보내고 부족한 상품이나 자원은 다른 국가로부터 들여오는 등 다양한 경제적 교류를 함.

(2) 지역 간 경제적 교류의 좋은 점 （속 시원한 활동 풀이）

① 우리 지역에서 생산되지 않는 다른 지역의 물건을 구할 수 있다.

② 상품 전시회나 ❷직거래 장터를 이용하여 지역의 우수한 상품을 홍보할 수 있어 상품을 더 많이 판매할 수 있다. 보충❶,❷

③ 지역 간에 기술을 교류하고 협력해 더 나은 상품을 함께 개발할 수 있다.

④ 다른 지역과 경제적 교류를 하면서 지역 간 화합을 가져올 수 있다.

(3) 다양한 경제적 교류의 모습 조사 （속 시원한 활동 풀이）

용어 사전

❶ **업무 협약**: 업무를 진행할 때 다른 전문가나 다른 기업, 지역 등과 함께하기 위해 맺는 계약이다.

❷ **직거래**: 사는 사람과 파는 사람이 직접 거래하는 것이다.

❸ **자매결연**: 한 지역이나 단체가 다른 지역이나 단체와 서로 돕거나 교류하기 위해 친선 관계를 맺는 일이다.

물자 교류 각 지역의 특산물을 서로 소개하고 판매하면서 경제적 이익을 얻음.	**기술 교류** 다른 나라와 기술을 교류하고 서로 협력해서 더 나은 상품을 개발함.	**관광 교류** 여러 지역이 각자 가진 관광 자원을 활용해 서로 협력하여 교류가 이루어짐.	**문화 교류** 두 지역이 ❸자매결연을 하고 문화 활동을 하는 등 경제적 교류가 이루어짐.

속 시원한 **활동 풀이**

👀 **스스로** 활동

누리 소통망 서비스에 내가 사는 지역의 특징을 게시한 글입니다. 가~라 지역끼리 어떤 경제적 교류가 이루어지면 좋을지 이야기해 봅시다.

가 지역

우리 지역에서는 옷, 컴퓨터, 자동차 등을 많이 생산합니다. 하지만 농산물을 재배하거나 수산물을 생산하는 곳은 거의 없습니다.

나 지역

우리 지역은 쌀, 과일, 감자, 고구마 등 농산물이 풍부합니다. 하지만 공장은 별로 없고 수산물이나 산나물을 구하기는 어렵습니다.

다 지역

우리 지역은 생선, 조개, 김, 미역 등 다양한 수산물이 풍부합니다. 하지만 농산물을 구하기 어렵고 제조업 상품을 만드는 곳은 거의 없습니다.

라 지역

우리 지역은 산나물, 목재 등을 많이 생산합니다. 하지만 자동차, 컴퓨터 등을 직접 생산하는 공장은 없고, 농수산물을 쉽게 구하기 어렵습니다.

예 • 가 지역과 나 지역 사이에 경제적 교류가 이루어지면 좋을 것 같습니다. 가 지역은 나 지역에서 구하기 어려운 옷, 컴퓨터 등을 판매하여 경제적 이익을 얻을 수 있고, 나 지역은 가 지역에서 구하기 어려운 쌀, 과일 등 농산물을 판매하여 경제적 이익을 얻을 수 있기 때문입니다.

• 다 지역과 라 지역 사이에 교류가 이루어지면 좋겠습니다. 다 지역은 수산물을 구하기 어려운 라 지역에 수산물을 판매하고, 라 지역은 산나물을 구하기 어려운 다 지역에 산나물을 판매하여 이익을 얻을 수 있기 때문입니다.

👀 **다 함께** 활동

다음 사례를 살펴보고 지역 간에 이루어지는 다양한 경제적 교류의 모습을 찾아 발표해 봅시다.

물자 교류	기술 교류	관광 교류	문화 교류
제주시와 충청남도 보령시는 지역 특산물을 교류해 판매하기로 협약했습니다.	경기도는 러시아 기업과 협약을 체결해 공동 연구 개발, 기술 교류 등을 하기로 했습니다.	부산광역시와 울산광역시, 경상남도는 각 지역의 관광 자원을 활용해 관광 사업을 공동으로 추진하고 있습니다.	충청남도 아산시와 중국 등 관시는 자매결연을 한 후 지속해서 교류하고 있습니다.

예 경기도 화성시는 서울시 송파구와 자매결연 협약을 맺고 서로 협력하기로 했습니다. 농산물과 특산물을 직거래하고, 지역 축제를 서로 홍보하고 방문하기로 했습니다.

🦉 잠깐! 확인해요

경제적 이익을 얻기 위해 물건, 기술, 정보 등을 서로 주고받는 것을 □□□□ □□(이)라고 합니다.

(경제적 교류)

확인 톡! 톡!

📍정답과 해설 8쪽

1 각 지역의 특산물을 서로 소개하고 판매하면서 경제적 이익을 얻는 것이 무엇인지 쓰시오.

( )

우리 지역의 경제적 교류를 소개해 볼까요?

❶ 우리 지역의 경제적 교류 모습 조사 방법 알아보기

(1) 우리 지역의 경제적 교류를 조사하는 방법: ❶물자, 기술, 관광, 문화 등 분야를 나누어 시·도청 누리집, 지역 신문, 지역 방송 등을 찾아본다.

(2) 조사를 통해 찾을 수 있는 내용

① 우리 지역과 다른 지역 간 경제적 교류의 모습과 내용을 찾을 수 있다. 보충 ❶

② 경제적 교류가 이루어지는 까닭을 찾을 수 있다.

③ 다른 지역과 다양한 경제적 교류를 하고 있는 우리 지역을 찾을 수 있다.

(3) 조사하면서 유의해야 할 점: 모둠원들끼리 협력해서 조사하고 함께 정리한다.

(4) 조사 내용 정리 방법

> ❶ 조사 주제를 쓴 다음 사진이나 자료를 붙인다.
> ❷ 찾은 자료를 요약하여 경제적 교류의 내용을 알아보기 쉽게 적는다.
> ❸ 우리 지역의 경제적 교류 모습을 조사하면서 알게 된 점이나 느낀 점을 정리한다.

❷ 우리 지역의 경제적 교류 사례 소개하기 속 시원한 활동 풀이

(1) 경제적 교류 사례를 소개할 때 생각해야 할 점

① 경제적 교류의 모습을 잘 보여 줄 수 있는 참고 자료가 있는지 찾아본다.

② 조사한 사례를 ❷효과적으로 전달할 수 있는 방법을 생각한다. 보충 ❷

③ 어떤 순서로 경제적 교류 모습을 소개해야 좋을지 생각한다.

(2) 조사한 경제적 교류 사례 소개 순서

> ❶ 우리 지역의 경제적 교류 가운데 어떤 주제로 조사할지 정한다.
> ❷ 모둠별로 누리집, 신문 기사, 방송 자료 등 여러 가지 자료를 활용해 지역 간 경제적 교류 사례를 조사한다.
> ❸ 모둠 친구들과 의논하여 조사한 내용을 보고서로 작성한다.
> ❹ 우리 지역의 경제적 교류 사례를 친구들에게 소개한다.
> ❺ 지역 간 경제적 교류가 필요한 까닭을 토의한다.

(3) 지역 간 경제적 교류가 필요한 까닭

① 다른 지역과 경제적으로 협력하면서 더 많은 이익을 얻을 수 있다.

② 다른 지역과 특산물을 주고받으면서 경제적 이익을 얻을 수 있다.

③ 지역 간 화합이 이루어질 수 있다.

④ 다른 지역이나 다른 국가와 정보를 주고받을 수 있다.

⑤ 지역이 발전하고 지역 주민의 편리한 생활을 도울 수 있다.

> 내용+ 우리 지역과 다른 지역 간 경제활동은 밀접한 관련을 맺고 있다.

조사 주제	**예** 광주광역시의 경제적 교류 사례
교류한 지역	**예** 대구광역시
경제적 교류의 내용	**예** • 광주와 대구는 공동 발전과 시민 간 화합을 위해 대구의 옛 명칭인 '달구벌'과 광주의 옛 명칭인 '빛고을'의 앞글자를 딴 '달빛 동맹'을 2013년부터 맺었습니다. • 광주와 대구는 2013년부터 자원봉사 협약을 통해 서로 방문하며 교류하고, 재난이 발생했을 때 함께 대응하고 있습니다. • 광주와 대구의 청년들은 2016년부터 서로의 지역을 방문하여 지역 축제에 함께 참여하고, 토론회를 통해 발표와 토론을 하며 협력하고 있습니다.
알게 된 점	**예** • 두 지역의 경제적 교류가 다양한 분야에서 이루어지고 있다는 것을 알게 되었습니다. • 두 지역 간의 경제적 교류를 통해 지역 주민들 간에 화합이 이루어지고 있다는 것을 알 수 있었습니다.

확인 톡! 톡!

📍정답과 해설 8쪽

1 우리 지역의 경제적 교류를 조사하는 방법으로 알맞은 것을 보기 에서 모두 골라 기호를 쓰시오.

보기

ⓒ 지역 신문   ⓒ 국어사전   ⓒ 지역 방송   ② 시·도청 누리집

(   )

2 내용이 맞으면 ○표, 틀리면 ×표를 선택하시오.

(1) 다른 지역과 경제적으로 협력하면서 더 많은 이익을 얻을 수 있습니다. (○ , ×)

(2) 우리 지역과 다른 지역 간 경제활동은 밀접한 관련을 맺고 있습니다. (○ , ×)

3 우리 지역의 경제적 교류 사례를 조사하는 방법을 순서대로 기호를 쓰시오.

ⓒ 여러 가지 자료를 활용해 지역 간 경제적 교류 사례를 조사합니다.
ⓒ 우리 지역의 경제적 교류 가운데 어떤 주제로 조사할지 결정합니다.
ⓒ 모둠 친구들과 의논해 조사한 내용을 보고서로 작성하고 친구들에게 발표합니다.

(   )

즐겁게 정리해요

'교류하며 발전하는 우리 지역'에서 배운 내용을 떠올리며 O, X 문제를 풀어 봅시다.

❶ 우리 지역에 있는 상품은 모두 우리 지역에서 생산한 것입니다.

❷ 경제적 교류로 지역 간 화합이 이루어질 수 있습니다.

❹ 지역 간에 경제적 이익을 얻기 위해 상품이나 기술, 정보 등을 주고받는 것을 경제적 교류라고 합니다.

❸ 다른 지역과 물자를 교환하는 과정에서 더 나은 상품을 개발하기는 어렵습니다.

❺ 지역 간에는 경제활동이 밀접하게 관련되어 있습니다.

❻ 지역 간에 관광 자원을 활용해 경제적 교류가 이루어지기도 합니다.

도움 우리 지역에서 일어나는 경제적 교류의 사례들을 떠올리며 문제를 풀어 보아요.

🍓 핵심 꿀꺽 질문 🍓

어떤 상품의 생산지(원산지)를 찾는 방법에는 무엇이 있나요?

우리 지역과 다른 지역 사이에서 경제적 교류가 발생하는 까닭은 무엇인가요?

지역 간 경제적 교류를 하면 좋은 점은 무엇인가요?

1 빈칸에 들어갈 알맞은 말을 쓰시오.

> 우리가 사용하는 물건은 다양한 지역에서 생산됩니다. 어떤 물품이 생산된 지역 또는 나라를 ☐☐☐(이)라고 합니다.

2 급식의 생산지(원산지) 확인을 통해 알 수 있는 사실로 알맞은 것은 어느 것입니까? ( )

① 다양한 음식 이야기를 알 수 있다.
② 식품 알레르기 정보를 알 수 있다.
③ 내일 먹을 급식의 메뉴를 알 수 있다.
④ 급식의 재료가 여러 지역에서 왔다는 것을 알 수 있다.
⑤ 우리 지역에서 생산된 재료로만 만들어졌다는 것을 알 수 있다.

3 다음 대화를 통해 알 수 있는 것을 쓰시오.

> 선생님: 교실에 있는 물건이 어디에서 왔는지 찾아볼까요?
> 민 규: 제가 입고 온 옷은 인도네시아에서 만들어졌어요!
> 세 희: 학급 문고에 있는 책은 경기도 파주시에서 발행됐어요!
> 성 연: 달력은 서울특별시에서 만들어졌어요!

4 할인 매장이나 전통 시장에 있는 상품들의 생산지(원산지)를 확인하는 방법으로 알맞지 않은 것은 어느 것입니까? ( )

① 상품 그림 그리기
② 상품 정보 확인하기
③ 원산지 표시판 확인하기
④ 할인 매장 광고시 살펴보기
⑤ 큐아르(QR) 코드 스캔하기

5 다음 자료에 나타난 생산지(원산지) 확인 방법으로 알맞은 것은 어느 것입니까? ( )

▲ 유기농 인증 마크   ▲ 무농약 인증 마크

① 상품 정보 확인하기
② 원산지 표시판 확인하기
③ 품질 인증 마크 살펴보기
④ 할인 매장 광고지 살펴보기
⑤ 큐아르(QR) 코드 스캔하기

6 다음 사진에 나타난 생산지(원산지) 확인 방법을 쓰시오.

7 우리나라의 여러 지역에서 온 상품을 보기 에서 모두 골라 기호를 쓰시오.

보기

ㄱ 중국

ㄴ 경기도 화성시

ㄷ 필리핀

ㄹ 전라북도 고창군

_____

8 우리 지역 상품의 생산지(원산지) 조사 방법을 보기 에서 모두 골라 기호를 쓰시오.

보기

ㄱ 외국의 공공 기관 누리집을 찾아본다.
ㄴ 우리 지역 상품의 포장지 뒷면을 확인한다.
ㄷ 부모님과 우리 지역 전통 시장을 방문한다.
ㄹ 우리 지역 할인점에서 온 광고지를 살펴본다.

_____

중요

9 우리 지역 상품의 생산지(원산지) 확인을 통해 알 수 있는 사실로 알맞은 것은 어느 것입니까? (   )

① 다른 나라 상품만 판매된다.
② 모든 상품은 같은 지역에서 생산된다.
③ 다양한 지역에서 생산된 상품이 판매된다.
④ 우리 지역에서 만들어진 상품만 판매된다.
⑤ 다른 지역에서 생산된 상품은 판매될 수 없다.

10 우리 지역과 다른 지역 간에 상품이 들어오고 나가는 까닭으로 알맞은 것을 보기 에서 골라 기호를 쓰시오.

보기

ㄱ 우리 지역에서 모든 상품을 만들기 때문이다.
ㄴ 지역마다 생산하는 상품이 다르기 때문이다.
ㄷ 지역마다 자연환경이 모두 똑같기 때문이다.
ㄹ 다른 나라에서 생산된 제품은 구매할 수 없기 때문이다.

_____

11 빈칸에 들어갈 알맞은 말을 쓰시오.

개인이나 지역 등이 경제적 이익을 얻기 위해 물건, 기술, 정보 등을 서로 주고받는 것을 □□□□□□(이)라고 합니다.

_____

12 다음 그림에 나타난 경제적 교류를 하는 대상으로 알맞은 것은 어느 것입니까? (   )

① 개인과 개인
② 기업과 지역
③ 개인과 지역
④ 개인과 국가
⑤ 국가와 국가

13 지역 간에 경제적 교류를 하면 좋은 점으로 알맞지 <u>않은</u> 것은 어느 것입니까? (   )

① 더 나은 상품을 개발할 수 있다.
② 지역 간 화합을 가져올 수 있다.
③ 지역의 상품을 더 많이 판매할 수 있다.
④ 다른 지역과 경쟁이 더 심해질 수 있다.
⑤ 우리 지역에서 생산되지 않는 물건을 구할 수 있다.

14 다음 두 지역의 특징을 보고 지역 간 경제적 교류가 이루어지면 좋은 점을 쓰시오.

> **(가) 지역:** 우리 지역은 쌀, 과일, 감자, 고구마 등 농산물이 풍부합니다. 하지만 수산물이나 산나물을 구하기는 어렵습니다.
> **(나) 지역:** 우리 지역은 생선, 조개, 김, 미역 등 다양한 수산물이 풍부합니다. 그러나 농산물을 구하기가 어렵습니다.

_____

_____

15 다음 사례에 나타난 경제적 교류로 알맞은 것은 어느 것입니까? (   )

> ○○도는 □□ 국가의 기업과 기술 협약을 체결하여 자동차 자율 주행 기술 개발을 공동으로 연구하기로 했다. ○○도는 □□ 국가의 기업과 자동차의 소프트웨어 기술과 하드웨어 기술을 서로 협력하여 부품 국산화에 나설 계획이다.

① 물자 교류   ② 기술 교류
③ 관광 교류   ④ 문화 교류
⑤ 상품 교류

워드 클라우드와 함께하는 **서술형 문제**

[16-17] 워드 클라우드의 단어를 이용하여 서술형 문제의 답을 서술하시오.

누리집 **생산지** 자원
화합 **경제적 교류**
자연환경 기술 교류원 **산지**
다양 지역 주민 원

16 다음 그림에 나타난 조사 방법과 조사 내용을 서술하시오.

> 🔍 통합 검색
> 경제적 교류 [검색]
> '경제적 교류'에 관한 검색 결과 "469"건
> **경기도 뉴스 포털**   검색 결과 더 보기 ⊙
> 경기도, '탈석탄 동맹' 가입으로 그린 뉴딜 사업 탄력 – 캐나다, 영국과 에너지 전환 협력 추진
> 관리자 | 2020. 09. 01. 탈석탄 및 에너지 전환 분야의 상호 교류 협력에 대해 의견을 교환했다.

_____

_____

17 다음 사례에 나타난 지역 간 경제적 교류 모습을 통해 알게 된 점을 서술하시오.

> 광주광역시와 대구광역시는 지역의 발전과 시민 간의 화합을 위해 2013년부터 '달빛 동맹'을 맺었습니다. 자원봉사 협약을 통해 재난이 발생했을 때 함께 대응하고, 서로의 지역을 방문하여 교류하기도 합니다.

_____

대한민국 대표 특산물 직거래 박람회

대한민국 대표 특산물 직거래 박람회는 우리나라의 각 시·도를 대표하는 특산물을 한자리에서 만나 볼 수 있는 박람회입니다. 박람회장에서는 각 지역의 대표 특산물을 전시하고 다른 지역에 홍보할 수 있습니다. 또한 직접 소비자에게 특산물을 판매할 수도 있습니다. 대한민국 대표 특산물 직거래 박람회는 2015년부터 매년 부산광역시에서 열리고 있습니다.

지역 특산물 홍보

대한민국 대표 특산물 직거래 박람회에는 약 400개의 행사 부스가 마련되어 있습니다. 지역 홍보관을 통해 각 지역에서 엄선된 특산물을 전시할 수 있습니다.

귀농·귀촌 제도 장려

대한민국의 지역별 귀농·귀촌과 관련된 제도를 홍보하는 공간이 있습니다. 이곳에서는 지역별 우수 귀농·귀촌 정보를 얻고 자세한 상담을 받을 수 있습니다.

방송 프로그램 촬영

방송사에서 박람회를 촬영하기도 합니다. 박람회에 방문하지 못한 사람들도 방송 프로그램을 통해 지역별 대표 음식, 관광지, 지역 축제 등을 살펴볼 수 있습니다.

정리 콕콕 이 단원에서 배운 내용을 글과 그림으로 정리해 봅시다.

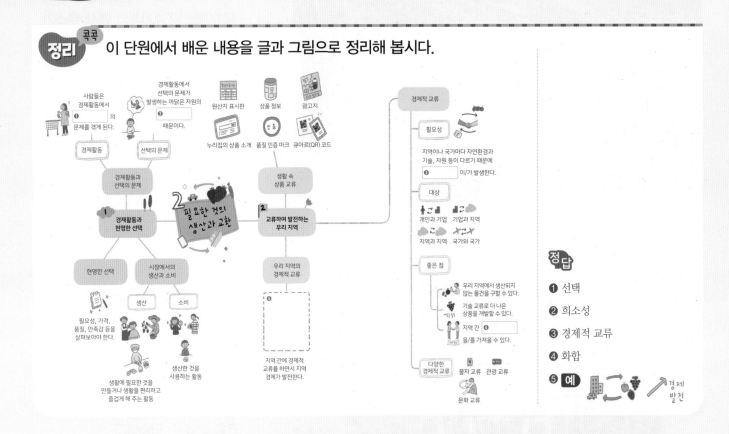

사람들은 경제활동에서 ❶□□의 문제를 겪게 된다.

경제활동에서 선택의 문제가 발생하는 까닭은 자원의 ❷□□ 때문이다.

원산지 표시판 · 상품 정보 · 광고지
누리집의 상품 소개 · 품질 인증 마크 · 큐아르(QR) 코드

경제활동 · 선택의 문제

경제활동과 선택의 문제

경제활동과 현명한 선택

현명한 선택 · 시장에서의 생산과 소비

생산 · 소비

필요성, 가격, 품질, 만족감 등을 살펴보아야 한다.

생활에 필요한 것을 만들거나 생활을 편리하고 즐겁게 해 주는 활동

생산한 것을 사용하는 활동

2 필요한 것의 생산과 교환

생활 속 상품 교류

교류하여 발전하는 우리 지역

우리 지역의 경제적 교류

❺□

지역 간에 경제적 교류를 하면서 지역 경제가 발전한다.

경제적 교류

필요성
지역이나 국가마다 자연환경과 기술, 자원 등이 다르기 때문에 ❸□□□ □□이/가 발생한다.

대상
개인과 기업 · 기업과 지역
지역과 지역 · 국가와 국가

좋은 점
우리 지역에서 생산되지 않는 물건을 구할 수 있다.
기술 교류로 더 나은 상품을 개발할 수 있다.
지역 간 ❹□□을/를 가져올 수 있다.

다양한 경제적 교류
물자 교류 · 관광 교류
문화 교류

정답

❶ 선택
❷ 희소성
❸ 경제적 교류
❹ 화합
❺ 예 경제 발전

창의 팡팡 내가 생산자라면 어떤 물건을 생산할지 생각해 보고, 나의 명함을 만들어 봅시다.

만드는 방법

❶ 내가 생산자가 된다면 무엇을 생산하고 싶은지 생각해 보고, 그 까닭을 씁니다.
• 자동차, 평소에 자동차 구조와 기능에 관심이 많다.
• 예 선풍기, 평소에 더위를 많이 타서 선풍기를 많이 사용한다.

❷ 내가 만들고 싶은 물건의 특징을 씁니다.
• 자율 주행 기능이 있어 운전자가 편안히 운전할 수 있다.
• 예 내가 있는 곳을 자동으로 알고, 공중에 뜰 수 있다.

❸ 내가 하는 일의 특징이 드러나도록 명함을 만듭니다.

당신은 주스를 마시세요.
목적지까지 안전하게 알아서 갑니다.

○○○ 과장 010-△□××-△△□□

예

밖이 더워도 걱정하지 마세요.
밖에 있는 동안 계속 시원하게 해 드립니다.

□□□
010-XXXX-0000

세상 속으로 우리 지역 상품 알리기

1 단계

홍보할 상품을 정하고, 특징 살펴보기

⚙ **홍보할 상품:** 예 충청남도 논산시 '딸기'

⚙ **홍보할 상품의 특징**

예 • 비타민 C가 풍부합니다.
 • 피로 회복과 감기 예방에 도움이 됩니다.
 • 피부 미용에도 좋습니다.

2 단계

광고지 만들기

예 딸기 그림을 넣고, 딸기를 먹으면 어떤 점이 좋은지 적었습니다. 또 사람들의 눈에 잘 띄도록 예쁘게 꾸몄습니다.

3 단계

발표하기

예 우리 모둠은 우리 지역에서 나는 맛있는 딸기를 널리 알리고 싶어서 딸기 관련 광고지를 만들었습니다. 우리 지역의 딸기는 기름진 농토, 풍부한 일조량, 맑은 물로 재배되어서 아주 달고 단단합니다. 우리 지역의 딸기를 많은 사람들이 맛있게 먹었으면 좋겠습니다.

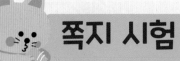 
1 사람들이 생활하는 데 필요하거나 원하는 것을 만들고 사용하는 것과 관련된 일을 (   )
(이)라고 합니다.

2 경제활동에서 선택의 문제에 부딪히는 것은 자원의 (   ) 때문입니다.

3 현명한 선택을 하면 돈과 자원을 절약할 수 있고, 더 큰 (   )을/를 얻을 수 있습니다.

4 생활에 필요한 것을 자연에서 얻는 활동으로는 (버섯 캐기 / 과자 만들기)가 있습니다.

5 사람들이 과일을 사거나 병원에서 진료를 받는 활동과 같이 생산한 것을 사용하는 일을 무엇
이라고 합니까?

(   )

6 어떤 물품이 생산된 나라나 지역을 (   ) 또는 원산지라고 합니다.

7 우리 지역에 있는 상품은 (우리 지역에서만 / 다양한 지역에서) 생산한 것입니다.

8 소비자에게 정확한 생산지(원산지) 정보를 제공하기 위해 어떤 지역(나라)의 제품인지 표시하
는 제도를 원산지 표시 제도라고 합니다. (○ , ✕)

9 지역 간에 경제적 이익을 얻기 위해 상품이나 기술, 정보 등을 주고받는 것을 (   )(이)
라고 합니다.

10 지역 간 교류를 통해서 다른 지역 주민들과 친목을 도모하고 화합할 수 있습니다. (○ , ✕)

1 다음 상황과 같은 문제를 무엇이라고 하는지 쓰시오.

> • 어떤 자전거를 살지 고민이에요.
> • 떡볶이를 먹을지 어묵을 먹을지 고민이에요.

---

2 경제활동에서 선택의 문제가 일어나는 까닭을 보기 에서 골라 기호를 쓰시오.

보기

> ㉠ 돈과 자원은 무한하기 때문이다.
> ㉡ 모든 사람이 원하는 것이 똑같기 때문이다.
> ㉢ 시간은 무한하지만, 돈은 부족하기 때문이다.
> ㉣ 사람들이 원하는 것은 많지만, 쓸 수 있는 돈과 자원은 정해져 있기 때문이다.

---

3 현명한 선택을 할 때 고려해야 할 점으로 알맞지 않은 것은 어느 것입니까? (   )

① 가격   ② 필요성
③ 색과 모양   ④ 가게의 위치
⑤ 용돈의 액수

4 현명한 선택을 한 어린이를 보기 에서 골라 기호를 쓰시오.

보기

> ㉠ 윤서: 똑같은 모자를 더 싸게 파는 곳을 보고 속상했어요.
> ㉡ 경표: 산 운동화와 비슷한 것이 집에 있다는 것을 몰랐어요.
> ㉢ 소윤: 가방을 살 때 가격, 필요성, 모양 등을 꼼꼼히 따져 보고 샀어요.
> ㉣ 상원: 음식점에서 먹고 싶은 음식을 다 시켰는데, 너무 많아 다 먹지 못했어요.

---

5 재경이에게 해 줄 수 있는 조언을 쓰시오.

> **재경:** 친구가 사는 물건을 보면 항상 따라 사고 싶어요. 물건을 사면 집에 같은 물건이 있을 때도 있고, 금방 망가지는 경우도 있어서 물건을 사고도 항상 후회해요. 어떻게 하면 좋을까요?

---

6 ㉠~㉣ 중 생산 활동으로 알맞지 않은 것을 골라 기호를 쓰시오.

> 경원이는 친구 생일 선물을 사러 시장에 갔습니다. 시장에는 물건을 사고파는 사람들이 많았습니다. ㉠ 생선 가게에서는 생선을 팔고 있었고, ㉡ 빵집에서는 빵을 굽고 있었습니다. 경원이는 문구점으로 가서 친구 생일 선물로 학용품 세트를 샀습니다. 밖으로 나오니 ㉢ 물건을 배달하는 사람, ㉣ 떡볶이 가게에서 떡볶이를 사 먹는 사람 등으로 시장이 다시 붐비기 시작했습니다.

---

7 다음은 어떤 종류의 생산 활동에 해당하는지 쓰시오.

> 과자 만들기, 배 만들기, 건물 짓기, 자동차 만들기 등

8 소비 활동으로 알맞은 것을 보기 에서 두 가지 골라 기호를 쓰시오.

보기

㉠ 만두를 사 먹는 일
㉡ 물건을 운반하는 일
㉢ 버섯을 재배하는 일
㉣ 머리 손질을 받는 일

9 현명한 소비 생활을 하기 위한 방법으로 알맞은 것을 보기 에서 두 가지 골라 기호를 쓰시오.

보기

㉠ 용돈의 일부를 저축한다.
㉡ 친구가 물건을 살 때 따라 산다.
㉢ 물건의 가격만 보고 물건을 구매한다.
㉣ 돈을 어떻게 사용할지 미리 계획한다.

10 중요 시장놀이를 할 때 주의할 점으로 알맞지 않은 것은 어느 것입니까? (   )

① 서로 존중하면서 시장놀이에 참여한다.
② 소비 활동 모둠은 어떤 물건을 살지 계획을 세운다.
③ 생산 활동 모둠은 우리 모둠원들이 좋아하는 물건을 생산한다.
④ 생산 활동 모둠은 소비 활동 모둠이 어떤 물건을 살지 살펴야 한다.
⑤ 소비 활동 모둠은 여러 가게를 둘러보고 어떤 가게에서 물건을 살지 생각한다.

11 다음 급식 안내를 통해 알 수 있는 사실을 쓰시오.

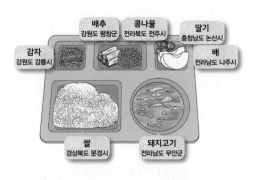

12 다음 상품의 생산지(원산지)를 확인하는 방법으로 알맞은 것은 어느 것입니까? (   )

① 원산지 표시판 확인하기
② 품질 인증 마크 살펴보기
③ 큐아르(QR) 코드 스캔하기
④ 누리집 상품 소개 검색하기
⑤ 할인 매장 광고지 확인하기

13 다음 상품의 생산지(원산지)를 확인하는 방법을 쓰시오.

269,000원

택배 무료
원산지 헝가리

14 다음 그림과 같이 지역 간 경제적 교류가 발생하는 까닭을 쓰시오.

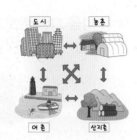

_____

_____

15 빈칸에 들어갈 알맞은 말을 쓰시오.

> ☐☐☐ ☐☐은/는 생산자와 소비자가 중개인을 거치지 않고 직접 거래하는 시장입니다. 이곳에서는 지역의 특산물을 소개하거나 지역을 홍보해 경제적 이익을 얻을 수 있습니다.

_____

16 다음 사례에서 알 수 있는 경제적 교류의 대상으로 알맞은 것은 어느 것입니까? (   )

> A 보안 회사는 최근 개인 정보 보호를 위한 스마트폰 보안 프로그램을 개발하여 B 통신사와 업무 협약을 맺었습니다.

① 개인과 지역   ② 기업과 지역
③ 기업과 기업   ④ 지역과 지역
⑤ 국가와 국가

17 빈칸에 들어갈 알맞은 말을 쓰시오.

> 경기도 고양시와 전라남도 영광군은 ☐☐☐ ☐을/를 하고 서로 협력하며 경제적·문화적으로 발전하도록 다양한 문화 교류, 기술 교류, 관광 교류, 물자 교류를 진행하고 있습니다.

_____

18 다음 우리 지역의 경제적 교류를 조사하는 방법으로 알맞은 것은 어느 것입니까? (   )

> ○○ 지역의 중소기업 연합회는 □□ 지역의 상공 회의소와 반도체 기술과 관련하여 우호적 경제 교류를 하기로 했다.
> – 『○○ 신문』

① 지역 방송 자료 찾아보기
② 지역 신문에서 사례 확인하기
③ 인터넷 뉴스 해외 소식란 찾아보기
④ 우리 지역의 시·도청 누리집 검색하기
⑤ 지방 자치 단체의 국제 자매결연 현황 살펴보기

19 지역 간 경제적 교류를 조사할 때 조사 보고서에 들어갈 내용으로 알맞은 것을 보기 에서 모두 골라 기호를 쓰시오.

> 보기
> ⊙ 조사 주제
> ⓒ 조사한 날의 날씨
> ⓒ 경제적 교류의 내용
> ⓔ 우리 지역과 교류한 지역

중요★

20 지역 간 경제적 교류가 필요한 까닭으로 알맞지 **않은** 것은 어느 것입니까? (   )

① 지역 주민의 생활이 편리해질 수 있다.
② 다른 지역의 생활과 문화를 체험할 수 있다.
③ 다른 지역과 교류하며 지역 간 화합이 이루어질 수 있다.
④ 어려운 일이 생겼을 때 우리 지역 안에서만 해결해야 한다.
⑤ 다른 지역과 특산물을 주고받으며 경제적 이익을 얻을 수 있다.

[1-3] 다음 표를 보고 물음에 답하시오.

생산	㉠	• 과일을 수확하는 일 • 버섯을 캐는 일 • 채소를 재배하는 일
	생활에 필요한 것을 만드는 활동	• 빵을 만드는 일 • 약을 만드는 일 • 건물을 짓는 일
	생활을 편리하고 즐겁게 해 주는 활동	㉡
㉢	생산한 것을 사용하는 활동	• 시장에서 과일을 구입하는 일 • 병원에서 진료를 받는 일

1 생산 활동의 의미와 ㉠에 들어갈 생산 활동의 종류를 서술하시오.

_____

_____

2 ㉡에 들어갈 생산 활동의 예시를 <u>두 가지</u> 이상 서술하시오.

_____

_____

3 ㉢을 현명하게 하는 방법을 서술하시오.

_____

_____

[4-6] 다음 그림을 보고 물음에 답하시오.

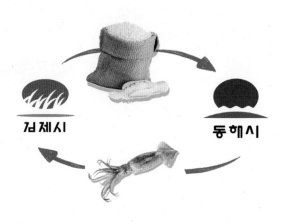

4 우리 지역의 경제적 교류 모습을 조사할 수 있는 방법을 서술하시오.

_____

_____

5 우리 지역과 다른 지역이 교류하는 까닭을 서술하시오.

_____

_____

6 다른 지역과 경제적 교류를 했을 때 얻을 수 있는 이점을 서술하시오.

_____

_____

③ 사회 변화와 문화 다양성

사 회를
이 해하고
다 함께
탐구하자!

공부 계획표

• 자신의 일정에 맞게 계획을 세워 보고, 실제 학습일을 적어 봅시다.
• 학습을 마무리한 후 얼마나 학습 목표를 달성했는지 스스로 점검해 봅시다.

공부할 내용	쪽수	계획일	달성
단원 열기 사회 변화와 문화 다양성	100~103쪽	월 일	◯
1 사회 변화에 따른 일상생활의 모습 · 사회 변화로 일상생활의 모습이 달라졌다고요?	104~105쪽	월 일	◯
저출산·고령화로 우리 생활은 어떻게 달라졌을까요?	106~107쪽	월 일	◯
정보화로 우리 생활은 어떻게 달라졌을까요?	108~109쪽	월 일	◯
세계화로 우리 생활은 어떻게 달라졌을까요?	110~111쪽	월 일	◯
사회 변화로 나타난 일상생활의 특징을 조사해 볼까요?	112~113쪽	월 일	◯
즐겁게 정리해요, 주제 톡톡 문제	114~117쪽	월 일	◯
2 다양한 문화에 대한 이해와 존중 · 문화란 무엇일까요?	120~121쪽	월 일	◯
다양한 문화의 모습을 알아볼까요?	122~123쪽	월 일	◯
다양한 문화가 확산하면서 생기는 문제를 알아볼까요?	124~125쪽	월 일	◯
편견과 차별은 왜 문제가 될까요?	128~129쪽	월 일	◯
다양한 문화를 존중하는 마음을 실천해 볼까요?	130~131쪽	월 일	◯
즐겁게 정리해요, 주제 톡톡 문제	132~135쪽	월 일	◯
단원 마무리 단원을 마무리해요, 쪽지 시험	138~140쪽	월 일	◯
단원 톡톡 문제, 서술형 톡톡 문제	141~144쪽	월 일	◯

친구들과 교육 박람회를 관람하러 왔어요. 사회가 어떻게 변화하고 있는지 살펴볼까요?

로봇이 홀로그램을 활용해서 미래 사회가 어떤 모습으로 발전할지 설명해 주는 것을 봤어.

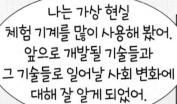
나는 가상 현실 체험 기계를 많이 사용해 봤어. 앞으로 개발될 기술들과 그 기술들로 일어날 사회 변화에 대해 잘 알게 되었어.

휠체어를 타신 분들도 편하게 관람할 수 있도록 시설이 마련되어 있는 점이 가장 인상 깊었어.

난 박람회장 곳곳에 외국인이 많은 것도 신기했어. 마치 내가 외국에라도 와 있는 듯한 느낌이 들었어.

이제 지역 탐험 부스만 살펴보면 될 것 같은데, 박람회장이 너무 복잡해서 출구가 안 보여. 어떡하지?

박람회장의 안내판을 보고 다 같이 출구를 찾아보자!

응! 어서 가 보자.

속 시원한 활동 풀이

📍 교과서 97~98쪽

사회랑 놀아요 박람회장 출구를 찾아라!

❓ 그림에 나타난 오늘날 우리 사회의 모습이 무엇인지 이야기해 봅시다.

예 • 노인 인구가 늘어나고 있습니다.
   • 우리와 다른 문화를 가진 사람들에 대한 편견과 차별이 존재합니다.

도움 그림 속에 나타난 사람들의 모습을 통해 우리 사회의 모습을 예상해 보아요.

📍 교과서 99쪽

⭐ 이 단원에서 나는

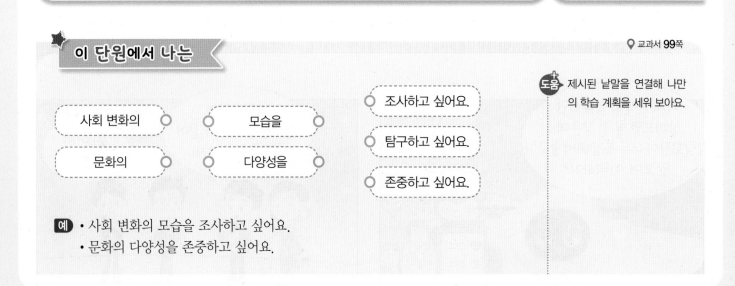

사회 변화의	모습을	조사하고 싶어요.
문화의	다양성을	탐구하고 싶어요.
		존중하고 싶어요.

도움 제시된 낱말을 연결해 나만의 학습 계획을 세워 보아요.

예 • 사회 변화의 모습을 조사하고 싶어요.
   • 문화의 다양성을 존중하고 싶어요.

교과서 흐름

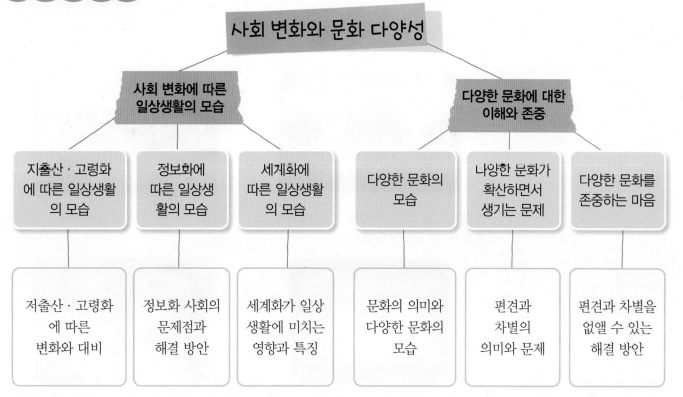

사회 변화와 문화 다양성

사회 변화에 따른 일상생활의 모습

다양한 문화에 대한 이해와 존중

| 저출산·고령화에 따른 일상생활의 모습 | 정보화에 따른 일상생활의 모습 | 세계화에 따른 일상생활의 모습 | 다양한 문화의 모습 | 다양한 문화가 확산하면서 생기는 문제 | 다양한 문화를 존중하는 마음 |

| 저출산·고령화에 따른 변화와 대비 | 정보화 사회의 문제점과 해결 방안 | 세계화가 일상생활에 미치는 영향과 특징 | 문화의 의미와 다양한 문화의 모습 | 편견과 차별의 의미와 문제 | 편견과 차별을 없앨 수 있는 해결 방안 |

🌸 사회 변화로 달라진 일상생활의 모습과 그 특징을 알 수 있어요.
🌸 다양한 문화를 이해하고 존중하는 태도를 가질 수 있어요.

핵심 용어

❶ **정**(情) 뜻 정　**보**(報) 알릴 보　**화**(化) 될 화

❶ 정보와 지식이 사회가 발전하고 변화하는 데 중심 역할을 하는 현상을 말합니다.

❷ **세**(世) 인간 세　**계**(界) 지경 계　**화**(化) 될 화

❷ 세계 여러 나라가 다양한 분야에서 교류하고 서로 영향을 주고받으면서 가까워지는 현상을 말합니다.

❸ **문**(文) 글월 문　**화**(化) 될 화

❸ 사람들이 가지고 있는 공통의 생활 방식을 말합니다.

사회 변화로 일상생활의 모습이 달라졌다고요?

보충 ❶

◉ 해외여행 자유화
우리나라는 1989년부터 자유롭게 해외여행을 갈 수 있게 되었다. 이전에는 유학을 간다거나 해외에 취업을 하는 등 특별한 목적이 있어야만 해외여행이 가능했고, 단순히 관광을 하기 위한 해외여행은 불가능했다.

보충 ❷

◉ 휴대 전화의 등장
1980년대 초 무선 호출기, 일명 '삐삐'가 등장하고 여러 기업이 이동 통신 산업에 참여하기 시작했다. 1990년대에 들어서면서 일반 사람들이 사용하는 이동 통신, 즉 휴대 전화가 등장했다.

① 옛날의 일상생활 모습

옛날에는 한 반에 학생들이 많아서 오전반, 오후반으로 나누어 등교했음.

옛날에는 아기가 많이 태어나 가족에 형제가 많았음.

옛날에는 외국에 여행을 자유롭게 다니지 못했음.

옛날에는 휴대 전화가 없어 밖에서는 ❶공중전화를 이용했음.

② 옛날과 오늘날의 생활 모습 비교하기

(1) 옛날과 오늘날의 생활 모습 `속 시원한 활동 풀이`

옛날	오늘날
학생들이 많아 한 반에 60명이 넘는 학급이 대부분이었음.	학생 수가 많이 줄어들어 한 반에 20명 정도가 있음.
아기 침대가 부족할 정도로 태어나는 아기들이 많았음.	한 해에 태어나는 아기의 수가 점점 줄어들고 있음.
비행기를 타고 해외여행을 자유롭게 다니지 못했음.	비행기나 배를 타고 자유롭게 외국에 갈 수 있음. 보충 ❶
밖에서 전화할 경우에는 공중전화를 이용해야 했음.	휴대 전화로 시간과 장소에 상관없이 통화할 수 있음. 보충 ❷

(2) 일상생활의 모습이 달라진 까닭: 사회가 여러 분야에서 빠르게 변화하고 있기 때문이다.

용어 사전
❶ 공중전화: 여러 사람들이 사용할 수 있도록 길거리나 일정한 장소에 설치한 전화이다.

속 시원한 **활동 풀이**

📍 교과서 100~101쪽

 활동

옛날의 생활 모습이 나타난 자료를 보고, 오늘날의 생활 모습과 어떤 점이 다른지 이야기해 봅시다.

예 • 옛날에는 아기 침대가 부족할 정도로 태어나는 아기들이 많았습니다.
• 옛날에는 오늘날과 다르게 해외여행을 자유롭게 다니지 못했다는 사실을 알 수 있습니다.
• 옛날에는 밖에서 통화할 때 공중전화를 이용했지만 오늘날에는 휴대 전화로 어디서나 통화를 합니다.

📍 정답과 해설 12쪽

1 빈칸에 들어갈 알맞은 말을 쓰시오.

사회가 여러 분야에서 빠르게 □□하고 있기 때문에 일상생활의 모습이 달라졌습니다.

( )

2 옛날의 일상생활 모습을 보기 에서 **두 가지** 골라 기호를 쓰시오.

보기
㉠ 학급당 많은 학생 수   ㉡ 학급당 적은 학생 수
㉢ 밖에서 공중전화를 이용한 통화   ㉣ 자유로운 해외여행

( )

저출산·고령화로 우리 생활은 어떻게 달라졌을까요?

보충 ❶

● **생산 가능 인구**
우리나라는 경제활동을 할 수 있는 15세 이상 64세 이하의 생산 가능 인구가 점점 줄어들고 있다. 이렇게 저출산으로 미래에 일할 사람이 줄어들면 경제가 어려워질 수도 있다.

보충 ❷

● **아이를 키울 때 필요한 지원**
어린이집과 같은 보육 시설 마련과 양육비 지원, 육아 휴직 확대 등의 제도가 필요하다. 또 다자녀 가정을 위한 양육비 지원, 전기 요금, 가스 요금, 기차 요금 할인 등의 다양한 지원 제도가 필요하다.

① 저출산 현상 알아보기

(1) **저❶출산**: 태어나는 아이의 수가 줄어드는 현상을 뜻한다.

(2) **우리나라의 저출산 현상**

① 1975년에는 80만 명이 넘는 아이가 태어났다.

② 태어나는 아이의 수가 계속 줄어들어 저출산 현상이 점점 심해지고 있다.

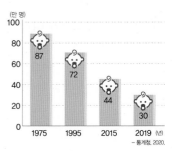

▲ 우리나라의 출생아 수 변화

② 고령화 현상 알아보기

(1) **고령화**: 전체 인구 가운데 65세 이상 노인 인구가 차지하는 비율이 높아지는 현상을 뜻한다.

(2) **우리나라의 고령화 현상** (속 시원한 활동 풀이)

① 65세 이상 인구 비율이 점점 늘어나 고령화 현상이 나타나고 있다.

② 2050년에는 65세 이상 인구 비율이 40% 가까이 될 것이다.

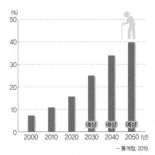

▲ 우리나라의 65세 이상 인구 비율 변화

③ 저출산·고령화로 나타난 변화 모습 알아보기

(1) **저출산으로 달라진 일상생활 모습**

① 학급당 학생 수가 줄어들고, 문을 닫는 학교도 생기고 있다.

② 가족 구성원 수가 줄어들고, 가족 형태가 변하고 있다.

③ 미래에 일할 수 있는 젊은 사람이 줄어들고 있다. **보충 ❶**

(2) **고령화로 달라진 일상생활 모습**

① 노인 전문 병원, 노인정 같은 노인을 위한 전문적인 시설들이 늘어나고 있다.

② 노인을 위한 ❷복지 제도가 늘어나고 있다.

③ 일자리를 찾는 노인들이 늘어나고 있다.

(3) **저출산·고령화에 따른 변화 대비** (속 시원한 활동 풀이)

① 학생 수가 적은 소규모 학교에서는 이웃한 학교들이 모여 공동으로 다양한 단체 활동을 한다.

② 아이를 낳아 키우는 부모를 지원하고, 다양한 시설과 제도를 마련해야 한다. **보충 ❷**

③ 노인들을 위한 의료 시설, 복지 제도, 일자리를 늘려야 한다.

용어 사전

❶ **출산**: 아이를 낳는 것을 가리킨다.

❷ **복지 제도**: 국민의 행복한 삶을 위해 펴는 다양한 제도를 말한다.

 스스로 활동

저출산·고령화 사회가 되면서 달라진 일상생활의 모습을 신문 기사, 방송 자료 등에서 찾아 발표해 봅시다.

예 • 태어나는 아이의 수가 줄어들면서 산부인과의 수도 함께 줄어들었다고 합니다.
  • 학생 수가 부족한 학교들이 있다고 합니다.
  • 노인들의 병을 주로 치료하는 병원의 수가 늘어나고 있다고 합니다.

다 함께 활동

저출산·고령화에 따라 나타나는 사회 변화에 대비하려면 어떤 노력이 필요한지 다음 내용을 살펴보고 친구들과 이야기해 봅시다.

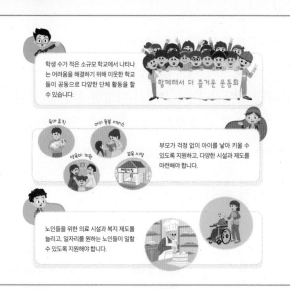

예 • 학생 수가 적은 학교를 위해 방과후 학교, 독서 프로그램 등 특색 있는 교육 프로그램을 실시합니다.
  • 맞벌이 부부가 걱정 없이 아이를 맡길 수 있는 시설을 늘립니다.
  • 노인들이 일할 수 있는 다양한 일자리를 만들고, 노인들을 위한 취업 교육을 합니다.

 잠깐! 확인해요

저출산·고령화에 따라 일할 수 있는 젊은 사람들이 늘어납니다. (○ , ✕)　　　　(✕)

확인 톡! 톡!

📍정답과 해설 12쪽

1　태어나는 아이의 수가 줄어드는 현상이 무엇인지 쓰시오.　　　　(　　　　)

2　전체 인구 가운데 65세 이상 노인 인구가 차지하는 비율이 높아지는 현상이 무엇인지 쓰시오.

　　　　　　　　　　　　　　　　　　　　　　　　　　(　　　　)

정보화로 우리 생활은 어떻게 달라졌을까요?

보충 ①

◉ **디지털 교과서**
종이로 만들어져 있는 교과서 대신 컴퓨터상에서 디지털화된 형태로 볼 수 있는 교과서를 의미한다. 디지털 교과서는 다양한 멀티미디어 자료를 활용할 수 있고, 누구든지 언제 어디서나 쉽게 접근할 수 있어 편리하다.

보충 ②

◉ **정보화 사회의 특징**
• 인터넷으로 다양한 정보를 얻거나 주고받으며, 해야 할 일을 쉽게 처리할 수 있다.
• 빠른 시간 안에 필요한 지식과 정보를 얻어 시간을 효율적으로 사용할 수 있다.

용어 사전

❶ **유출**: 중요한 내용이나 사물이 밖으로 새어 나가 알려지게 되는 것을 뜻한다.
❷ **저작권**: 책이나 예술 작품 등을 지은 사람이 자신이 지은 것에 대하여 가지는 권리를 말한다.
❸ **저작물**: 생각 또는 감정 따위를 표현한 창작물을 뜻한다.

❶ 정보화로 나타난 변화 모습

(1) **정보화**: 사회가 발전하고 변화하는 데 정보와 지식이 중심 역할을 하는 것이다.

(2) **생활 속에서 정보와 지식을 활용하는 모습**

① 뉴스에서 미세 먼지나 날씨 정보를 확인한다.
② 애플리케이션을 이용하여 혼자 피아노를 배운다.
③ 디지털 교과서로 다양한 정보를 활용하여 공부한다. **보충 ❶**
④ 학교 누리집에서 가정 통신문을 확인한다.
⑤ 도서 대출 프로그램으로 보고 싶은 도서가 언제 반납될지 확인한다.

(3) **정보화로 달라진 일상생활 모습** 속 시원한 활동 풀이 **보충 ❷**

① 휴대 전화 길 찾기 애플리케이션을 이용하여 실시간으로 교통 상황을 확인하여 빠른 길로 갈 수 있다.
② 인공 지능 프로그램을 이용하여 음악을 감상할 수 있다.
③ 인터넷으로 방문할 곳의 입장권을 미리 예약할 수 있다.
④ 직접 가게에 가지 않아도 인터넷 검색을 통해 집에서 다양한 물건을 살 수 있다.
⑤ 주변 교통 환경을 인식하여 자동으로 운전하는 자동차가 만들어졌다.

내용⁺ 정보화의 영향으로 일상생활이 다양하게 변화하고, 더욱 편리해졌다.

❷ 정보화 사회의 문제점과 해결 방안

(1) **정보화 사회의 문제점**

악성 댓글 문제	개인 정보 ❶유출 문제	휴대 전화 중독 문제	❷저작권 침해 문제

(2) **정보화 사회의 문제점을 해결하기 위한 방안** 속 시원한 활동 풀이

문제점	해결 방안
악성 댓글 문제	인터넷이나 휴대 전화로 글을 쓸 때는 예의를 지켜야 함.
개인 정보 유출 문제	인터넷상에서 이용하는 비밀번호를 자주 바꾸고, 보안 프로그램을 꼭 설치함.
휴대 전화 중독 문제	하루 중 인터넷이나 휴대 전화를 사용하는 시간을 정함.
저작권 침해 문제	다른 사람의 ❸저작물을 소중히 여기고 정당한 방법으로 사용함.

1 정보화로 달라진 사람들의 생활 모습을 찾아봅시다.

예 • 버스 정류장에서 버스가 언제 올지 미리 확인할 수 있습니다.
   • 인터넷에서 다양한 자료를 검색해 궁금한 점을 해결할 수 있습니다.

2 이야기 만들기 카드와 배경을 활용해 정보화 사회의 일상생활 모습을 친구에게 설명해 봅시다.

예 이것은 '키오스크'라고 불리는 기계입니다. 식당에서 이 기계를 활용하면 따로 주문을 받는 사람이 없어도 자신이 원하는 대로 음식을 주문할 수 있습니다. 주문하고 싶은 음식이 나타난 화면 부분에 손을 접촉하면 됩니다.

정보화 사회에서 나타나는 문제점을 해결하는 데 필요한 실천 공약을 모둠별로 만들어 봅시다.

예 • 거짓 정보를 인터넷에 함부로 올리지 않겠습니다.
   • 자주 들어가는 포털 누리집의 비밀번호를 주기적으로 바꾸겠습니다.

잠깐! 확인해요

정보화로 개인 정보가 유출되는 문제가 나타나기도 합니다. (○ , ✕)   (○)

♥ 정답과 해설 12쪽

1 사회가 발전하고 변화하는 데 정보와 지식이 중심 역할을 하는 것이 무엇인지 쓰시오.

(   )

2 서로 관련 있는 내용끼리 바르게 선으로 연결하시오.

(1) 휴대 전화 중독 •   • ㉠ 다른 사람의 저작물을 소중히 여깁니다.

(2) 저작권 침해 •   • ㉡ 인터넷이나 휴대 전화 사용 시간을 정하고 지킵니다.

(3) 개인 정보 유출 •   • ㉢ 보안 프로그램을 설치하고, 비밀번호를 자주 바꿉니다.

세계화로 우리 생활은 어떻게 달라졌을까요?

❶ 세계화로 나타난 변화 모습

(1) **세계화**: 세계 여러 나라가 다양한 분야에서 ❶교류하고 서로 영향을 주고받으면서 가까워지는 현상을 뜻한다.

(2) 세계화로 달라진 일상생활 모습

외국에서 활약하는 우리나라 운동선수의 경기를 실시간으로 볼 수 있음.	우리나라에 여행을 온 외국인 관광객을 볼 수 있음.	다른 나라의 음식이나 물건을 쉽게 사 먹을 수 있음.

전 세계가 함께하는 지구촌 전등 끄기와 같은 ❷캠페인에 참여할 수 있음. **보충 ❶**	다른 나라의 다양한 문화를 접할 수 있음.	우리나라 가수의 공연을 보러 오는 외국인이 많아짐.

❷ 세계화로 나타나는 문제점과 가져야 할 자세

(1) 세계화로 나타나는 문제점과 그 원인

문제점	문제가 일어난 원인
우리의 전통문화가 점점 사라지고 있음.	전통문화를 소홀히 여겼기 때문임.
한 나라에서 바이러스가 생기면 전 세계에 빠르게 퍼져 어려움을 겪음. **보충 ❷**	국경을 넘어 이동하는 사람이 많기 때문임.
서로의 문화를 이해하지 못해 갈등이 생김.	다른 나라의 문화를 이해하고 존중하는 마음이 부족하기 때문임.

(2) 세계화 시대에 가져야 할 자세 （🔵 속 시원한 활동 풀이）

① 우리의 전통문화를 소중히 여기고 발전시켜야 한다.

② 다른 나라의 문화도 존중하는 마음을 가져야 한다.

③ 세계화는 긍정적인 영향뿐만 아니라 부정적인 영향도 주기 때문에 세계화에 발맞추면서도 부정적인 영향에 대비해야 한다.

● 교과서 110~113쪽

다 함께 활동

세계화가 우리 생활에 주는 긍정적인 영향과 부정적인 영향을 생각해 보고, 어떤 자세를 가져야 할지 모둠별로 발표해 봅시다.

긍정적인 영향	예 • 우리나라 운동선수들이 외국에서 활약하고 있습니다. • 세계 여러 나라를 직접 방문하지 않아도 다양한 문화를 경험해 볼 수 있습니다.
부정적인 영향	예 • 전통문화가 점점 사라지고 있습니다. • 국가 간의 경계가 약해져 한 나라에서 생긴 문제가 세계 전체의 문제가 될 수 있습니다.
가져야 할 자세	예 • 우리 문화를 지키고 발전시키려는 태도를 가져야 합니다. • 다른 나라의 문화를 존중하는 마음을 가져야 합니다.

잠깐! 확인해요

□□□(이)란 세계 여러 나라가 서로 영향을 주고받으면서 가까워지는 현상입니다. (　　세계화　　)

확인 톡! 톡!

● 정답과 해설 12쪽

1 내용이 맞으면 ○표, 틀리면 ×표를 선택하시오.

(1) 세계화는 우리 생활에 긍정적인 영향만 줍니다. (○ , ×)

(2) 세계화로 우리나라에 여행을 온 외국인 관광객을 볼 수 있습니다. (○ , ×)

2 세계화의 긍정적인 영향을 보기 에서 모두 골라 기호를 쓰시오.

보기

㉠ 전통문화를 소홀히 여깁니다.　　　　㉡ 바이러스가 빠르게 여러 나라로 퍼집니다.
㉢ 다양한 문화 체험을 쉽게 할 수 있습니다.　　㉣ 기후 변화에 함께 대응합니다.

(　　　　　　　)

3 서로 관련 있는 내용끼리 바르게 선으로 연결하시오.

(1) 전통문화가 점점 사라짐. •　　　• ㉠ 다른 나라의 문화를 존중하는 마음이 부족함.

(2) 서로의 문화를 이해하지 못해 갈등이 생김. •　　　• ㉡ 전통문화를 소홀히 하는 경향이 있음.

(3) 바이러스가 생기면 전 세계에 빠르게 퍼짐. •　　　• ㉢ 국경을 넘어 이동하는 사람들이 많음.

사회 변화로 나타난 일상생활의 특징을 조사해 볼까요?

보충 ①

● **카드 뉴스로 정리하기**

카드 뉴스는 전달하고 싶은 내용을 이미지와 간단한 글로 재구성해 보여 주는 새로운 뉴스 형식이다. 카드 뉴스를 만들 때는 알리고 싶은 내용을 정하고 간단한 설명을 써서 매끄럽게 연결되도록 배치해야 한다.

보충 ②

● **포스터 만들기**

포스터를 만들 때는 조사한 자료를 포스터에 모두 적는 것이 아니라, 그중 핵심적인 내용을 골라 그림과 간단한 글귀로 나타내야 한다.

❶ 사회 변화로 나타난 일상생활의 특징 조사 방법 알아보기

(1) 자료 조사 방법

> 초등학교에 입학하는 학생이 날이 갈수록 줄어들고 있다. 학교 알림터 공시 자료(20○○년 ○월 ○일 기준)에 따르면 6,266개 초등학교 중에서 입학생이 10명 이하인 초등학교가 1,479곳이다.
> ─「○○ 신문」

> 다양한 분야에서 노인이 일자리를 갖고 사회 활동을 할 수 있도록 돕는 사업이 추진되고 있다. 일부 노인들은 공공시설 관리 지킴이, 학교 교통안전 지킴이, 노인 체육 강좌 등의 사업에 참여하며 활기찬 노년을 보내고 있다.
> ─「○○일보」

▲ 신문 기사 찾아보기

개인 정보 유출 내역 공개

▲ 방송 자료 찾아보기

한식이 전 세계 사람들에게 널리 알려지고 있습니다.

▲ 관련 책 찾아보기

내용⁺ 신문 기사에는 저출산·고령화, 방송 자료에는 정보화, 책에는 세계화로 나타난 일상생활의 모습이 나타나 있다.

(2) 조사한 내용 정리 방법: 카드 뉴스로 정리하기, 포스터 만들기 등 보충 ①②

(3) 발표 자료 소개 방법: 카드 뉴스 내용 읽기, 발표 자료 전시하기 등

❷ 사회 변화로 나타난 일상생활의 특징 조사하기 ☆속 시원한 활동 풀이

(1) 발표 자료를 만들 때 생각해야 할 점

① 조사하고 싶은 주제와 그 까닭을 생각한다.

② 자료를 조사할 방법을 생각한다.

③ 조사한 내용을 ❶효과적으로 정리할 수 있는 방법을 생각한다.

④ 발표 자료를 다른 친구들에게 잘 전달할 수 있는 소개 방법을 생각한다.

(2) 사회 변화로 나타난 일상생활의 특징 조사 순서

> ❶ 모둠별로 저출산·고령화, 정보화, 세계화 가운데 하나의 사회 변화 모습을 정한다.
> ❷ 우리 모둠이 선택한 사회 변화의 특징이 나타난 자료를 조사한다.
> ❸ 조사한 내용을 정리하여 사회 변화의 특징이 드러난 자료를 만들어 발표한다.

활동 도우미 포스터 만들기

인터넷 사용 시간 줄이기

인터넷 사용 시간 줄이기

인터넷 사용 시간 줄이기

하루 인터넷 사용 시간을 정해 슬기롭게 인터넷을 사용합시다.

❶ 종이에 조사한 내용을 아우르는 제목을 적습니다.

❷ 선택한 주제의 특징이 잘 나타난 자료를 붙이거나 그림을 그립니다.

❸ 선택한 주제의 특징을 소개하는 짧은 글을 씁니다.

용어 사전

❶ 효과적: 어떤 목적을 가지고 한 행동이 좋은 결과로 드러나는 것을 뜻한다.

속 시원한 **활동 풀이**

📍교과서 114~115쪽

선택한 주제	예 세계화
사회 변화로 나타난 일상생활의 특징을 보여 주는 사례	예 세계화로 인해 우리나라의 전통문화에 대한 관심이 작아지고 있다는 신문 기사를 보았습니다.

사회 변화로 나타난 일상생활의 특징을 담은 발표 자료

예

세계화 시대, 전통문화의 중요성

세계화로 다른 나라의 문화에 대한 관심이 커졌습니다.

하지만 우리의 소중한 전통문화도 잘 지켜내야 합니다.

확인 톡! 톡!

📍정답과 해설 12쪽

1 사회 변화로 나타난 일상생활의 특징을 담은 발표 자료를 만드는 방법을 순서대로 기호를 쓰시오.

㉠ 조사한 내용을 정리하여 사회 변화의 특징이 드러난 자료를 만들어 발표합니다.
㉡ 모둠별로 저출산·고령화, 정보화, 세계화 가운데 하나의 사회 변화 모습을 발표 주제로 정합니다.
㉢ 우리 모둠이 선택한 사회 변화의 특징이 나타난 자료를 조사합니다.

(   )

2 내용이 맞으면 ○표, 틀리면 ×표를 선택하시오.

(1) 사회 변화로 나타난 일상생활의 특징을 정리하는 방법은 카드 뉴스만 가능합니다. (○ , ✕)
(2) 발표 자료를 다른 친구들에게 잘 전달할 수 있는 소개 방법을 생각해야 합니다. (○ , ✕)

● '사회 변화에 따른 일상생활의 모습'에서 배운 내용을 떠올리며 알맞게 설명한 사람을 모두 찾아 ○표를 해 봅시다.

❶ 한 해에 태어나는 아기들의 숫자가 점점 줄어들고 있습니다.

❷ 고령화 현상은 전체 인구에서 80세 이상 인구가 차지하는 비율이 높은 것을 말합니다.

❸ 정보화가 진행되면서 사람들은 정보를 편리하게 주고받습니다.

❹ 정보화 사회에는 좋은 점만 있고 문제점은 없습니다.

❺ 지구촌 여러 나라가 서로 연결되어 다양하게 영향을 주고받는 것을 세계화라고 합니다.

❻ 세계화가 진행되면 우리의 전통문화가 사라져도 됩니다.

도움+ 저출산·고령화, 정보화, 세계화에 따른 일상생활의 모습들을 기억해 풀어 보아요.

🍓 핵심 꿀꺽 질문 ?

🥕 저출산·고령화로 나타난 일상생활의 모습은 무엇인가요?

🥕 정보화로 나타난 일상생활의 모습은 무엇인가요?

🥕 세계화로 나타난 일상생활의 모습은 무엇인가요?

1 다음 내용을 통해 알 수 있는 옛날의 일상생활 모습을 오늘날과 비교해서 쓰시오.

> **이모:** 내가 어렸을 때는 한 반에 60명도 넘는 학생들이 있었단다. 얼마나 학생들이 많 았는지 심지어 오전반과 오후반으로 학 생을 나누어 수업도 했어. 휴대 전화가 없어 밖에서 통화를 하려면 공중전화를 이용했어. 그때는 전화 통화도, 외국 여 행도 모두 쉽지 않았던 시절이었단다.

2 다음 그래프를 보고 알 수 있는 사회 변화로 알 맞은 것은 어느 것입니까? (   )

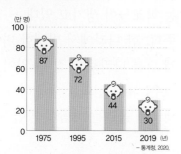

(만 명)

▲ 우리나라의 출생아 수 변화

① 저출산   ② 세계화
③ 정보화   ④ 다문화
⑤ 지식화

3 빈칸에 들어갈 알맞은 숫자를 쓰시오.

> 고령화란 전체 인구 가운데 ☐☐세 이상 노 인 인구가 차지하는 비율이 높아지는 현상을 말합니다.

4 저출산 현상에 대비하기 위한 노력으로 알맞지 않은 것은 어느 것입니까? (   )

① 양육비 지원
② 육아 휴직 장려
③ 보육 시설 지원
④ 요양 병원 시설 지원
⑤ 아이 돌봄 서비스 운영

5 정보화로 인해 달라진 생활 모습으로 알맞은 것 을 보기에서 두 가지 골라 기호를 쓰시오.

> **보기**
> ㉠ 가정 통신문을 학교 누리집을 통해 확인하는 진우
> ㉡ 세계 과자 상점에서 독일 과자를 사서 먹는 유민
> ㉢ 경복궁에서 많은 외국인이 한복을 입은 모습 을 본 승혜
> ㉣ 휴대 전화 애플리케이션을 이용해 요양 병원 에 계신 할아버지와 통화하는 수빈

6 빈칸에 공통으로 들어갈 알맞은 말을 쓰시오.

> ☐☐화 사회에서는 인터넷으로 다양한 ☐ ☐을/를 얻거나 주고받으며 자신이 해야 할 일을 쉽게 처리할 수 있습니다. ☐☐화의 영 향으로 우리의 일상생활은 다양하게 변화하고 있으며 더욱 편리해지고 있습니다.

7 혜진이의 고민을 읽고 해결 방안을 쓰시오.

> **혜진:** 나는 휴대 전화로 하는 게임에 푹 빠졌어. 얼마나 재미있는지 한번 하기 시작하면 어느새 2시간은 금방 지나가 버려. 휴대 전화 게임을 하다가 숙제를 다 못해서 난감했던 적이 있어. 어떻게 하면 내 문제를 해결할 수 있을까?

8 효성이의 고민을 읽고 해결 방안을 쓰시오.

> **효성:** 내가 모르는 사이에 누군가가 내 개인 정보를 이용해서 3만 원어치의 물건을 구입했어. 누구에게도 내 개인 정보를 알려 준 적이 없어. 아무래도 컴퓨터와 휴대 전화가 신경 쓰여. 앞으로 이런 일이 일어나지 않으려면 어떻게 해야 할까?

9 다음은 주승이가 일주일 동안 한 일입니다. 세계화로 인해 달라진 생활 모습으로 알맞지 **않은** 것은 어느 것입니까? ( )

① 월요일: 지구촌 전등 끄기 캠페인 참여
② 화요일: 인도 전통 카레 식당에서 식사
③ 수요일: 엄마와 함께 외국 가수 콘서트 관람
④ 목요일: 인터넷을 통해 우리나라 가수의 신곡 내려받기
⑤ 금요일: 삼촌과 함께 외국에서 활약하는 운동선수의 축구 경기 시청

10 다음 설명을 읽고 알 수 있는 사회 변화를 쓰시오.

> 어스 아워(Earth Hour)는 세계 자연 기금이 주최하는 환경 운동 캠페인으로, 매년 3월 마지막 주 토요일에 1시간 동안 전등을 소등하면서 기후 변화의 의미를 생각합니다.

11 세계화로 나타나는 문제점에 대해 알맞은 설명을 한 친구는 누구입니까? ( )

① 효주: 앞으로는 미래에 일할 수 있는 젊은 사람이 줄어들 거래.
② 희라: 하루 종일 게임만 하려는 학생들이 많아질까 봐 걱정이야.
③ 동원: 요즘에는 학생 수가 줄어서 문을 닫는 학교들이 생기고 있대.
④ 주희: 한 나라에서 발생한 바이러스가 빠르게 다른 나라로 퍼질 수 있어.
⑤ 지수: 휴대 전화를 이용해서 인터넷에 나쁜 댓글을 올리는 사람이 많아질 거야.

12 사회 변화에 대해 알맞은 설명을 한 친구를 보기 에서 골라 기호를 쓰시오.

> **보기**
> ㉠ 수연: 저출산·고령화는 우리에게 영향을 미치지 않아.
> ㉡ 혜민: 저출산·고령화로 인한 변화에 다 함께 미리 대비해야 해.
> ㉢ 옥희: 세계화로 인해 전통문화가 사라질 수도 있으니까 세계화는 나쁜 거야.
> ㉣ 규인: 컴퓨터에 보안 프로그램이 없어도 쓰는 데 문제가 없으니까 그냥 쓰고 있어.

13 다음 내용을 읽고, 알 수 있는 사회 변화를 각각 쓰시오.

> 초등학교에 입학하는 학생이 날이 갈수록 줄어들고 있다. 자료에 따르면 6,266개 초등학교 중에서 입학생이 10명 이하인 초등학교가 1,479곳이다.

> 공공시설 관리 지킴이, 학교 교통안전 지킴이 등 다양한 분야에서 노인이 일자리를 갖고 사회 활동을 할 수 있도록 돕는 사업이 추진되고 있다.

14 ㉠에 들어갈 포스터의 제목으로 알맞은 것은 어느 것입니까?   (   )

하루 인터넷 사용 시간을 정해 슬기롭게 인터넷을 사용합시다.

① 개인 정보를 보호하는 법
② 인터넷 사용 시간 줄이기
③ 우리 전통문화 소중히 여기기
④ 늘어난 노인을 위한 전문 시설
⑤ 인터넷에서 예의를 지키는 방법

15 사회 변화로 나타난 일상생활의 특징을 조사하여 발표할 때 생각할 점으로 알맞은 것을 [보기]에서 **두 가지** 골라 기호를 쓰시오.

[보기]
㉠ 특징이 잘 나타난 자료를 찾는다.
㉡ 자료를 잘 정리할 수 있는 방법을 생각한다.
㉢ 조사할 주제를 고를 때는 가장 조사하기 쉬워 보이는 주제를 고른다.

워드 클라우드와 함께하는 **서술형 문제**

[16-17] 워드 클라우드의 단어를 이용하여 서술형 문제의 답을 서술하시오.

> 악성 댓글 인터넷 중독 정보화 저작권 정보 애플리케이션 저출산 고령화 세계화

16 다음 글에 나타난 사회 변화로 달라진 일상생활의 모습을 서술하시오.

> 하나는 오늘 아침 일어나자마자 오늘의 날씨를 휴대 전화로 확인하고, 우산을 챙겼습니다. 오늘 학교가 끝나면 할머니를 뵈러 가기로 해서 길 찾기 애플리케이션을 이용해 가장 빠른 경로를 검색했습니다.

17 다음 그림과 관련된 사회 변화를 쓰고, 또 다른 문제점을 서술하시오.

개인 정보 유출 내역 공개

(1) 사회 변화: _____

(2) 문제점: _____

핀란드의 노인 공동체, 로푸키리

핀란드어로 '마지막 전력 질주'라는 뜻의 로푸키리는 핀란드에 있는 노인 공동 주택으로, 2006년에 지어졌습니다. 이곳에는 평균 나이 약 70세의 노인 70여 명이 공동체를 이루어 살고 있습니다. 로푸키리에서 노인들은 공동의 생활 규칙을 정하여 청소, 빨래, 식사 등 모든 생활을 스스로 하고 있습니다. 또한 여가 시간에 다양한 취미 생활도 즐기고 있습니다. 로푸키리는 고령화 대비의 좋은 본보기가 되었습니다.

우리는 은퇴 후에 노인 공동 주택인 로푸키리에 함께 모여 살고 있어요.

문화란 무엇일까요?

① 문화의 의미

(1) 문화: 사람들이 가지고 있는 공통의 생활 방식이다.

(2) 문화에 따른 생활 모습 보충 ❶

나라	우리나라	베트남
설날에 먹는 음식	떡국	❶바인땟
공통점	떡을 먹음.	
차이점	떡을 국에 넣어 먹음.	떡을 바나나잎에 싸서 먹음.

② 다양한 문화의 공통점과 차이점 속 시원한 활동 풀이

(1) 문화의 공통점: 사람들은 옷을 입고, 음식을 먹으며, 놀이를 즐긴다.

(2) 문화의 차이점: 사람들의 옷차림이나 음식을 먹는 방법, 놀이 방법은 서로 다르다.

(3) 다양한 문화의 사례

옷차림	더운 지역에 사는 사람들은 천으로 만든 긴 옷을 입음.	추운 지역에 사는 사람들은 두꺼운 털옷을 입음.
음식을 먹는 방법	포크와 나이프를 사용함.	숟가락과 젓가락을 사용함.
집의 형태	물 위에 지은 집에서 생활함.	천을 덮어서 만든 이동식 집에서 생활함. 보충 ❷

(4) 문화의 특징: 문화는 사회마다 비슷한 모습도 있고 ❷독특한 모습도 있다.

 스스로 활동

사람들의 옷차림, 음식을 먹는 방법, 놀이를 살펴보고 공통점과 차이점을 찾아봅시다.

옷차림

음식을 먹는 방법

놀이

구분	옷차림	음식을 먹는 방법	놀이
공통점	예 온몸을 가리는 옷을 입고 있습니다.	예 가족들과 식탁에 함께 앉아 식사를 즐기고 있습니다.	예 동그란 장난감을 이용해 놀이를 즐기고 있습니다.
차이점	예 사막에 사는 사람들은 얇은 옷을 입고 있지만, 추운 지역에 사는 사람들은 두꺼운 털옷을 입고 있습니다.	예 포크와 나이프를 사용하여 식사를 하는 사람들도 있고, 손을 이용해 식사를 하는 사람들도 있습니다.	예 공깃돌만을 이용해 즐기는 놀이도 있고, 다른 도구들을 함께 이용하여 즐기는 놀이도 있습니다.

 확인 톡! 톡!

📍 정답과 해설 13쪽

1 사람들이 가지고 있는 공통의 생활 방식이 무엇인지 쓰시오.

(   )

2 서로 관련 있는 내용끼리 바르게 선으로 연결하시오.

(1) 바인땟 •   • ㉠ 우리나라 •   • ⓐ 떡을 잎에 싸서 먹습니다.

(2) 떡국 •   • ㉡ 베트남 •   • ⓑ 떡을 국에 넣어 먹습니다.

3 내용이 맞으면 〇표, 틀리면 ×표를 선택하시오.

(1) 문화는 사회마다 비슷한 모습도 있고 독특한 모습도 있습니다. (〇 , ✕)

(2) 사람들의 옷차림이나 음식을 먹는 방법, 놀이 방법은 어느 사회나 모두 똑같습니다. (〇 , ✕)

다양한 문화의 모습을 알아볼까요?

❶ 다양한 문화의 모습

(1) 일상생활 속 문화의 모습: 지역, 종교, 나이 등에 따라 다양하다. 보충 ①

다른 나라의 전통 춤 공연을 봄. 보충 ②	휴일에 가족과 함께 산책을 함.

휴대 전화로 누리 소통망 서비스(SNS)를 함.	세계 여러 나라의 음식을 먹을 수 있음.

친구들과 자전거를 탐.	다른 나라의 전통 놀이를 즐김.

(2) 사람들 모습의 공통점: 자신이 좋아하는 활동을 하고 있다.

(3) 사람들 모습의 차이점: 사람들마다 즐기는 활동의 모습이 다르다.

❷ 다양한 문화와 관련된 경험 속 시원한 활동 풀이

(1) 다양한 문화를 경험할 수 있는 까닭: 다른 나라 사람들과 교류가 많아지면서 다른 나라의 문화가 우리 사회에 ❶전파되었기 때문이다.

(2) 다른 나라의 문화 경험 사례: 외국의 음식이나 놀이, 음악을 경험할 수 있다.

 스스로 활동

다른 나라의 문화를 보거나 체험해 본 경험을 이야기해 봅시다.

예
- 다른 나라 가수의 노래를 들어 본 적이 있습니다.
- 다른 나라에서 만든 영화를 봤습니다.
- 놀이공원에서 다른 나라의 민속춤 공연을 본 적이 있습니다.
- 가족과 함께 다른 나라의 음식을 먹으러 간 적이 있습니다.
- 다른 나라의 보드게임을 해 본 적이 있습니다.
- 학교에서 체육 시간에 다른 나라의 민속놀이를 친구들과 함께 해 본 적이 있습니다.
- 학교 급식 시간에 다른 나라의 전통 음식을 먹어 본 적이 있습니다.

잠깐! 확인해요

우리 사회에는 (하나의 / **다양한**) 문화가 나타납니다.   (다양한   )

 **확인 톡! 톡!**

⦿ 정답과 해설 13쪽

1 **빈칸에 들어갈 알맞은 말을 쓰시오.**

일상생활에서 볼 수 있는 ☐☐의 모습은 지역, 종교, 나이 등에 따라 다르게 나타납니다.

(   )

2 **다른 나라의 문화와 관련된 경험을** 보기 **에서 모두 골라 기호를 쓰시오.**

보기
ⓐ 자전거를 타고 놀았습니다.   ⓑ 급식 시간에 인도 카레를 먹었습니다.
ⓒ 다른 나라의 카드놀이를 했습니다.   ⓓ 다른 나라의 전통 춤 공연을 보았습니다.

(   )

3 **내용이 맞으면 ○표, 틀리면 ✕표를 선택하시오.**
(1) 어린이들이 자전거를 타는 것은 문화라고 할 수 없습니다. (○ , ✕)
(2) 다른 나라 사람들과 교류가 많아지면서 외국의 문화가 전파되고 있습니다. (○ , ✕)

다양한 문화가 확산하면서 생기는 문제를 알아볼까요?

① 편견과 차별

(1) 편견과 차별의 뜻

편견	❶공정하지 못하고 한쪽으로 치우친 생각이나 의견을 말함.
차별	어떤 기준을 두어 사람들을 구별하고 다르게 대우하는 것을 말함.

(2) 일상생활 속 편견과 차별

① 일상생활 속 편견 보충❶❷

식사 방법에 가지는 편견

나이에 가지는 편견

피부색에 가지는 편견

옷차림에 가지는 편견

② 일상생활 속 차별: 우리 주변에는 피부색, 종교, 출신 지역, 나이 등이 다르다는 이유로 ❷부당하게 대우를 받는 사람들이 있다.

(3) 일상생활 속 편견과 차별이 나타나는 까닭

① 다양한 문화를 인정하지 않고 이상하게 여기기 때문이다.

② 피부색, 종교, 출신 지역, 나이 등의 차이를 인정하지 않고 편견을 가지면 차별이 나타날 수 있다.

② 우리 주변의 편견

(1) 우리 주변의 편견에 대해 이야기하기: 주변에서 듣거나 본 편견을 이야기해 보고, 자신이 그런 편견을 가지고 있는지 확인해 본다. 속 시원한 활동 풀이

(2) 편견을 해결할 방안 생각하기: 다양한 문화를 인정한다.

속 시원한 **활동 풀이**

📍교과서 122~123쪽

다 함께 활동

우리 주변에 어떤 편견이 있는지 친구들과 이야기해 봅시다.

1 친구들이 말한 편견을 내가 가졌는지 확인해 봅시다.

이름	친구들이 말한 편견	내가 가지고 있나요?	
		예	아니요
예 나은	외국인은 모두 영어를 잘할 것이다.	∨	
지민	동남아시아에서 온 친구와는 친해지기 어려울 것 같다.		∨
경태	나이가 많은 사람은 스마트폰을 사용하지 못할 것이다.	∨	
형석	여자들은 축구를 좋아하지 않을 것 같다.		∨
우리	외국인과 결혼하면 불편할 것이다.		∨

2 **1**의 편견을 상황 주사위에 쓴 뒤 주사위를 굴려 나온 상황을 어떻게 해결할 수 있을지 이야기해 봅시다.

주사위를 굴려 나온 상황	해결 방안
예 외국인은 모두 영어를 잘할 것이라고 생각합니다.	예 다양한 언어를 사용하는 사람들이 있다는 사실을 기억합니다.
예 나이가 많은 사람은 스마트폰을 사용하지 못할 것이라고 생각합니다.	예 나이가 많아도 스마트폰 사용법을 배우면 잘 사용할 수 있다는 사실을 기억합니다.

잠깐! 확인해요

공정하지 못하고 한쪽으로 치우친 생각이나 의견을 ☐☐(이)라고 합니다.　　　　(　　편견　　)

확인 톡! 톡!

📍정답과 해설 13쪽

1 어떤 기준을 두어 사람들을 구별하고 다르게 대우하는 것이 무엇인지 쓰시오.

(　　　　　　　　　　)

2 내용이 맞으면 ○표, 틀리면 ×표를 선택하시오.

(1) 다양한 문화를 인정하지 않으면 편견과 차별이 나타날 수 있습니다. (○ , ×)

(2) 나이, 피부색 등이 다르다는 이유로 부당한 대우를 받는 사람들이 있습니다. (○ , ×)

세계 여러 나라의 식사 예절

여러 사람과 함께 식사할 때는 지켜야 할 식사 예절이 있습니다. 우리나라에는 어른과 함께 식사할 때 가장 웃어른이 먼저 숟가락을 들면 나머지 사람들도 식사를 시작하는 예절이 있습니다. 이처럼 세계 여러 나라에는 각 나라의 환경과 문화에 따른 식사 예절이 있습니다. 잘 기억해 두고 외국인 친구와 식사를 하거나 해외 여행을 가게 된다면 그 나라의 식사 예절을 지켜 봅시다.

중국

중국에서는 초대를 받아 식사할 때 음식을 조금 남기는 것이 예의입니다. 음식을 다 먹으면 준비한 음식이 부족했다고 생각하기 때문입니다.

일본

일본에서는 왼손으로 밥그릇을 들고 오른손으로 젓가락을 사용하여 음식을 먹습니다. 또한 젓가락을 이용해서 음식을 전달하면 안 됩니다.

태국

태국은 그릇 위에 젓가락을 올려 두는 것이 죽음을 의미한다고 생각합니다. 따라서 식사를 할 때 그릇 위에 젓가락을 올려 두지 않아야 합니다.

프랑스

프랑스에서는 식사 중에 두 손을
모두 식탁 위에 올려야 합니다. 또
한 손을 드는 것이 아니라 직원과
눈을 마주쳐 직원을 불러야 합니다.

이누이트족

캐나다 원주민인 이누이트족은 식사 후에
방귀를 뀝니다. 방귀를 뀌는 것은 음식을
맛있게 먹었으며, 잘 소화했다는 것을 의미
합니다.

이탈리아

이탈리아에서는 소금이나 후추와 같은
양념 통을 다른 사람에게 건네받으면 안
되고 본인이 직접 가지고 와야 합니다.

편견과 차별은 왜 문제가 될까요?

보충 ①

◉ 다문화 가족 지원 포털 '다누리' 누리집

'다누리'는 '다문화 가족 모두가 누리다'라는 뜻이다. '다누리' 누리집에서는 결혼 이민자 및 다문화 가족에게 한국 생활 적응에 필요한 기본 정보와 다문화 관련 최신 정보를 13개 언어로 제공하고 있다.

보충 ②

◉ 노인 일자리 박람회

노인 일자리 박람회를 통해 노인들은 자신의 능력을 발휘할 수 있는 일자리를 탐색할 수 있고, 노인과 젊은이들이 소통하며 서로 이해할 수 있다.

용어 사전

❶ 인권: 사람이라면 당연히 가지는 기본적인 권리이다.

❷ 침해: 남의 것을 범하여 해를 끼치는 것을 뜻한다.

❸ 다문화 가족: 결혼 이민자 또는 대한민국 국적을 새롭게 얻은 자와 한국인으로 이루어진 가족을 뜻한다.

❶ 편견과 차별의 문제

(1) 「동물 농장」에 나타난 편견과 차별의 모습 〔속 시원한 활동 풀이〕

너는 우리와 다르게 생겼으니까 농장에서 나가!

- 「동물 농장」에 나타난 문제: 염소가 농장에 들어오자 양들이 자신과 다르게 생긴 염소를 가까이 하지 않고 쫓아냄.
- 문제가 생긴 까닭: 양들이 자신과 다르게 생긴 동물에 대한 편견을 가지고 염소를 차별했기 때문임.

(2) 편견과 차별이 지속될 때 나타날 수 있는 문제

① 고통받는 사람들이 생길 수 있다.

② 우리 사회에 갈등이 심해질 수 있다.

❷ 편견과 차별을 없애기 위한 노력

(1) 편견과 차별을 없애기 위한 우리 사회의 노력

① 관련 기관과 법을 만들어 편견과 차별을 없애기 위해 노력한다.

국가 인권 위원회	차별이나 편견으로 ❶인권이 ❷침해되면 이를 구제해 주기 위해 노력함.
다문화 가족 지원 포털 '다누리' 누리집	❸다문화 가족의 어린이나 우리나라에 사는 외국 사람들을 도와줌. 보충 ①
다문화 가족 지원법	여러 문화를 지닌 다문화 가족의 안정적인 가족생활을 보장하기 위해 만든 법임.

② 편견이나 차별을 없애자는 캠페인을 벌이거나 공익 광고를 한다.

③ 능력을 발휘할 기회를 제공하고, 서로 소통하여 이해하도록 한다. 보충 ②

④ 다양한 문화를 가진 사람들이 서로의 문화를 이해하는 자리를 만든다.

(2) 편견과 차별을 없애기 위해 우리가 할 수 있는 노력 〔속 시원한 활동 풀이〕

① 서로의 입장에서 생각하고 이해한다.

② 다른 생각이나 문화를 이해하려고 노력한다.

③ 있는 그대로를 인정하고 차이를 존중한다.

④ 다른 문화를 우리 문화처럼 존중한다.

⑤ 한쪽으로 치우치지 않는 생각을 하도록 노력한다.

내용 편견과 차별이 없는 세상을 만들기 위한 노력은 많은 사람들이 함께할 때 더 큰 효과를 낼 수 있다.

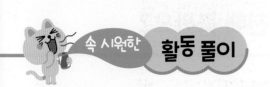

다 함께 활동

「동물 농장」에 나타난 문제는 편견, 차별과 어떤 관계가 있는지 살펴봅시다.

1 「동물 농장」에 나타난 문제는 무엇이고, 왜 이런 일이 생겼는지 생각해 봅시다.

> **예** 양들이 자신과 다르게 생긴 동물에 대한 편견을 가지고 농장에 들어오지 못하게 차별했습니다.

2 「동물 농장」의 양들과 염소에게 나타난 문제를 어떻게 해결할 수 있을지 친구들과 이야기해 봅시다.

> **예** 염소도 함께 살 수 있도록 양들이 배려해 주어야 합니다.

3 「동물 농장」에 나타난 문제가 우리 반 또는 우리 주변에서 일어난다면 어떻게 해결해야 할지 토의해 봅시다.

> **예** 친구들 사이에서 이런 일이 생긴다면 서로 친해지려고 노력하고, 그 친구를 이해해 주어야 합니다.

스스로 활동

편견과 차별을 없애기 위해 우리가 어떤 노력을 할 수 있을지 이야기해 봅시다.

> **예** • 편견과 차별을 없애기 위한 캠페인을 할 수 있습니다.
> • 다문화 가정의 친구가 반 친구들과 같이 잘 생활할 수 있도록 돕습니다.

 잠깐! 확인해요

우리 사회에서 편견과 차별이 지속되면 갈등이 심해질 수 있습니다. (○ , ✕) 　　　　　(○)

 확인 톡! 톡!

📍정답과 해설 13쪽

1 편견과 차별을 없애기 위한 노력을 보기 에서 모두 골라 기호를 쓰시오.

> **보기**
> ㉠ 국가 인권 위원회 　　　　　㉡ 노인 일자리 박람회
> ㉢ 다문화 가족 지원법 　　　　　㉣ 젊은 사람들만 참여하는 모임

(　　　　　　　　　)

2 다문화 가족의 안정적인 가족생활을 보장하기 위해 만든 법이 무엇인지 쓰시오.

(　　　　　　　　　)

다양한 문화를 존중하는 마음을 실천해 볼까요?

보충 ❶

◉ 장애인을 위한 대중교통 시설
우리나라에서는 장애인들이 휠체어를 탄 채로 안전하고 편리하게 버스에 오를 수 있도록 차의 바닥이 낮은 저상 버스를 운영하고 있다. 하지만 아직 그 수가 많지는 않다. 또한 지하철역에는 휠체어를 타고 계단을 오르내릴 수 있도록 휠체어 리프트가 설치되어 있는 곳도 있다.

▲ 저상 버스

❶ 우리 주변에서 나타나는 편견과 차별 이해하기

(1) 편견과 차별의 사례

① 모둠 활동에서 여자 친구들이 남자가 원래 힘이 세다며 아무것도 하지 않으려고 했다.

② 모둠 활동에서 남자 친구들이 여자가 원래 꼼꼼하다며 아무것도 하지 않으려고 했다.

③ 장애인이 대중교통을 이용하는 데 불편한 점이 많다는 내용을 신문 기사에서 읽었다. 보충 ❶

④ 외모로 다른 친구들을 놀리거나 차별한다는 이야기를 들었다.

⑤ 어른들이 어린이는 어려서 잘 모른다며 어린이의 의견을 듣지 않을 때가 있다.

(2) 편견이나 차별이 일어난 원인

① 다른 사람을 배려하는 마음이 부족하기 때문이다.

② 서로의 의견을 충분히 들어 보지 않고 섣부르게 한쪽으로 치우친 판단을 하기 때문이다.

(3) 편견과 차별을 없애기 위해 가져야 할 태도

① 성별에 따라 사람을 구분하지 않는다.

② 다른 사람을 배려하고 존중한다.

③ 서로 다름을 이해하고 한쪽으로 치우치지 않는 생각을 한다.

④ 일상생활 속에서 서로 다른 문화를 이해하고 존중하는 태도를 가진다.

❷ 다양한 문화를 존중하는 마음 실천하기 (속 시원한 활동 풀이)

(1) 편견과 차별을 없애기 위한 방안 실천 순서

> ❶ 직접 겪었거나 본 적이 있는 편견이나 차별의 사례를 찾아본다.
> ❷ 편견과 차별이 나타나는 원인과 해결 방안을 토의한다.
> ❸ 모둠별로 해결 방안을 실천하는 방법을 정하고, 이를 실천한다.

(2) 편견과 차별을 없애기 위한 방안 예시

① 학급 일을 할 때 성별에 따른 차별을 하지 말자는 ❶표어를 쓰고 실천한다.

② 반차별 ❷서약서를 써서 매일 아침 읽고 그 내용을 실천한다.

> 내용+ 반차별 서약서의 내용 예시
> • 외모로 친구를 놀리지 않고 사이좋게 지내겠습니다.
> • 다양한 문화에 관심을 가지고 각 문화를 존중하겠습니다.

용어 사전

❶ 표어: 어떤 주장을 간결하게 나타낸 짧은 어구를 뜻한다.
❷ 서약: 맹세하고 약속하는 것을 뜻한다.

편견이나 차별의 사례	**예** 피부색이 다른 외국인을 무서워하고, 곁에 가지 않으려고 합니다.
편견과 차별의 원인	**예** 피부색에 따라 사람을 구분하여 대우하기 때문입니다.
편견과 차별의 해결 방안	**예** 피부색에 따라 사람을 구분하지 않아야 합니다.
해결 방안의 실천	**예** 피부색에 따른 차별을 하지 말자는 표어를 만들어서 학교 앞에서 반차별 캠페인을 벌이기로 했습니다.

| 표어 |

예

 **확인 톡! 톡!**

📍정답과 해설 13쪽

1 편견과 차별을 없애기 위해 가져야 할 태도를 보기 에서 모두 골라 기호를 쓰시오.

보기

㉠ 다른 사람을 배려하고 존중하는 태도를 가집니다.
㉡ 서로 다름을 이해하고, 한쪽으로 치우쳐서 판단하지 않도록 노력합니다.
㉢ 성별에 따라 잘할 수 있는 일이 나누어져 있으므로, 성별에 따라 사람을 구분합니다.

(   )

2 내용이 맞으면 ○표, 틀리면 ×표를 선택하시오.

(1) 일상생활 속에서 다양한 문화를 이해하고 존중하는 태도가 중요합니다. (○ , ×)
(2) 편견과 차별을 없애기 위한 방법으로 반차별 서약서를 쓰는 것만 가능합니다. (○ , ×)

즐겁게 정리해요

'다양한 문화에 대한 이해와 존중'에서 배운 내용을 떠올리며 미로를 빠져나가 봅시다.

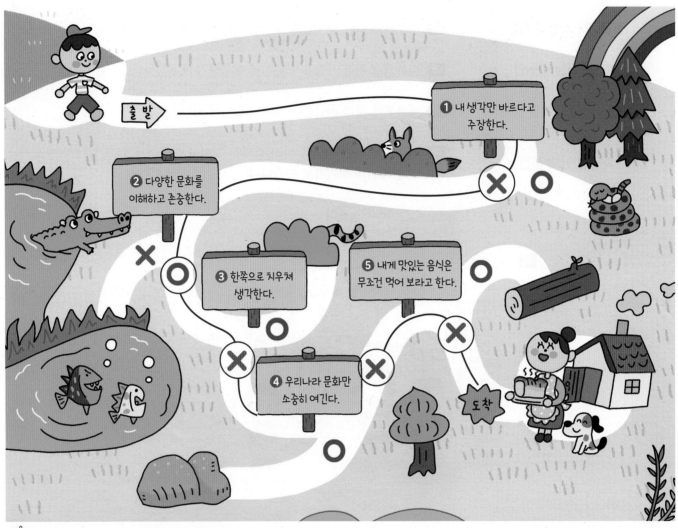

❶ 내 생각만 바르다고 주장한다.

❷ 다양한 문화를 이해하고 존중한다.

❸ 한쪽으로 치우쳐 생각한다.

❺ 내게 맛있는 음식은 무조건 먹어 보라고 한다.

❹ 우리나라 문화만 소중히 여긴다.

출발

도착

도움 다양한 문화에 대해 가져야 하는 태도를 기억해 풀어 보아요.

핵심 꿀꺽 질문

일상생활 속 다양한 문화의 모습에는 어떤 것이 있나요?

편견과 차별의 뜻을 설명할 수 있나요?

다양한 문화를 존중하는 태도를 실천할 수 있는 방안에는 무엇이 있나요?

1 빈칸에 공통으로 들어갈 알맞은 말을 쓰시오.

> 우리나라에서는 설날에 떡국을 먹고, 베트남에서는 바인팻을 먹는 것처럼 사람들이 가지고 있는 공통의 ☐☐ ☐☐을/를 문화라고 합니다. 이러한 ☐☐☐☐은/는 사람들이 함께 생활하면서 만들어지고 전해지기도 합니다.

2 빈칸에 들어갈 알맞은 말을 쓰시오.

> 사람들은 옷을 입고, 음식을 먹으며, 놀이를 즐깁니다. 하지만 옷차림이나 음식을 먹는 방법, 놀이 방법은 서로 다릅니다. 이처럼 ☐☐은/는 사회마다 비슷한 모습도 있고 독특한 모습도 있습니다.

3 다음 사진에 나타난 음식을 먹는 방법의 공통점으로 알맞은 것은 어느 것입니까? (　　　)

① 손을 사용하여 식사를 한다.
② 쌀을 주식으로 식사를 한다.
③ 포크와 나이프를 사용하여 식사를 한다.
④ 다른 사람들과 함께 즐겁게 식사를 한다.
⑤ 숟가락과 젓가락을 사용하여 식사를 한다.

4 문화에 대한 설명으로 알맞지 <u>않은</u> 것은 어느 것입니까? (　　　)

① 일상생활 속에서 다양한 문화의 모습을 찾아보기 어렵다.
② 사진을 찍고 누리 소통망 서비스(SNS)에 올리는 것은 문화이다.
③ 어린이들이 함께 공기놀이를 하거나 공놀이를 하는 것은 문화이다.
④ 다른 나라와의 교류가 활발해지면서 우리 사회에 외국의 문화가 전파되고 있다.
⑤ 다른 나라의 전통 음악을 감상하거나 전통 음식을 먹는 것은 문화를 경험하는 것이다.

5 빈칸에 들어갈 알맞은 말을 쓰시오.

> 다른 나라 사람들과 ☐☐이/가 많아지면서 외국의 음식이나 놀이, 음악 등이 우리 사회에 전파되고 있습니다. 이에 따라 우리는 일상생활에서 다양한 문화를 경험하고 있습니다.

6 빈칸에 들어갈 알맞은 말을 쓰시오.

> 사람들은 피부색, 종교, 출신 지역, 나이 등에 차이가 있습니다. 이러한 차이를 인정하지 않고 ☐☐을/를 가지면 차별이 나타날 수 있습니다.

7 다음 '할랄'에 관한 설명을 읽은 해원이의 반응을 보고 잘못된 점을 쓰시오.

> '할랄'은 이슬람교에서 허용되는 음식을 가리킵니다. 허용되지 않은 음식은 '하람'이라고 합니다. 돼지고기와 돼지고기로 만든 모든 음식이 '하람'으로, 이를 먹지 않습니다.
>
> 해원: 어떻게 돼지고기를 먹지 않을 수가 있지? 이슬람교를 믿는 사람들은 이상한 식사 방법을 가진 것 같아.

중요

8 편견을 보기 에서 모두 골라 기호를 쓰시오.

> **보기**
> ㉠ 노인은 휴대 전화를 잘 다루지 못한다.
> ㉡ 피부색이 어두운 사람은 무서운 사람이다.
> ㉢ 외국인이 모두 영어를 잘하는 것은 아니다.
> ㉣ 여자는 섬세하기 때문에 글씨를 잘 써야 한다.

9 다음 현수의 이야기를 읽고 어떤 문제점이 있는지 쓰시오.

> 현수: 우리나라의 문화 수준은 세계 최고야. 그 중에서도 한식은 다른 나라 음식과 비교할 수 없어. 다른 나라 음식은 양념 맛이 이상하고, 요리 재료도 이상해. 한식 외에는 음식으로서의 가치가 없어.

10 편견과 차별이 일어나는 이유를 보기 에서 두 가지 골라 기호를 쓰시오.

> **보기**
> ㉠ 서로의 의견을 충분히 듣지 않는다.
> ㉡ 어떤 기준을 두고 부당하게 대하지 않는다.
> ㉢ 다른 사람을 배려, 공감하는 마음이 부족하다.
> ㉣ 섣부르게 한쪽으로 치우친 판단을 하지 않는다.

11 빈칸에 들어갈 알맞은 말을 쓰시오.

> 사람들 사이에 편견과 차별이 지속되면 고통받는 사람들이 생길 수 있습니다. 또한 우리 사회에 □□이/가 심해질 수 있습니다.

중요

12 편견과 차별을 없애기 위해 필요한 노력으로 알맞지 **않은** 것은 어느 것입니까? (   )

① 승윤: 우리 반에 있는 다문화 가정의 친구와 사이좋게 지낼 거야.

② 소민: 친구들과 함께 편견과 차별을 없애자는 캠페인을 하려고 해.

③ 동환: 우리나라와 다른 외국의 문화도 모두 인정하고 존중하려고 해.

④ 시윤: 할머니, 할아버지와 자주 대화를 해서 서로를 이해하기 위해 노력할 거야.

⑤ 현서: 나는 편견을 전혀 갖고 있지 않으므로 지금의 내 생각대로 행동하면 될 것 같아.

13 다음 설명을 읽고, 인도에서 음식을 먹는 방법에 대해 가져야 하는 올바른 태도를 쓰시오.

> 인도 사람들은 숟가락보다 손으로 먹는 것이 더 편한 음식은 손으로 먹습니다. 손으로 밥을 먹는 이유는 여러 가지가 있겠지만 밥의 찰기가 부족해서 인도 음식을 숟가락으로 비벼서 맛있게 섞기가 어렵기 때문입니다. 또한 인도 사람들은 다른 사람이 한 번 썼던 것은 위생상으로 좋지 않다고 생각하여 손으로 밥을 먹습니다.

_____

_____

14 다문화 가정과 외국인에 대한 편견과 차별을 없애기 위한 노력을 보기 에서 두 가지 골라 기호를 쓰시오.

> **보기**
>
> ㉠ 노인 일자리 박람회
> ㉡ 다문화 가족 지원법
> ㉢ 장애인 차별 금지 공익 광고
> ㉣ 다문화 가족 지원 포털 다누리

_____

15 편견과 차별을 없애기 위해 실천할 수 있는 방법이 아닌 것은 어느 것입니까? (   )

① 표어를 쓰고 실천하기
② 차별을 금지하는 포스터 만들기
③ 차별을 금지하는 캠페인 활동하기
④ 반차별 서약서를 쓰고 매일 아침 실천하기
⑤ 친구와 다른 생각은 끝까지 주장해서 설득하기

워드 클라우드와 함께하는 서술형 문제

[16-17] 워드 클라우드의 단어를 이용하여 서술형 문제의 답을 서술하시오.

> 출신 지역 **차별** 외모
> **편견** 공감 **배려**
> 성별 인종 피부색 **존중** 외국인

16 다음 사진으로 알 수 있는 문화의 공통점과 차이점을 서술하시오.

(1) 공통점: _____

(2) 차이점: _____

17 다음 글을 읽고, 이러한 편견이나 차별이 일어난 원인을 서술하시오.

> 박 씨가 아무런 이유 없이 인도인 보노짓 후세인에게 "더러운 아랍 사람!"이라고 외쳤습니다. 신고를 받고 온 경찰에게 후세인 씨는 한국에서 교수를 하고 있다고 밝혔으나 경찰은 이를 믿지 않고, "당신이 어떻게 교수야?"라고 말하며 이주민 등록증을 말없이 가져갔습니다.

_____

유니버설 디자인

유니버설 디자인은 상품이나 시설을 이용하는 사람들이 성별, 나이, 장애, 언어 등으로 이용에 어려움이 없도록 하는 디자인을 뜻하며, 모두를 위한 디자인이라고도 부릅니다. 우리의 일상생활 곳곳에 녹아 있는 유니버설 디자인을 통해 모든 사람이 존중받고 더불어 살아가는 사회를 만들어 갈 수 있답니다.

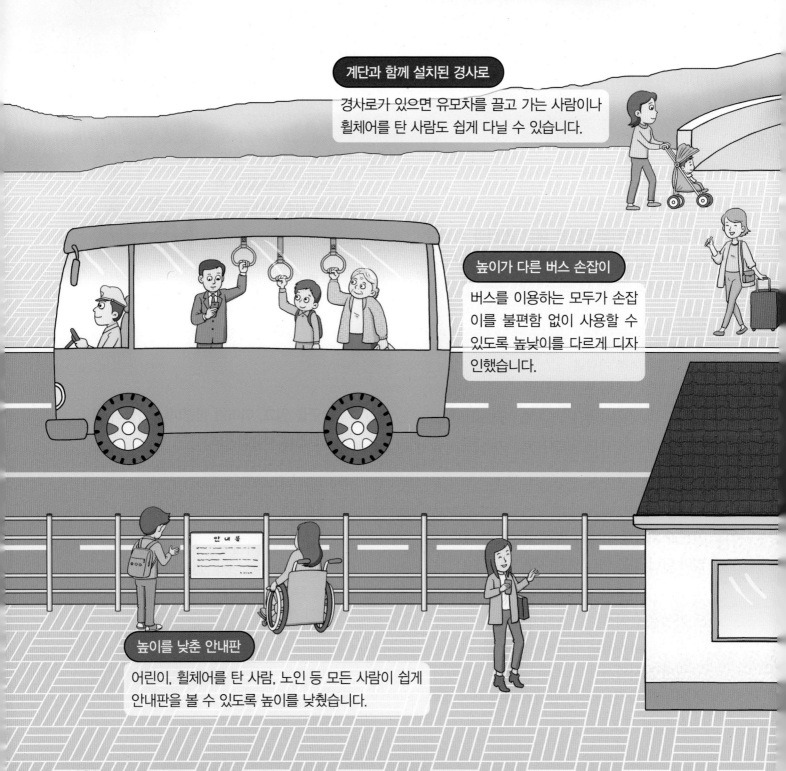

계단과 함께 설치된 경사로

경사로가 있으면 유모차를 끌고 가는 사람이나 휠체어를 탄 사람도 쉽게 다닐 수 있습니다.

높이가 다른 버스 손잡이

버스를 이용하는 모두가 손잡이를 불편함 없이 사용할 수 있도록 높낮이를 다르게 디자인했습니다.

높이를 낮춘 안내판

어린이, 휠체어를 탄 사람, 노인 등 모든 사람이 쉽게 안내판을 볼 수 있도록 높이를 낮췄습니다.

큰 그림으로 구분된 화장실

외국인이나 시력이 좋지 않은 사람도 그림을 통해 화장실을 쉽게 구분할 수 있습니다.

화장실
TOILET

버스 정류장

화장실 안전 손잡이

화장실의 세면대와 변기 등에 안전 손잡이를 설치하여 주변의 도움 없이 안전하고 편리하게 사용할 수 있습니다.

경로당

레버식 문손잡이

레버식 문손잡이를 활용하면 원통형 문손잡이와 달리 손의 힘이 약한 어린이나 노인도 쉽게 문을 열 수 있습니다.

정리 곡곡 이 단원에서 배운 내용을 글과 그림으로 정리해 봅시다.

태어나는 아이의 수가 줄어들고, 전체 인구에서 노인 인구가 차지하는 비율이 높아지는 현상

학생 수, 가족 구성원 수가 줄어든다.

노인을 위한 전문 시설과 복지 제도가 늘어난다.

사회가 발전하는 데 **①** 와/과 지식이 중심 역할을 하는 것

뜻

특징

저출산·고령화

정보화

사회 변화에 따른 일상생활의 모습

3 사회 변화와 문화 다양성

특징

언제 어디서나 정보를 주고받을 수 있다.

사이버 폭력, 개인 정보 유출, 인터넷 중독, 저작권 침해 등의 문제가 나타난다.

세계화

2 다양한 문화에 대한 이해와 존중

뜻

특징

세계 여러 나라가 다양한 분야에서 교류하고 서로 영향을 주고받으면서 가까워지는 현상

다른 나라의 다양한 문화를 접할 수 있다.

서로의 문화를 이해하지 못해 갈등이 생길 수 있다.

문화 다양성

문화

뜻: 사람들이 가지고 있는 공통의 생활 방식
사례: 옷차림, 음식 먹는 방법, 놀이 방법

다양한 문화의 모습

교류가 많아지면서 외국의 음식이나 놀이, 음악 등 일상생활에서 다양한 **②** 을/를 경험하고 있다.

편견과 차별

뜻

③: 공정하지 못하고 한쪽으로 치우친 생각이나 의견

④: 어떤 기준을 두어 구별하고 다르게 대우하는 것

문제점

편견과 차별이 지속되면 우리 사회에 갈등이 심해질 수 있다.

다양한 문화 존중

⑤ 예

각 문화는 그 나름의 가치가 있으므로 존중해야 한다.

정답

① 정보
② 문화
③ 편견
④ 차별
⑤ 예

창의 팡팡 세계화를 맞이하여 우리 문화를 다른 나라 친구들에게 알리는 문화 소개서를 만들어 봅시다.

만드는 방법

❶ 세계에 알리고 싶은 우리 문화를 정합니다.
• 비빔밥, 가수 ○○ 등
• 예 해녀 문화

❷ 소개할 문화의 특징이 잘 나타나는 그림을 그리거나 캐릭터를 만듭니다.

❸ 다른 나라 친구들에게 소개할 내용을 글로 씁니다.

비빔밥

한국의 비빔밥은 나물, 채소, 고기, 밥 등을 고추장과 함께 비벼 먹는 음식이야. 맛도 좋고 보기에도 예쁜 음식이야. 소화도 잘되고 영양도 풍부해. 꼭 한번 먹어 봐.

예 해녀 문화

우리나라에는 바다에서 해산물을 채취하거나 조개를 캐는 해녀가 계셔. 이들은 환경을 파괴하지 않고 서로를 도우며 살아가던 우리 조상들의 전통을 이어 나가고 있어.

세상 속으로 미래 사회 직업 예측해 보기

1단계

미래 사회의 변화
모습 생각하기

예 • 학교에 다니는 어린이들의 수는 줄어들고, 도움이 필요한 노인들은 점점 많아질 것입니다.
• 일상생활에서 접하는 정보가 지금보다 훨씬 많아질 것입니다.
• 국제적인 문제가 지금보다 훨씬 더 자주 일어날 것 같습니다.

2단계

미래에 나타날 직업
예측하기

예 • 고령화로 노인들을 돌봐 주는 전문적인 직업이 더 생겨날 것 같습니다.
• 정보화로 인공 지능 로봇과 관련된 직업이 더 생겨날 것 같습니다.
• 세계화로 국제회의 전문가라는 직업이 생겨날 것 같습니다.

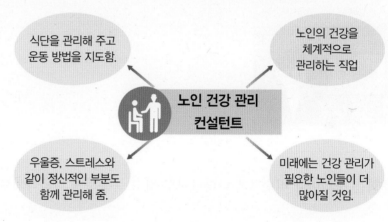

식단을 관리해 주고 운동 방법을 지도함.

노인의 건강을 체계적으로 관리하는 직업

노인 건강 관리 컨설턴트

우울증, 스트레스와 같이 정신적인 부분도 함께 관리해 줌.

미래에는 건강 관리가 필요한 노인들이 더 많아질 것임.

3단계

발표하기

예

노인 건강 관리 컨설턴트
미래에는 전체 인구 가운데 65세 이상 노인 인구가 차지하는 비율이 점점 높아질 것이고, 2050년에는 그 비율이 40% 가까이 될 것으로 예측됩니다. 따라서 노인의 건강을 종합적, 전문적으로 관리해 주는 노인 건강 관리 컨설턴트가 생길 것입니다.

1 오늘날 사회가 여러 분야에서 빠르게 (   )하고 있기 때문에 사람들의 일상생활이 크게 달라지고 있습니다.

2 다자녀 가정에 기차, 전기 요금을 할인해 주는 등의 혜택을 주는 이유는 (저출산 / 정보화) 현상이 심해졌기 때문입니다.

3 전체 인구 가운데 65세 이상 노인 인구가 차지하는 비율이 (높아지는 / 낮아지는) 현상을 고령화 현상이라고 합니다.

4 정보화 사회가 되면서 악성 댓글, (개인 정보 유출 / 개인 정보 보호) 등 여러 가지 문제점을 겪는 사람들이 나타나고 있습니다.

5

한 지역에서 시작된 신종 바이러스가 전 세계로 퍼지고 있습니다.

왼쪽 그림과 관련된 사회 변화가 무엇인지 쓰시오.

(   )

6 문화는 사회마다 비슷하게 나타나기도 하고 독특하게 나타나기도 합니다. (○ , ×)

7 (차별 / 편견)이란 어떤 기준을 두어 사람들을 구별하고 다르게 대우하는 것을 말합니다.

8 공정하지 못하고 한쪽으로 치우친 생각이나 의견을 (차별 / 편견)이라고 합니다.

9 편견이나 차별을 없애자는 캠페인을 벌이거나 공익 광고를 하는 것은 편견이나 차별을 없애는 것에 도움이 됩니다. (○ , ×)

10 서로 다름을 이해하고 한쪽으로 치우치지 않는 생각을 할 때, 편견과 차별을 없앨 수 있으므로 일상생활 속에서 서로 (같은 / 다른) 문화를 이해하고 (존중 / 주장)해야 합니다.

1 다음 그래프를 보고 알 수 있는 사실로 알맞지 <u>않은</u> 것은 어느 것입니까? (   )

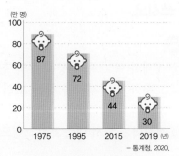

▲ 우리나라의 출생아 수 변화

(만 명)
100, 80, 87, 72, 60, 44, 40, 30, 20
1975 1995 2015 2019 (년)
– 통계청, 2020.

① 태어나는 아이의 수가 줄어들고 있다.

② 2015년에는 44만 명의 아이가 태어났다.

③ 출생아의 수가 가장 적은 해는 2019년이다.

④ 출생아의 수가 가장 많은 해는 1975년이다.

⑤ 1975년과 1995년 모두 80만 명이 넘는 아이가 태어났다.

2 다음 그래프를 보고 알 수 있는 사실로 알맞지 <u>않은</u> 것은 어느 것입니까? (   )

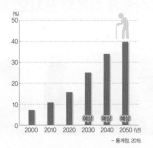

▲ 우리나라의 65세 이상 인구 비율 변화

(%)
50, 40, 30, 25, 20, 15, 10, 7
2000 2010 2020 2030 2040 2050 (년)
– 통계청, 2019.

① 65세 이상 인구 비율이 가장 낮은 해는 2000년이다.

② 2000년에는 65세 이상 인구 비율이 10%가 되지 않았다.

③ 65세 이상 인구 비율이 점점 늘어나 고령화 현상이 나타나고 있다.

④ 2020년에는 65세 이상 인구 비율이 20%를 넘을 정도로 많이 증가했다.

⑤ 2050년에는 65세 이상 인구 비율이 40% 가까이 될 것으로 예상할 수 있다.

3 저출산에 따른 사회 변화로 알맞지 <u>않은</u> 것은 어느 것입니까? (   )

① 문을 닫는 학교가 생긴다.

② 노인 의료 시설이 늘어난다.

③ 학급당 학생 수가 줄어든다.

④ 가족 구성원의 수와 가족 형태가 변한다.

⑤ 미래에 일할 수 있는 젊은 사람이 줄어든다.

4 고령화에 따른 사회 변화로 알맞지 <u>않은</u> 것은 어느 것입니까? (   )

① 보육 시설이 늘어난다.

② 다양한 복지 제도가 늘어난다.

③ 일자리를 찾는 노인들이 늘어난다.

④ 노인을 위한 전문 시설이 늘어난다.

⑤ 노인 전문 병원, 요양 병원이 생긴다.

5 빈칸에 들어갈 알맞은 말을 쓰시오.

> 사회가 발전하고 변화하는 데 □□와/과 지식이 중심 역할을 하는 것을 정보화라고 합니다.

6 정보화로 나타나는 문제점과 해결 방안이 알맞게 연결된 것을 보기 에서 <u>두 가지</u> 골라 기호를 쓰시오.

보기

㉠ 인터넷 중독 – 하루 중 인터넷 사용 시간을 정하고 지킨다.

㉡ 저작권 침해 – 다른 사람의 글을 인용할 때는 꼭 출처를 밝힌다.

㉢ 개인 정보 유출 – 비밀번호를 잊어버리지 않도록 잘 보이는 곳에 적어 둔다.

㉣ 악성 댓글 – 다른 사람이 단 악성 댓글을 보고 똑같이 악성 댓글을 달아 준다.

7 빈칸에 들어갈 알맞은 말을 쓰시오.

> 정보화 사회에서는 자신이 정보를 만들거나 활용할 때 왜 그렇게 했는지 설명할 수 있는 ⬜⬜이/가 필요합니다.

8 빈칸에 들어갈 알맞은 말을 쓰시오.

> 세계 여러 나라가 다양한 분야에서 ⬜⬜하고 서로 영향을 주고받으면서 가까워지는 현상을 세계화라고 합니다.

9 세계화가 우리 생활에 미치는 긍정적인 영향을 보기 에서 두 가지 골라 기호를 쓰시오.

> **보기**
> ㉠ 우리의 전통문화가 점점 사라지고 있다.
> ㉡ 다른 나라의 다양한 문화를 접할 수 있다.
> ㉢ 세계 여러 나라의 물건을 쉽게 살 수 있다.
> ㉣ 서로의 문화를 이해하지 못해 갈등이 생긴다.

10 세계화 시대에 가져야 하는 자세로 알맞은 것은 어느 것입니까? ( )

① 국경을 넘어 이동하지 않는다.
② 다른 나라의 문화에만 관심을 가진다.
③ 세계화가 주는 부정적인 영향에 대비한다.
④ 다른 나라의 문화를 경계하는 마음을 가진다.
⑤ 전 세계가 함께 고민해야 하는 문제에는 관심을 가지지 않는다.

11 사회 변화와 이로 인해 달라진 생활 모습이 알맞게 연결된 것을 보기 에서 두 가지 골라 기호를 쓰시오.

> **보기**
> ㉠ 세계화 – 가족 구성원 수와 형태 변화
> ㉡ 고령화 – 일자리를 찾는 노인들의 증가
> ㉢ 저출산 – 애플리케이션을 활용한 길 찾기
> ㉣ 정보화 – 도서 대출 프로그램으로 반납일 확인

12 빈칸에 들어갈 알맞은 말을 쓰시오.

> ⬜⬜은/는 사람들이 가지고 있는 공통의 생활 방식입니다.

13 다음 (가), (나)의 사진을 보고, 음식을 먹는 방법이 어떻게 다른지 쓰시오.

(가)　　　　　(나)

14 다른 나라의 문화와 관련된 경험에 대해 알맞은 설명을 한 친구는 누구입니까? ( )

① 지현: 식당에서 인도 음식을 먹었어.
② 민지: 명절에 가족들과 윷놀이를 했어.
③ 수인: 친구와 휴대 전화로 사진을 찍었어.
④ 정수: 주말에 친구들과 함께 자전거를 탔어.
⑤ 유민: 사진을 누리 소통망 서비스에 올렸어.

15 다음 상황에 대한 설명으로 알맞은 것은 어느 것입니까? ( )

① 서로의 문화를 소개하고 있다.
② 나와 다른 문화를 이해하고 있다.
③ 옷차림에 대한 편견을 가지고 있다.
④ 피부색이 다르다는 이유로 차별받고 있다.
⑤ 차별을 없애기 위한 캠페인을 벌이고 있다.

16 다음 내용에서 많은 사람의 편견으로 가장 알맞은 것은 어느 것입니까? ( )

> 한국의 한 할머니가 누리 소통망 서비스(SNS)에 다양한 영상과 글을 올려 많은 사람과 소통하면서 젊은 사람들에게 인기를 얻고 있습니다. 사람들은 할머니가 컴퓨터를 자유롭게 활용한다는 점에 놀라워했습니다.

① 노인들은 노는 것을 싫어한다.
② 노인들은 전통문화만 좋아한다.
③ 노인들은 영어를 잘하지 못한다.
④ 노인들은 컴퓨터 사용 방법을 잘 모른다.
⑤ 노인들은 어린이가 아무것도 모른다고 생각한다.

17 빈칸에 들어갈 알맞은 말을 쓰시오.

> ☐☐(이)란 어떤 기준을 두어 사람들을 구별하고 다르게 대우하는 것을 말합니다.

18 사람들 사이에 편견과 차별이 지속되면 발생할 수 있는 모습으로 알맞은 것은 어느 것입니까? ( )

① 사회가 빠르게 발전한다.
② 사회의 갈등이 해결된다.
③ 고통받는 사람들이 생긴다.
④ 사람들 사이에 믿음이 생긴다.
⑤ 사람들이 능력을 제대로 발휘할 수 있다.

19 다음 법이 만들어진 까닭을 쓰시오.

> **다문화 가족 지원법**
> 제1조(목적) 이 법은 다문화 가족 구성원이 안정적인 가족생활을 영위하고 사회 구성원으로서의 역할과 책임을 다할 수 있도록 함으로써 이들의 삶의 질 향상과 사회 통합에 이바지함을 목적으로 한다.

_____

_____

20 편견과 차별을 없애기 위한 노력에 대해 알맞은 설명을 한 학생을 보기 에서 두 명 골라 기호를 쓰시오.

> 보기
> ㉠ 민수: 차별과 편견은 나쁜 것이라는 것을 알리는 캠페인을 해야 해.
> ㉡ 은설: 우리의 전통문화가 다른 문화들보다 더 좋은 문화라는 믿음을 가져야 해.
> ㉢ 원주: 노인들과는 생각이 다를 수 있으니 싸움이 나지 않도록 만나지 않아야 해.
> ㉣ 유승: 각자 다양한 능력을 발휘할 수 있는 기회를 제공하고, 서로 소통하고 이해할 수 있는 자리를 만들어야 해.

[1-3] 다음 사진을 보고 물음에 답하시오.

(가)

▲ 가족 구성원의 수가 줄어듦.

(나)

취업게시판

▲ 일자리를 찾는 노인들이 늘어남.

(다)

▲ 길 찾기 애플리케이션을 이용함.

(라)

▲ 다른 나라의 음식을 쉽게 사 먹을 수 있음.

1 (가)~(라)에 나타난 일상생활 모습과 관련 있는 사회 변화를 서술하시오.

2 (다)와 관련 있는 사회 변화로 달라진 일상생활 모습을 두 가지 이상 서술하시오.

3 (라)와 관련 있는 사회 변화가 주는 부정적인 영향을 두 가지 이상 서술하시오.

[4-6] 다음 그림을 보고 물음에 답하시오.

4 (가)~(라)에 나타난 편견이 무엇에 대한 것인지 서술하시오.

5 위와 같이 일상생활 속에서 편견과 차별이 나타나는 까닭을 서술하시오.

6 위와 같은 편견과 차별이 지속되면 사회적으로 어떤 문제가 발생할지 서술하시오.

4-2

초등 사회 평가 문제집

문제 톡 톡

금성 초등
교과서
완전 정복!

학교 시험 완벽 대비!!

(1) 촌락과 도시의 특징

❶ 촌락의 특징

⑴ (❶   )은/는 생산 활동의 모습에 따라 농촌, 어촌, 산지촌으로 구분할 수 있습니다.

⑵ 들을 이용하여 농업을 하는 농촌, 바다를 이용하여 어업을 하는 어촌, 산을 이용하여 임업과 목축업을 하는 산지촌으로 나눕니다.

❷ 도시의 특징

⑴ (❷   )은/는 인구가 밀집해 있고 정치, 경제, 사회, 문화의 중심이 되는 곳입니다.

⑵ 도시에 있는 사람들은 회사나 공장에서 일하거나 백화점이나 상점에서 물건을 팝니다.

❸ 촌락의 문제와 해결 방안

⑴ 촌락의 (❸   )이/가 줄어들면서 일손 부족, 학생 수 부족, 시설 부족, 주민 소득 감소 등의 문제가 발생하고 있습니다.

⑵ 촌락 문제의 해결 방안

일손 부족	농기계 개발, 첨단 기술 활용 등
학생 수 부족	귀촌 관련 정책 지원 등
시설 부족	공공 기관에서 부족한 시설 건설 등
소득 감소	신품종 개발, 농수산물 수출 등

❹ 도시의 문제와 해결 방안

⑴ 도시에는 인구가 집중되어 주택 문제, 교통 문제, 환경 문제 등의 문제가 발생하고 있습니다.

⑵ 도시 문제의 해결 방안

주택 문제	아파트 건설 등
교통 문제	대중교통 이용, 카풀 활용 등
환경 문제	쓰레기 분리배출 등

❺ 문제가 해결된 촌락과 도시의 모습 표현하기

⑴ 우리가 살고 있는 촌락이나 도시의 문제들을 떠올려 봅니다.

⑵ 해결하고 싶은 문제를 선택하고, 그 해결 방안을 이야기해 봅니다.

⑶ 살기 좋은 촌락과 도시의 모습을 다양한 방법으로 표현해 봅니다.

(2) 함께 발전하는 촌락과 도시

❶ 교류의 의미와 종류

⑴ (❹   )은/는 물건, 문화, 기술 등을 주고받거나 사람들이 오가는 것을 말합니다.

⑵ 다양한 모습의 교류

가정 간 교류	이웃과 만남, 공동육아 등
학교 간 교류	연합 동아리 활동, 공동 운동회나 축제 등
지역 간 교류	자매결연, 농수산물 직거래 장터 등
국가 간 교류	국가 간 문제 해결 협력, 스포츠 친선 경기, 국제기구 등

❷ 촌락과 도시의 교류가 필요한 까닭

⑴ 촌락과 도시는 자연환경, 기술, 문화가 달라 생산되는 물건에 차이가 있고, 서로 (❺   )한 것이 다르기 때문에 교류가 필요합니다.

⑵ 촌락과 도시가 교류하면 서로의 부족한 점을 채워 줄 수 있고, 서로 도움을 주고받으며 함께 발전할 수 있습니다.

❸ 촌락과 도시의 교류 모습

⑴ 촌락 사람들은 대형 병원 방문, 미술관이나 공연장 전시 관람, 백화점이나 대형 상점가에서의 물건 구매 등을 위해 도시를 방문합니다.

⑵ 도시 사람들은 자연환경을 이용한 여가 활동, 농수산물 직거래 장터 방문, 촌락 일손 돕기 활동과 같은 체험 활동 등을 위해 촌락을 방문합니다.

❹ 지역 축제를 통한 촌락과 도시의 교류

⑴ (❻   )을/를 통해 촌락과 도시가 상호 의존하면서 서로 도움을 주고받을 수 있습니다.

⑵ 우리나라의 대표 지역 축제로는 강릉 단오제, 서산 해미 읍성 축제, 부산 국제 영화제 등이 있습니다.

❺ 촌락과 도시의 교류 체험해 보기

⑴ 우리 모둠이 맡은 지역의 특징을 살펴보고 우리 지역에 필요한 것을 의논합니다.

⑵ 다른 지역의 특징을 살피며 양쪽 모두에게 도움이 될 수 있는 교류 계획을 세워봅니다.

🧩 가로 문제와 세로 문제를 읽고, 퍼즐을 풀어 보세요.

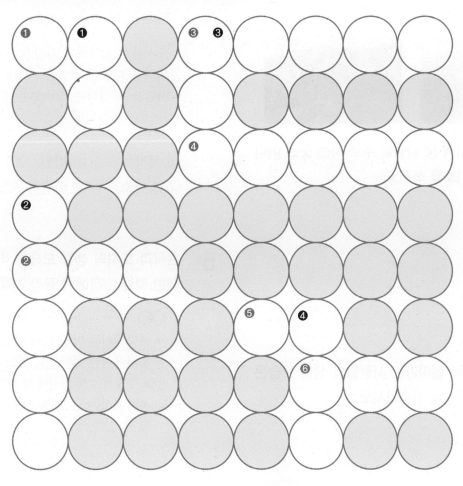

가로 문제

❶ 도시에 살고 있던 사람들이 다시 농촌으로 돌아와 생활하는 것을 □□(이)라고 합니다.

❷ 농촌에서 볼 수 있는 시설로 쌀 찧는 일을 하는 곳은 □□□입니다.

❸ □□□□□은/는 우리나라의 수도이자 가장 많은 인구가 살고 있는 도시입니다.

❹ 스마트폰을 이용해 자동으로 온실의 온도나 습도를 조절할 수 있는 □□□ □□을/를 통해 촌락의 일손 부족 문제를 해결할 수 있습니다.

❺ □□광역시는 경상북도와 가까이 있는 해안 지역에 형성된 공업의 중심 도시입니다.

❻ 도시 사람들은 출퇴근시 □□□, 버스 등의 대중교통이나 자가용을 이용합니다.

세로 문제

❶ □□은/는 생산 활동의 모습에 따라 농촌, 어촌, 산지촌으로 나눌 수 있습니다.

❷ 친구 가족과 식사를 하거나 새로 이사 온 이웃집에서 떡을 돌리는 교류는 □□ □ □□입니다.

❸ 도시의 사람들은 영화관, 도서관 등 문화 시설에서 □□□을/를 제공하는 일을 하기도 합니다.

❹ 산을 이용해 임업과 목축업 등을 하는 곳을 □□□(이)라고 합니다.

[1-2] 다음 사진을 보고 알맞은 답을 쓰시오.

(가)   (나)

1 위 사진의 지역 중 임업을 주로 하는 곳은 어디인지 골라 기호를 쓰시오.

_____

◈ 서술형

2 (가) 지역에서 살아가는 사람들의 생활 모습은 어떤 것이 있는지 서술하시오.

_____

_____

중요

3 촌락의 생활 모습에 대한 설명으로 알맞지 않은 것은 어느 것입니까? (   )

① 농촌에서는 주로 농업을 하면서 살아간다.
② 어촌에서는 주로 임업으로 소득을 얻는다.
③ 산지촌에서는 버섯 농장이나 목장을 볼 수 있다.
④ 어촌에서는 물고기를 잡거나 양식장을 운영한다.
⑤ 농촌에서는 정미소나 농산물 직판장을 볼 수 있다.

4 빈칸에 들어갈 알맞은 말은 무엇입니까?
(   )

도시에서 살아가는 사람들은 다양한 장소에서 일하고 다양한 직업을 가지고 있습니다. 도시 사람들이 일하는 장소로는 (   )와/과 같은 곳이 있습니다.

① 목장   ② 법원   ③ 양식장
④ 정미소   ⑤ 비닐하우스

5 촌락과 도시의 생활 모습을 비교한 설명 중 어색한 것을 보기에서 골라 기호를 쓰시오.

보기
㉠ 촌락에서는 아침 일찍 밭으로 간다.
㉡ 도시에서는 지하철을 타고 출퇴근을 한다.
㉢ 도시에서는 백화점에서 물건을 살 수 있다.
㉣ 촌락에서는 큰 영화관에서 밤늦게 영화를 볼 수 있다.

6 촌락에서 발생하는 문제로 알맞지 않은 것은 어느 것입니까? (   )

① 폐교   ② 인구 감소
③ 교통 혼잡   ④ 소득 감소
⑤ 문화 시설 부족

7 빈칸에 들어갈 알맞은 말을 쓰시오.

촌락의 □□ □□ 문제를 해결하기 위해서 다양한 기계와 최첨단 기술을 농사에 도입하고 있습니다.

_____

맞은 개수 _____개
공부한 날 ___월 ___일

8 도시 문제를 살펴보기 위한 질문으로 알맞지 않은 것을 ᠊보기᠊에서 골라 기호를 쓰시오.

보기
㉠ 도시 사람들이 겪는 불편한 점은 무엇일까?
㉡ 주택과 관련된 도시 문제는 무엇이 있을까?
㉢ 교통과 관련된 도시 문제는 무엇이 있을까?
㉣ 농업과 관련된 도시 문제는 무엇이 있을까?

서술형

9 다음 그래프를 통해 알 수 있는 도시 문제의 발생 원인을 서술하시오.

우리나라의 촌락과 도시 인구 비율
(2018년)

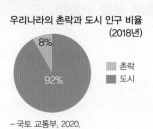

8%
92%

▨ 촌락
▩ 도시

— 국토 교통부, 2020.

중요

10 도시 문제를 해결하기 위한 방안으로 알맞지 않은 것은 어느 것입니까? ( )

① 대중교통 이용
② 쓰레기 분리배출
③ 차량 2부제 실시
④ 작은 영화관 설치
⑤ 이웃 분쟁 조정 센터 설치

11 촌락과 도시 문제가 해결된 지역의 모습을 표현하는 과정을 순서대로 기호를 쓰시오.

㉠ 살기 좋은 촌락과 도시의 모습을 표현한다.
㉡ 우리가 살고 있는 촌락이나 도시의 문제를 떠올린다.
㉢ 해결하고 싶은 문제 중 한 가지를 선택하고, 그 해결 방안을 이야기한다.

12 서로 필요한 물건, 문화, 기술을 주고받거나 사람들이 오가는 것을 무엇이라고 합니까?
( )

① 협력
② 교류
③ 생산
④ 인문환경
⑤ 자연환경

13 다음 그림이 나타내는 교류의 모습으로 알맞은 것은 어느 것입니까? ( )

자매도시 영등포구 어린이의
방문을 환영합니다.
- 전라남도 영암군 -

① 친구 간 교류
② 국가 간 교류
③ 가정 간 교류
④ 지역 간 교류
⑤ 학교 간 교류

14 교류에 해당하는 사례를 ᠊보기᠊에서 **두 가지** 골라 기호를 쓰시오.

보기
㉠ 산지촌에 사는 주민이 목장에서 소를 기른다.
㉡ 집 근처에서 농수산물 직거래 장터가 열렸다.
㉢ 무인도에 혼자 살면서 다른 지역으로 이동하지 않는다.
㉣ 다른 나라 선수들을 초대하여 우리나라 선수들과 친선 축구 경기를 했다.

15 다음의 교류 모습은 도시와 촌락 지역 중 어디에서 볼 수 있는 모습인지 쓰시오.

> • 생산한 농산물을 다른 지역으로 판매한다.
> • 다양한 농촌 체험 활동을 운영한다.
> • 자연과 함께하는 여가 활동을 즐기는 사람들을 볼 수 있다.

──────────────

서술형

16 다음은 담양군 사람들이 광주광역시를 방문하는 경우입니다. 이외에도 어떤 경우에 담양군 사람들이 광주광역시를 방문할지 서술하시오.

> • 담양군 사람들은 다양한 공연을 보기 위해 광주광역시에 있는 공연장에 갑니다.
> • 담양군 사람들은 광주광역시에 있는 대형 병원에 진료를 받으러 갑니다.

──────────────

중요

17 촌락과 도시의 교류가 필요한 까닭으로 알맞지 않은 것은 어느 것입니까? (   )

① 촌락과 도시 간의 교류는 촌락에만 도움이 되기 때문이다.
② 촌락과 도시에서 생산되는 물건이 서로 다르기 때문이다.
③ 촌락과 도시가 교류를 통해 서로 부족한 점을 채워줄 수 있기 때문이다.
④ 촌락과 도시가 도움을 주고받으며 함께 발전하는 관계가 될 수 있기 때문이다.
⑤ 촌락과 도시 간의 교류가 이루어지지 않으면 양쪽 모두 어려움을 겪을 수 있기 때문이다.

18 빈칸에 들어갈 알맞은 말을 쓰시오.

> ☐☐☐☐☐은/는 지역이나 단체가 서로 돕거나 교류하려고 친선 관계를 맺는 것을 말합니다. 도시의 기업이나 학교에서 촌락의 마을과 이것을 하고 일손 돕기 봉사 활동을 하는 경우가 있습니다.

──────────────

서술형

19 다음의 지역 축제를 통한 촌락과 도시의 교류의 좋은 점을 서술하시오.

> **서산 해미 읍성 축제**
>
> 충청남도 서산시 해미면 해미 읍성 일대에서 개최되며, 지역 역사 문화 축제로 조선 시대 생활상을 체험해 볼 수 있다.

──────────────

20 촌락과 도시의 교류를 체험해 보는 활동을 할 때 고려해야 하는 것으로 알맞지 않은 것을 보기 에서 골라 기호를 쓰시오.

> 보기
> ㉠ 우리 모둠이 선택한 지역의 장점을 생각해 본다.
> ㉡ 우리 모둠이 선택한 지역에서 부족한 점을 생각해 본다.
> ㉢ 다른 지역의 특성과 상관없이 우리 지역의 이익만 생각한다.
> ㉣ 교류할 지역과 우리 지역 모두에게 도움이 되는 것인지 생각해 본다.

──────────────

1 빈칸에 공통으로 들어갈 알맞은 말을 쓰시오.

> 촌락은 주로 ☐☐☐☐을/를 이용하여 살아갑니다. 어떤 ☐☐☐☐을/를 가지고 있는지에 따라서 사람들의 생산 활동의 모습도 달라집니다.

〈서술형〉

2 정민이네 할아버지가 살고 있는 지역에서 볼 수 있는 생활 모습을 한 가지 서술하시오.

> 정민이는 여름 방학이 되면 강원도에 있는 할아버지 댁을 방문합니다. 할아버지는 넓은 목장에서 소를 키우는 일을 하십니다. 정민이는 산 중턱에 있는 목장에서 소를 돌보고 구경하는 일이 재미있어 할아버지 댁 방문을 항상 기다립니다.

3 촌락에서 볼 수 있는 시설로 알맞지 <u>않은</u> 것은 어느 것입니까? (　　　)

① 등대　　　　② 양봉장
③ 정미소　　　　④ 백화점
⑤ 수산물 직판장

4 다음에서 설명하는 도시는 어디인지 쓰시오.

> 이 도시는 중부 지방과 남부 지방을 잇는 교통의 중심 도시입니다. 과학 기술과 관련한 대학교와 연구소가 있는 것으로도 유명합니다.

5 다음 사진과 같은 지역에서 볼 수 있는 시설로 알맞지 <u>않은</u> 것은 어느 것입니까? (　　　)

① 아파트　　　　② 지하철
③ 양식장　　　　④ 영화관
⑤ 높은 빌딩

〈중요〉

6 도시가 발달하기 유리한 곳에 대한 설명으로 알맞지 <u>않은</u> 것은 어느 것입니까? (　　　)

① 교통이 편리한 곳
② 다양한 일자리가 있는 곳
③ 인구가 점점 줄어드는 곳
④ 사람들이 많이 모이는 곳
⑤ 정치, 경제의 중심이 되는 곳

7 도시 사람들이 하는 일로 알맞지 <u>않은</u> 것을 말한 학생을 보기에서 모두 골라 기호를 쓰시오.

〈보기〉

> ⊙ 재원: 도시의 사람들은 촌락에 비해 다양한 직업을 가지고 있어.
> ⓒ 유미: 맞아. 도시 사람들은 공장이나 회사에서 일하는 경우도 많아.
> ⓒ 민성: 도시 사람들은 주로 자연환경을 이용한 생산 활동을 하는구나!
> ⓔ 지연: 도시 사람들은 주로 비닐하우스나 논, 밭에서 농업에 관련된 일을 해.

8 다음 그래프를 통해 알 수 있는 촌락의 문제를 쓰시오.

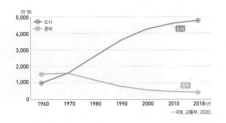

─국토 교통부, 2020.

서술형

9 다음과 같은 촌락의 문제를 해결하기 위한 방안을 서술하시오.

마을에 젊은 사람들이 부족해서 힘쓰는 일을 하기 힘들어요.

중요

10 촌락의 문제를 해결하기 위한 방안으로 알맞지 않은 것은 어느 것입니까? (   )

① 귀촌 박람회를 개최한다.

② 이웃 분쟁 조정 센터를 설치한다.

③ 폐교를 활용한 농촌 체험 학습관을 만든다.

④ 새로운 품종을 도입해 농산물의 생산량을 늘린다.

⑤ 가까운 곳에서 문화생활을 할 수 있도록 작은 영화관을 만든다.

11 빈칸에 들어갈 알맞은 말을 쓰시오.

> 많은 인구가 모이면서 도시에는 여러 가지 문제가 발생하고 있습니다. 쓰레기 문제와 대기 오염, 수질 오염과 같은 ☐☐ 문제도 일어나고 있습니다.

---

12 도시에서 나타나는 문제가 아닌 것은 무엇입니까? (   )

① 교통 혼잡   ② 주택 부족

③ 일손 부족   ④ 환경 오염

⑤ 이웃 간 갈등

---

13 도시의 문제를 해결하기 위한 노력 중 개인의 노력으로 알맞은 것은 어느 것입니까? (   )

① 길에 쓰레기통을 설치한다.

② 오염된 물을 정화하는 시설을 만든다.

③ 쓰레기 분리배출함을 더욱 많이 설치한다.

④ 쓰레기를 줄일 수 있는 공익 광고를 만든다.

⑤ 쓰레기 분리배출일에 맞추어 분리배출을 잘한다.

서술형

14 촌락과 도시의 교류 사례를 두 가지 이상 서술하시오.

15 교류의 사례에 해당하는 것을 보기에서 **두 가지** 골라 기호를 쓰시오.

> 보기
> ㉠ 수진이는 주말에 집에서 숙제를 했다.
> ㉡ 기우는 자기 지역의 공원에서 자전거를 탔다.
> ㉢ 미연이는 친하게 지내는 이웃에게 명절 선물을 받았다.
> ㉣ 민수는 자매결연을 맺은 다른 지역에 일손을 도우러 갔다.

중요

16 도시 사람들이 촌락을 방문하는 까닭으로 알맞지 <u>않은</u> 것은 어느 것입니까? ( )

① 지역 축제를 방문하기 위해 간다.
② 농촌 체험 활동을 해보기 위해 간다.
③ 자연환경을 이용한 낚시나 등산을 하러 간다.
④ 인문환경을 이용한 여가 생활을 위해 방문한다.
⑤ 농수산물 직거래 장터에서 농수산물을 구매하기 위해 간다.

17 촌락의 사람들이 도시에서 이용하는 시설로 알맞은 것은 어느 것입니까? ( )

① 캠핑장 　　　② 낚시터
③ 전통 시장 　　④ 마을 회관
⑤ 종합 병원

18 촌락에서 지역 축제가 열렸을 때 촌락 사람들에게 좋은 점으로 알맞은 것을 **두 가지** 고르시오. (,)

① 지역의 소득을 높일 수 있다.
② 쓰레기 문제를 해결할 수 있다.
③ 자연환경 속에서 휴식할 수 있다.
④ 도시의 문화 시설을 이용할 수 있다.
⑤ 우리 지역의 전통과 문화를 알릴 수 있다.

◈ 서술형

19 도시의 사람들이 지역 축제를 통해서 얻을 수 있는 좋은 점을 서술하시오.

_____

_____

20 도시와 촌락의 교류 체험 활동 과정을 순서대로 기호를 쓰시오.

> ㉠ 다른 지역과 교류한 후 카드 뒷면에 확인 표시를 한다.
> ㉡ 지역 카드를 준비하고 모둠별로 서로 다른 지역을 선택한다.
> ㉢ 우리 모둠이 맡은 지역의 특징을 살피고 필요한 것이 무엇인지 의논한다.
> ㉣ 다른 지역의 특징을 살피며 우리 지역에 부족한 것을 보완하고 발전하기 위한 교류 계획을 세운다.

_____

1 다음 사진을 보고 물음에 답하시오.

(1) 위 사진과 같은 지역에서 볼 수 있는 시설을 쓰시오.

_____

(2) 위 지역의 사람들이 하는 일을 서술하시오.

_____

_____

> **평가실마리**
> • **관련 내용** 교과서 16쪽, 개념 톡톡 14쪽
> • **출제 의도** 촌락의 특징과 생활 모습 알아보기
> • **선생님의 한마디**
> "바다가 있는 촌락의 특징을 생각해 보자!"

2 성우가 다녀온 지역에서 살아가는 사람들의 생활 모습을 서술하시오.

> **민지:** 성우야, 지난 주말에 무엇을 했어?
> **성우:** 나는 가족들과 함께 다른 지역에 다녀왔어.
> **민지:** 어떤 지역에 다녀온 거야? 그곳에서 무엇을 했어?
> **성우:** 내가 다녀온 지역에는 큰 백화점이 있었어. 거기서 쇼핑도 하고 영화도 보면서 즐거운 시간을 보냈어. 우리 지역에는 없는 지하철도 있었어.

_____

> **평가실마리**
> • **관련 내용** 교과서 20쪽, 개념 톡톡 16쪽
> • **출제 의도** 도시의 생활 모습 알아보기
> • **선생님의 한마디**
> "도시의 사람들이 살아가는 모습을 떠올려 봐!"

3 다음과 같은 촌락의 문제가 생긴 이유를 서술하시오.

> • 학생 수가 줄어들어 학교가 폐교됩니다.
> • 나이가 많은 어르신들이 농사를 짓기가 힘들어 어려움이 생기기도 합니다.

_____

> **평가실마리**
> • **관련 내용** 교과서 24쪽, 개념 톡톡 20쪽
> • **출제 의도** 촌락 문제의 원인
> • **선생님의 한마디**
> "촌락의 많은 문제는 이러한 현상 때문이야!"

4 다음 그림에 나타난 촌락의 문제를 해결하기 위한 방법을 서술하시오.

> 영화를 보고 싶은데, 가까운 곳에는 영화관이 없어요.

_____

> **평가실마리**
> • **관련 내용** 교과서 26쪽, 개념 톡톡 20쪽
> • **출제 의도** 촌락 문제의 해결 방안
> • **선생님의 한마디**
> "촌락의 문제를 해결하기 위해서 다양한 정책을 지원하고 있지!"

5 다음은 도시 문제를 해결하기 위한 시설입니다. 이를 통해 알 수 있는 도시에서 발생하는 문제를 서술하시오.

이웃 분쟁 조정 센터

평가실마리
• **관련 내용** 교과서 30쪽, 개념 톡톡 22쪽
• **출제 의도** 도시 문제의 종류
• **선생님의 한마디**
"도시에는 많은 사람들이 살고 있어 갈등이 생기기도 하지!"

6 다음 그림과 같은 교류의 모습에는 어떤 것이 있는지 서술하시오.

평가실마리
• **관련 내용** 교과서 37쪽, 개념 톡톡 32쪽
• **출제 의도** 다양한 교류의 모습
• **선생님의 한마디**
"지역 간 교류에는 어떤 모습들이 있었는지 떠올려 보자!"

7 다음 사진을 보고 담양군에 사는 사람들이 광주광역시에 가는 까닭을 서술하시오.

 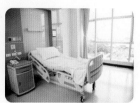

평가실마리
• **관련 내용** 교과서 41쪽, 개념 톡톡 36쪽
• **출제 의도** 촌락과 도시의 교류
• **선생님의 한마디**
"촌락의 주민들이 도시에 있는 다양한 시설을 이용할 수 있어!"

8 다음은 촌락과 도시가 교류하는 사례를 조사한 보고서입니다. ㉠에 들어갈 알맞은 내용을 서술하시오.

주제	영주 풍기 인삼 축제
교류하는 모습	
교류의 좋은 점	㉠
생각하거나 느낀 점	기회가 된다면 인삼 축제에 직접 방문해 보고 싶다.

평가실마리
• **관련 내용** 교과서 42쪽, 개념 톡톡 36쪽
• **출제 의도** 지역 축제를 통한 교류의 모습
• **선생님의 한마디**
"촌락과 도시에 각각 어떤 좋은 점이 있을지 생각해 봐!"

(1) 경제활동과 현명한 선택

❶ 경제활동의 의미와 사례

(1) (❶   ): 사람들이 생활하는 데 필요하거나 원하는 것을 만들고 그것을 사용하는 것과 관련된 일입니다.

(2) 경제활동의 사례
① 옷 가게에서 옷을 팝니다.
② 빵집에서 빵을 만듭니다.
③ 영화관에서 영화표를 삽니다.
④ 약속 장소에 가기 위해 버스를 탑니다.

❷ 선택의 문제와 현명한 선택

(1) 선택의 문제가 일어나는 까닭: 자원의 (❷   ) 때문입니다.

(2) 현명한 선택을 하기 위해 고려해야 할 점: 가격, 품질, 만족감을 주는 정도 등을 따져 본 뒤 가장 알맞은 것을 선택합니다.

(3) 현명한 선택을 하면 좋은 점
① 돈과 자원을 절약할 수 있습니다.
② 더 큰 만족감을 얻을 수 있습니다.

❸ 생산의 의미와 생산 활동의 종류

(1) (❸   ): 생활에 필요한 물건을 만들거나 생활을 편리하고 즐겁게 해 주는 활동입니다.

(2) 생산 활동의 종류

생활에 필요한 것을 자연에서 얻는 활동	과일을 수확하는 일, 물고기를 잡는 일, 채소를 재배하는 일
생활에 필요한 것을 만드는 활동	과자를 만드는 일, 배를 만드는 일, 약을 만드는 일
생활을 편리하고 즐겁게 해 주는 활동	물건을 운반하는 일, 공연을 하는 일, 운동 경기를 하는 일

❹ 소비의 의미와 현명한 소비 생활

(1) 소비: 생산한 것을 사용하는 일입니다.

(2) 현명한 소비 생활을 하는 방법
① 돈을 어떻게 사용할지 미리 계획합니다.
② 물건을 사기 전에 물건에 관한 정보를 따져 봅니다.
③ 물건을 고를 때 알맞은 선택 기준을 세웁니다.
④ 용돈의 일부를 저축합니다.

(2) 교류하며 발전하는 우리 지역

❶ 상품의 생산지(원산지) 확인하기

(1) 생산지(원산지) 확인 방법: (❹   ) 표시판 확인하기, 상품 정보 확인하기, 할인 매장 광고지 확인하기, 누리집 상품 소개 검색하기, 품질 인증 마크 살펴보기, 큐아르(QR) 코드 스캔하기 등

(2) 우리 지역 상품의 생산지 확인을 통해 알 수 있는 점
① 우리 주변의 상품이 여러 지역에서 왔습니다.
② 상품의 생산지(원산지)가 다양합니다.

❷ 경제적 교류가 발생하는 까닭과 좋은 점

(1) (❺   ): 개인이나 지역 등이 경제적 이익을 얻기 위해 물건, 기술, 정보 등을 서로 주고받는 것을 말합니다.

(2) 경제적 교류의 대상: 개인과 기업, 기업과 지역, 지역과 지역, 국가와 국가 등

(3) 경제적 교류가 발생하는 까닭: 지역(국가)마다 자연환경과 기술, 자원 등이 다르기 때문입니다.

(4) 지역 간 경제적 교류의 좋은 점
① 우리 지역에서 생산되지 않는 물건을 구할 수 있습니다.
② 상품 설명회나 직거래 장터를 이용해 우리 지역의 특산물을 홍보할 수 있습니다.
③ 서로 기술을 교류하고 협력해 더 좋은 상품을 개발할 수 있습니다.
④ 지역 간 화합을 가져올 수 있습니다.

(5) 다양한 경제적 교류의 모습으로 물자 교류, 기술 교류, 관광 교류, (❻   ) 교류가 있습니다.

❸ 우리 지역의 경제적 교류 조사하기

(1) 경제적 교류를 조사하는 방법: 시·도청 누리집 조사하기, 지역 신문 찾아보기, 지역 방송 보기 등

(2) 지역 간 경제적 교류가 필요한 까닭
① 다른 지역과 특산물을 주고받으며 경제적 이익을 얻을 수 있습니다.
② 다른 지역과 기술, 문화, 관광 교류를 하며 지역 간 화합이 이루어질 수 있습니다.
③ 지역 주민의 생활이 편리해질 수 있습니다.

가로 문제와 세로 문제를 읽고, 퍼즐을 풀어 보세요.

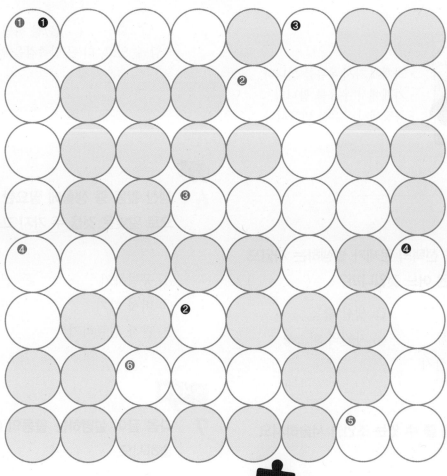

가로 문제

❶ □□□□은/는 지역과 지역이 서로 돕거나 교류하려고 친선 관계를 맺는 것입니다.

❷ 사람들이 생활하는 데 필요하거나 원하는 것을 만들고 사용하는 것을 □□□□(이)라고 합니다.

❸ 제주시의 감귤과 보령시의 쌀을 교류해 판매하는 것과 같이 지역 간 상품을 서로 교류하는 것을 □□□□(이)라고 합니다.

❹ 생산한 것을 사용하는 일을 □□(이)라고 합니다.

❺ □□은/는 여러 가지 물건을 사고파는 곳입니다. 여기에서는 생산 활동의 모습, 소비 활동의 모습을 모두 볼 수 있습니다.

❻ □□□□(이)란 물건의 생산지로, 어떤 물건을 만들어 내는 곳 또는 그 물건이 저절로 생겨나는 곳을 말합니다.

세로 문제

❶ 경제활동에서 선택의 문제가 일어나는 까닭은 □□□ □□□ 때문입니다.

❷ □□ 활동은 생활에 필요한 물건을 만들거나 생활을 편리하고 즐겁게 해 주는 활동입니다.

❸ □□□ □□은/는 개인이나 지역 등이 경제적 이익을 얻기 위해 물건, 기술, 정보 등을 서로 주고받는 것입니다.

❹ □□ □□은/는 옛날부터 이어져 온 시장을 말합니다. 남대문 시장과 같이 전국적인 대형 시장도 있고, 작은 골목 시장도 있습니다.

1 다음 그림과 관련된 활동을 무엇이라고 하는지 쓰시오.

우유가 없네.

• 가게에 가서 우유를 삽니다.
• 가게에서 우유를 팝니다.
• 공장에서 우유를 만듭니다.

2 경제활동에서 선택의 문제가 발생하는 까닭으로 알맞은 것은 어느 것입니까? (   )

① 자매결연   ② 생산 활동
③ 경제적 교류   ④ 자원의 희소성
⑤ 물건의 생산지

서술형

3 수현이에게 해 줄 수 있는 조언을 서술하시오.

> **수현:** 부모님께서 이번 생일 선물로 휴대 전화를 사 주신다는데, 어떤 휴대 전화를 선택할지 고민이야.

4 다음과 같은 상황에서 고려해야 할 것을 두 가지 쓰시오.

> 채훈이는 그동안 모은 용돈으로 자전거를 구입하려고 가게에 갔습니다. 자전거 가게에는 많은 자전거가 있었습니다. 채훈이는 어떤 자전거를 구매해야 할지 고민이 되었습니다.

5 빈칸에 들어갈 알맞은 말을 쓰시오.

> □□□ □□을/를 하면 돈과 자원을 절약할 수 있고, 더 큰 만족감을 얻을 수 있습니다.

중요

6 생산 활동 중 생활에 필요한 것을 만드는 활동으로 알맞은 것을 두 가지 고르시오.

(,   )

① 공연하기   ② 건물 짓기
③ 버섯 따기   ④ 과자 만들기
⑤ 환자 진료하기

서술형

7 다음 글이 설명하는 활동의 예시를 두 가지 서술하시오.

> 경제활동 중 생활에 필요한 물건을 만들거나 생활을 편리하고 즐겁게 해 주는 활동입니다.

중요

8 다음 활동 중 소비 활동으로 알맞지 않은 것을 두 가지 고르시오. (,   )

① 문구점에서 공책을 산다.
② 공장에서 운동화를 만든다.
③ 미용실에서 머리 손질을 받는다.
④ 놀이공원에 가기 위해 지하철을 탄다.
⑤ 떡볶이를 먹을지, 김밥을 먹을지 고민한다.

9 현명한 소비 생활을 실천하고 있는 어린이를 보기에서 골라 기호를 쓰시오.

> **보기**
> ㉠ 호범: 친구가 물건을 사면 같이 따라 삽니다.
> ㉡ 카일: 용돈을 받으면 받은 용돈을 모두 저축합니다.
> ㉢ 연우: 용돈을 어떻게 사용할지 미리 계획하고 사용합니다.
> ㉣ 진희: 내가 사고 싶었던 물건의 가격이 싸면, 최대한 많이 구입합니다.

10 시장놀이를 할 때 주의할 점을 바르게 말한 어린이를 보기에서 모두 골라 기호를 쓰시오.

> **보기**
> ㉠ 종현: 생산 활동 모둠은 가격이 비싼 물건을 주로 생산해야 해.
> ㉡ 예나: 소비 활동 모둠은 모둠원이 좋아하는 물건을 모두 사야 해.
> ㉢ 우림: 생산 활동 모둠은 소비 활동 모둠이 어떤 물건을 살지 살펴야 해.
> ㉣ 선영: 소비 활동 모둠은 여러 가게를 둘러보고 어떤 가게에서 물건을 살지 살펴야 해.

11 물건의 생산지(원산지)를 알아보는 방법으로 알맞지 **않은** 것은 어느 것입니까? (   )

① 우유를 마셔 본다.
② 포장지 겉면을 확인해 본다.
③ 옷 안쪽의 꼬리표를 확인해 본다.
④ 형광펜에 쓰여 있는 설명을 확인해 본다.
⑤ 색연필의 상품 사용 설명서 주변을 확인해 본다.

🔷 서술형

12 학교에서 먹는 급식 재료의 생산지(원산지)를 통해 알 수 있는 사실을 서술하시오.

급식 재료	생산지(원산지)
쌀	경상북도 문경시
들깨	충청북도 음성군
오징어	강원도 강릉시
고구마	전라남도 해남군

13 다음은 우리 교실에 있는 물건과 생산지를 연결한 것입니다. 우리나라에서 만들어진 상품은 어느 것입니까? (   )

① 사인펜 – 태국
② 지우개 – 일본
③ 실내화 – 중국
④ 필통 – 인도네시아
⑤ 교과서 – 경기도 파주시

14 빈칸에 들어갈 알맞은 말을 쓰시오.

> 지민이는 지난 주말 부모님과 함께 노량진 수산 시장을 방문했습니다. 수산 시장에서 판매하는 생선, 조개, 김 등 각각의 수산물에는 색깔별로 ☐☐☐☐ ☐☐☐☐이/가 꽂혀 있어 수산물의 원산지를 확인할 수 있었습니다.

15 상품의 생산지(원산지)를 확인하는 방법으로 사진과 내용의 연결이 알맞지 <u>않은</u> 것은 어느 것입니까? (   )

①
▲ 원산지 표시판

②
▲ 큐아르(QR) 코드

③
▲ 품질 인증 마크

④
▲ 할인 매장 광고지

⑤
269,000원
택배 무료
원산지 헝가리
▲ 누리집 상품 소개

중요

16 개인이나 지역 등이 경제적 이익을 얻기 위해 물건, 기술, 정보 등을 서로 주고받는 것을 무엇이라고 합니까? (   )

① 경제활동
② 경제적 교류
③ 상품 박람회
④ 수산물 시장
⑤ 직거래 장터

17 지역 간 경제적 교류의 좋은 점으로 알맞은 것은 어느 것입니까? (   )

① 우리 지역에서 생산되는 물건만 구할 수 있다.
② 경제적 교류로 지역 간 갈등을 발생시킬 수 있다.
③ 다른 지역에 어려운 일이 있을 때 돕지 않아도 된다.
④ 우리 지역의 특산품만 홍보하여 경제적 이익을 얻을 수 있다.
⑤ 다른 지역과 기술, 정보 등을 주고받으며 경제적 이익을 얻을 수 있다.

18 지역의 특징을 게시한 글을 보고, 어떤 지역인지 보기 에서 골라 기호를 쓰시오.

우리 지역에는 옷, 컴퓨터, 자동차 등을 생산하는 공장이 많이 있습니다. 하지만 농산물을 재배하거나 수산물을 생산하는 곳은 거의 없습니다. 우리 지역은 다른 지역으로부터 농산물과 수산물을 가져오고 옷, 컴퓨터, 자동차 등을 생산하여 다른 지역에 보냅니다.

보기
㉠ 도시   ㉡ 농촌   ㉢ 어촌   ㉣ 산지촌

서술형

19 우리 지역이 어떤 지역과 경제적 교류를 하면 좋을지 서술하시오.

산나물, 목재 등을 많이 생산하지만 자동차, 컴퓨터 등을 생산하는 공장이 없습니다.

20 우리 지역의 경제적 교류 사례를 살펴보는 방법으로 알맞은 것을 보기 에서 <u>두 가지</u> 골라 기호를 쓰시오.

보기
㉠ 외국의 방송 자료 확인하기
㉡ 다른 나라 신문에서 광고 찾아보기
㉢ 우리 지역의 자매결연 현황 살펴보기
㉣ 우리 지역 시청이나 도청의 누리집 찾아보기

1 경제활동의 모습으로 알맞지 <u>않은</u> 것을 보기에서 골라 기호를 쓰시오.

> 보기
> ㉠ 정육점에서 고기를 판다.
> ㉡ 분식점에서 김밥을 사 먹는다.
> ㉢ 학원에 가기 위해 버스를 탄다.
> ㉣ 자전거를 살지 킥보드를 살지 고민한다.

2 빈칸에 공통으로 들어갈 알맞은 말을 쓰시오.

> □□□ □□은/는 경제활동을 하는 모든 사람에게 발생합니다. 경제활동에서 □□ □□이/가 일어나는 까닭은 사람들이 필요로 하거나 원하는 것은 많지만 쓸 수 있는 돈이나 자원은 한정되어 있기 때문입니다.

 3 경제활동에서 발생하는 선택의 문제가 <u>아닌</u> 것은 어느 것입니까? (   )

① 공책을 살지 연필을 살지 고민한다.
② 자전거를 살지 킥보드를 살지 고민한다.
③ 농구공을 살지 축구공을 살지 고민한다.
④ 공부를 잘하는 방법이 무엇인지 고민한다.
⑤ 아이스크림을 살지 음료수를 살지 고민한다.

4 현명한 선택을 하는 방법으로 알맞지 <u>않은</u> 것은 어느 것입니까? (   )

① 용돈이 충분한지 살펴본다.
② 필요한 기능이 있는지 알아본다.
③ 산 뒤 만족감을 느꼈는지 평가한다.
④ 나에게 꼭 필요한 물건인지 따져 본다.
⑤ 색과 모양이 마음에 드는지만 살펴본다.

◈ 서술형
5 가방을 사려고 하는 경민이에게 해 줄 수 있는 말을 서술하시오.

6 빈칸에 들어갈 알맞은 말을 쓰시오.

> □□은/는 생활에 필요한 물건을 만들거나 생활을 편리하고 즐겁게 해 주는 활동입니다.

◈ 서술형
7 다음 그림에서 볼 수 있는 생산 활동의 모습을 <u>두 가지</u> 이상 서술하시오.

8 다음 생산 활동 중 그 종류가 <u>다른</u> 것은 어느 것입니까? (   )

① 공연하기   ② 버섯 캐기
③ 물고기 잡기   ④ 가축 기르기
⑤ 배추 재배하기

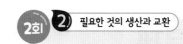

중요★

9 다음 활동 중 소비 활동으로 알맞지 <u>않은</u> 것은 어느 것입니까? (　　　)

① 운동 경기를 한다.
② 피자를 사 먹는다.
③ 가게에서 우유를 산다.
④ 영화관에서 영화표를 산다.
⑤ 문구점에 가서 색연필을 산다.

10 현명한 소비 생활을 하는 어린이를 보기에서 모두 골라 기호를 쓰시오.

보기
ㄱ 현종: 나는 용돈을 받으면 일부를 저축해.
ㄴ 기영: 나는 배가 고플 때마다 군것질을 해.
ㄷ 준표: 물건을 고를 때 알맞은 선택 기준을 세우려고 노력해.
ㄹ 동섭: 친구가 물건을 사도 내가 필요하지 않은 물건을 따라 사지 않도록 노력해.

_____

11 다음은 상품의 생산지(원산지)를 조사한 후 나눈 대화입니다. 바르게 말한 사람은 누구인지 쓰시오.

선빈: 우리 지역에서는 다른 지역의 상품을 팔지 않아.
현종: 모든 상품은 우리나라에서만 만들어지는구나.
찬호: 전통 시장에서는 원산지를 확인하는 것이 불가능해.
형우: 다른 지역에서 우리 지역으로 상품이 들어오기도 해.

_____

서술형

12 다음 사진과 같은 원산지 표시 제도가 소비자에게 주는 정보는 무엇인지 서술하시오.

종류	용도	원산지
쌀	김밥·공기밥	국내산
소고기	김밥·불고기사리	호주산
당근	떡볶이	중국산
닭 발	눈떡(현상)국내70%중국30%	국내·중국산
양배추	떡볶이	국내산
양파	떡볶이	국내산
마늘	떡볶이·닭발	국내
고춧가루	눈떡(현상)국내70%중국30%	국내·중국
땡초	눈동떡볶이	베트남

_____

_____

13 우리 지역 상품의 생산지(원산지)를 조사하는 방법으로 알맞지 <u>않은</u> 것은 어느 것입니까?
(　　　)

① 다른 지역의 박물관을 방문한다.
② 부모님과 우리 지역 전통 시장을 방문한다.
③ 우리 지역 할인점에서 온 광고지를 살펴본다.
④ 동네 편의점에서 파는 물건의 포장지 뒷면을 확인한다.
⑤ 우리 지역 할인 매장 판매 상품의 큐아르(QR) 코드를 스캔한다.

14 밑줄 친 '이것'은 무엇입니까? (　　　)

빠른 응답(Quick Response)을 줄인 <u>이것</u>은 정보를 담고 있는 격자무늬의 그림을 말하며, 스마트폰으로 스캔하여 상품의 생산지(원산지)를 확인할 수 있습니다.

① 점자　　　　　② 바코드
③ 모스 부호　　　④ 큐아르(QR) 코드
⑤ 친환경 인증 마크

15 빈칸에 들어갈 알맞은 말을 쓰시오.

□□□□ □□(이)란 개인이나 지역 등이 경제적 이익을 얻기 위해 물건, 기술, 정보 등을 서로 주고받는 것을 의미합니다.

서술형

16 다음과 같이 대중 매체를 이용한 경제적 교류를 하면 어떤 점이 편리할지 서술하시오.

_____

중요

17 다음 그림에서 알 수 있는 경제적 교류의 대상으로 알맞은 것은 어느 것입니까? (   )

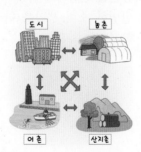

① 개인과 기업   ② 기업과 기업
③ 기업과 지역   ④ 지역과 지역
⑤ 개인과 국가

18 다음 사례에 나타난 경제적 교류의 모습을 보기에서 **두 가지** 골라 기호를 쓰시오.

○○특별시와 □□광역시는 두 지역의 관광 자원을 활용하여 관광 사업 공동 추진 및 관광 상품을 개발하기로 했습니다. 또한 서로의 지역을 방문하는 교류 프로그램을 만들고 전통 무용 공연을 펼치는 등 다양한 분야의 교류로 확대하고 있습니다.

보기
㉠ 기술 교류   ㉡ 문화 교류
㉢ 관광 교류   ㉣ 스포츠 교류

19 우리 지역을 대표하는 특산물을 홍보하기 위한 광고지를 만들 때 넣어야 할 내용이 **아닌** 것은 어느 것입니까? (   )

① 광고 제목   ② 특산물 설명
③ 특산물의 사진   ④ 특산물 구매 방법
⑤ 다른 지역의 특산물

20 지역 간 경제적 교류로 얻을 수 있는 이익을 보기에서 **두 가지** 골라 기호를 쓰시오.

보기
㉠ 다른 지역의 문화를 체험해 볼 수 있다.
㉡ 다른 지역의 특산품 홍보를 막을 수 있다.
㉢ 다양한 지역에서 생산된 상품을 사용할 수 있다.
㉣ 우리 지역의 경제만 발전해 이익을 얻을 수 있다.

1 다음 상황과 관련된 경제활동을 <u>두 가지</u> 서술하시오.

빵을 찾는 사람이 많아서 빵을 더 만들어야겠다.

_____

_____

평가 실마리
- **관련 내용** 교과서 56~57쪽, 개념 톡톡 58쪽
- **출제 의도** 경제활동의 의미와 사례 알기
- **선생님의 한마디**
"경제활동의 여러 가지 사례를 떠올려 봐!"

2 다음은 상일이가 자전거를 사기 위해 수집한 정보입니다. 상일이가 자전거를 선택할 때 따져 보아야 할 기준을 <u>두 가지</u> 서술하시오.

	㉮ 자전거	㉯ 자전거	㉰ 자전거
상품			
가격	80,000원	120,000원	100,000원
특징	• 튼튼한 편이에요. • 의자가 넓어 편해요. • 어린이에게 인기가 많아요. • 내가 탔던 자전거와 같은 것이에요.	• 가볍고 튼튼해요. • 자전거를 접을 수 있어요. • 빠른 속도를 낼 수 있어요. • 친구의 새 자전거와 비슷한 모양이에요.	• 무겁고 튼튼해요. • 짐 바구니가 있어요. • 안전모를 선물로 주어요. • ㉮, ㉯ 자전거보다 오래 탈 수 있어요.

_____

_____

평가 실마리
- **관련 내용** 교과서 62쪽, 개념 톡톡 62쪽
- **출제 의도** 현명한 선택을 하는 방법 알기
- **선생님의 한마디**
"현명한 선택을 하기 위해서는 무엇을 따져 봐야 하는지 생각해 봐!"

3 다음 생산 활동의 모습을 보고 물음에 답하시오.

(가) 버섯 따기 　　(나) 환자 진료하기

(1) (가)와 같은 생산 활동은 어떤 종류의 생산 활동에 해당하는지 쓰시오.

_____

(2) (나)와 같은 생산 활동의 예시를 쓰시오.

_____

_____

평가 실마리
- **관련 내용** 교과서 66쪽, 개념 톡톡 66쪽
- **출제 의도** 생산 활동의 종류 알기
- **선생님의 한마디**
"생산 활동의 종류에는 무엇이 있었는지 생각해 봐!"

4 다음 대화를 읽고, 민기가 주현이에게 해 줄 수 있는 말을 서술하시오.

> **주현:** 요즘 용돈이 많이 부족해.
> **민기:** 용돈을 현명하게 사용하지 못하고 있구나.
> **주현:** 현명한 소비 생활을 하려면 어떻게 해야 할까?
> **민기:** ( )

_____

_____

평가 실마리
- **관련 내용** 교과서 67쪽, 개념 톡톡 66쪽
- **출제 의도** 현명한 소비 생활의 방법 알기
- **선생님의 한마디**
"현명한 소비 생활을 하기 위한 방법을 떠올려 봐!"

5 다음 민아의 질문에 대한 대답으로 알맞은 내용을 **두 가지** 이상 서술하시오.

> 민아: 오늘 사회 시간에 교실에 있는 물건이 어디에서 왔는지 알아보니 정말 재미있었어! 우리 지역에서 판매하는 다양한 상품들이 어디에서 왔는지도 궁금해. 어떻게 하면 알 수 있을까?

평가 실마리
- **관련 내용** 교과서 76쪽, 개념 톡톡 78쪽
- **출제 의도** 생산지(원산지) 조사 방법 알기
- **선생님의 한마디**
  "생산지(원산지)를 확인하는 다양한 방법을 떠올려 봐!"

6 다양한 경제적 교류 모습을 보고 물음에 답하시오.

(가)  　　(나)

(1) (가)는 어떤 교류에 해당하는지 쓰시오.

(2) (나)와 같은 경제적 교류의 좋은 점을 쓰시오.

평가 실마리
- **관련 내용** 교과서 84~85쪽, 개념 톡톡 82쪽
- **출제 의도** 경제적 교류의 다양한 모습 알기
- **선생님의 한마디**
  "경제적 교류의 모습에는 물자 교류, 관광 교류 외에도 다양한 모습이 있어!"

7 다음 이야기를 읽고 지역 간 경제적 교류가 필요한 까닭을 서술하시오.

> 나는 강원도 산지에 있는 마을에 살고 있어. 산나물이나 목재는 풍부하지만, 고등어, 미역 같은 수산물은 쉽게 구하기가 어려워.

평가 실마리
- **관련 내용** 교과서 80쪽, 개념 톡톡 82쪽
- **출제 의도** 지역 간 경제적 교류의 필요성 알기
- **선생님의 한마디**
  "경제적 교류가 왜 필요한지 생각해 봐!!"

8 다음은 우리 지역의 경제적 교류 사례 조사 보고서입니다. ㉠에 들어갈 알맞은 내용을 서술하시오.

조사 주제	광주와 대구의 경제적 교류
교류한 지역	광주광역시와 대구광역시
경제적 교류의 내용	• 광주와 대구는 2013년부터 자매결연을 하고 있다. • 대구의 연구소와 광주의 기업이 업무 협약을 맺었다. • 두 지역의 공연단이 서로의 지역에서 문화 공연을 열었다. • 대구와 광주를 잇는 철도 건설 사업을 추진하고 있다.
알게 된 점	㉠

평가 실마리
- **관련 내용** 교과서 86~89쪽, 개념 톡톡 84쪽
- **출제 의도** 우리 지역의 경제적 교류 모습 알기
- **선생님의 한마디**
  "지역 간 경제적 교류를 통해 얻을 수 있는 이점을 생각해 봐!"

(1) 사회 변화에 따른 일상생활의 모습

❶ 저출산·고령화로 달라진 일상생활 모습

(1) 저출산·고령화 현상의 의미

저출산	태어나는 아이의 수가 줄어드는 현상
(**❶**)	65세 이상 노인 인구가 차지하는 비율이 높아지는 현상

(2) 저출산·고령화에 따른 변화

저출산에 따른 변화	• 학급당 학생 수가 줄어듦. • 가족 구성원 수가 줄어들고, 가족 형태가 변화함.
고령화에 따른 변화	• 노인을 위한 전문적인 시설과 복지 제도가 늘어남. • 일자리를 찾는 노인들이 늘어남.

❷ 정보화로 달라진 일상생활 모습

(1) (**❷**): 사회가 발전하고 변화하는 데 정보와 지식이 중심 역할을 하는 것을 뜻합니다.

(2) 정보화 사회의 문제점과 해결 방안

문제점	악성 댓글, 개인 정보 유출, 휴대 전화 중독, 저작권 침해 문제 등
해결 방안	상대방에게 예의 지키기, 비밀번호 자주 바꾸기, 보안 프로그램 설치하기, 하루 중 인터넷 사용 시간 정하기, 다른 사람의 저작물 소중히 여기기 등

❸ 세계화로 달라진 일상생활 모습

(1) (**❸**): 세계 여러 나라가 다양한 분야에서 교류하고 서로 영향을 주고받으면서 가까워지는 현상을 뜻합니다.

(2) 세계화는 긍정적인 영향뿐만 아니라 부정적인 영향도 주기 때문에 세계화에 발맞추면서도 부정적인 영향에 대비해야 합니다.

❹ 사회 변화로 나타난 일상생활의 특징 조사

(1) 저출산·고령화, 정보화, 세계화 중 하나의 사회 변화 모습을 정합니다.

(2) 사회 변화의 특징이 드러난 자료를 조사하고, 조사한 내용을 정리해 발표합니다.

(2) 다양한 문화에 대한 이해와 존중

❶ 문화의 의미와 특징

(1) (**❹**): 사람들이 가지고 있는 공통의 생활 방식을 뜻합니다.

(2) 문화는 사회마다 비슷한 모습도 있고 독특한 모습도 있습니다.

❷ 다양한 문화의 모습

(1) 우리 사회에는 다양한 문화의 모습이 나타납니다.

(2) 다른 나라 사람들과 교류가 많아지면서 외국의 음식이나 놀이, 음악 등이 우리 사회에 전파되었고, 일상생활에서도 다양한 문화를 경험할 수 있습니다.

❸ 편견과 차별

(1) 편견과 차별의 의미

(**❺**)	공정하지 못하고 한쪽으로 치우친 생각이나 의견
(**❻**)	어떤 기준을 두어 사람들을 구별하고 다르게 대우하는 것

(2) 편견과 차별의 문제: 사람들 사이에서 편견과 차별이 지속되면 고통받는 사람들이 생기고 우리 사회에 갈등이 심해질 수 있습니다.

(3) 편견과 차별을 없애기 위한 다양한 노력

① 관련 법이나 기관을 만듭니다.

② 캠페인을 벌이거나 공익 광고를 합니다.

③ 능력을 발휘할 기회를 제공하고, 서로 소통하여 이해하도록 합니다.

④ 다양한 문화를 가진 사람들이 서로의 문화를 이해하는 자리를 만듭니다.

❹ 다양한 문화를 존중하는 마음의 실천

(1) 직접 겪었거나 본 적이 있는 편견이나 차별의 사례를 찾습니다.

(2) 편견과 차별이 일어나는 원인과 해결 방안을 토의합니다.

(3) 해결 방안을 실천하는 방법을 정하고, 이를 실천합니다.

(4) 일상생활 속에서 서로 다른 문화를 이해하고 존중하는 태도를 가지는 것이 중요합니다.

가로 톡! 세로 톡! 퍼즐 ③ 사회 변화와 문화 다양성

📍정답과 해설 26쪽

🧩 가로 문제와 세로 문제를 읽고, 퍼즐을 풀어 보세요.

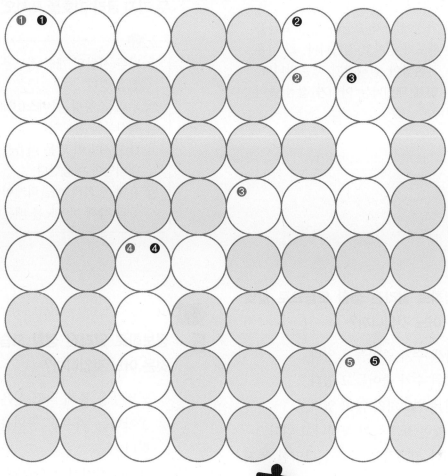

가로 문제

❶ □□□은/는 태어나는 아이의 수가 줄어드는 현상을 말합니다.

❷ 편견과 차별을 없애기 위해 있는 그대로를 □□하고 차이를 존중하는 자세가 필요합니다.

❸ 세계 여러 나라가 다양한 분야에서 교류하고 서로 영향을 주고받으면서 가까워지는 현상을 □□□(이)라고 합니다.

❹ 문화는 사람들이 가지고 있는 □□의 생활 방식을 뜻합니다.

❺ □□은/는 어떤 기준을 두어 사람들을 구별하고 다르게 대우하는 것을 말합니다.

세로 문제

❶ 정보화 사회의 문제점 중 한 가지인 □□□ □□을/를 해결하는 방법으로는 다른 사람의 글을 인용할 때 출처를 밝히는 것이 있습니다.

❷ 전체 인구 가운데 65세 이상 □□ 인구가 차지하는 비율이 높아지는 현상을 고령화라고 합니다.

❸ 사회가 발전하고 변화하는 데 정보와 지식이 중심 역할을 하는 것을 □□□(이)라고 합니다.

❹ □□ □□은/는 사람들의 편견과 차별을 줄일 수 있는 방법으로, 공공의 이익을 목적으로 하는 광고입니다.

❺ 사람들은 피부색, 종교, 출신 지역 나이 등에 □□이/가 있습니다. 이러한 □□을/를 인정하지 않고 한쪽으로 치우친 생각이나 의견을 가지면 차별이 나타날 수 있습니다.

1 빈칸에 들어갈 알맞은 말을 쓰시오.

> 최근 다자녀 가정에 기차 요금과 전기 요금을 할인해 주는 제도가 생기고 있습니다. 그 이유는 □□□ 현상이 심해졌기 때문입니다. 이 현상으로 인해 태어나는 아이가 점점 줄어들고 있습니다.

중요

2 저출산·고령화로 달라진 생활 모습으로 알맞지 <u>않은</u> 것은 어느 것입니까? (   )

① 학급당 학생 수가 줄어들고 있다.
② 가족 구성원 수가 줄어들고 있다.
③ 가족 형태는 변화하지 않고 있다.
④ 일자리를 찾는 노인들이 늘어나고 있다.
⑤ 노인을 위한 전문적인 시설과 다양한 복지 제도가 늘어나고 있다.

서술형

3 지후의 이야기를 읽고 알 수 있는 사회 변화와 그 의미를 서술하시오.

> 지후는 오늘 아침 아버지께서 읽으시던 신문의 기사 제목을 보았습니다. 「노인 일자리·사회 활동 지원 덕분에 신나고 즐거운 노후」라는 기사의 제목을 보고, 왜 그런 지원이 생겼는지 궁금해졌습니다.

4 정보화 사회에서 나타나는 문제점을 보기 에서 두 가지 골라 기호를 쓰시오.

> **보기**
> ㉠ 다른 사람의 개인 정보를 이용하여 비싼 물건을 산다.
> ㉡ 누리 소통망 서비스(SNS)를 통해 지역의 특산물을 홍보한다.
> ㉢ 다른 사람이 만든 작품을 허락 없이 함부로 내려받아 이용한다.
> ㉣ 휴대 전화의 애플리케이션을 활용해 친구들과 함께 피아노를 배운다.

중요

5 정보화로 달라진 생활 모습으로 알맞지 <u>않은</u> 것은 어느 것입니까? (   )

① 인터넷을 통해 먹고 싶은 음식을 주문한다.
② 좋아하는 가수의 공연을 인터넷으로 예매한다.
③ 애플리케이션을 활용해 미세 먼지 수치를 확인한다.
④ 이탈리아 음식을 먹기 위해 직접 음식점을 방문한다.
⑤ 인공 지능 스피커가 자동으로 분위기에 어울리는 음악을 재생한다.

6 빈칸에 들어갈 알맞은 말을 쓰시오.

> □□□□(이)란 세계 여러 나라가 다양한 분야에서 교류하고 서로 영향을 주고받으면서 가까워지는 현상입니다. 이것의 영향으로 다른 나라의 음식을 쉽게 사 먹을 수 있고, 다양한 문화를 접할 수 있습니다.

7 다음 대화를 읽고, 수정이가 가지고 있는 문제점을 서술하시오.

> **철기:** 깜짝이야! 수정아, 갑자기 왜 마녀 복장을 했어? 오른손에 호박 바구니는 뭐야?
> **수정:** 핼러윈 데이도 모르니? 미국의 대표적인 어린이 축제라고. 미국 문화는 모두 뛰어나고 좋은 거니까 알고 실천해야 해.

_____

_____

8 다음 글과 관련 있는 사회 변화로 알맞은 것은 어느 것입니까?　　　　　(　)

> 서울특별시 서초구에 있는 서래 마을은 프랑스인들이 많이 거주하는 마을입니다. 이곳에서는 프랑스어가 쓰인 소화전을 볼 수 있습니다.

① 세계화　　② 도시화　　③ 정보화
④ 고령화　　⑤ 저출산

9 베트남의 설날 문화에 대한 설명을 읽고, 우리나라 설날 문화와의 공통점을 서술하시오.

> 〈베트남의 설날 문화〉
> • 새 옷을 선물하거나 사 입습니다.
> • 차례를 지냅니다.
> • 어린이들이 어른에게 새해 인사를 하고, 어른들은 덕담과 함께 용돈을 줍니다.
> • 바나나잎으로 싼 둥근 원통 모양의 전통 음식인 '바인땟'이라는 떡을 먹습니다.

_____

10 일상생활 속에서 볼 수 있는 문화의 모습으로 알맞지 않은 것은 어느 것입니까?　(　)

① 영화관에 가서 영화를 봤다.
② 모기에 물려 피부가 간지럽다.
③ 휴일에 가족과 함께 산책을 한다.
④ 식당에 가서 인도 음식을 사 먹는다.
⑤ 누리 소통망 서비스(SNS)에 사진을 올렸다.

11 그림에 나타난 편견이 무엇에 대한 것인지 보기 에서 골라 기호를 쓰시오.

> 보기
> ㉠ 나이에 가지는 편견
> ㉡ 옷차림에 가지는 편견
> ㉢ 피부색에 가지는 편견
> ㉣ 식사 방법에 가지는 편견

12 편견과 차별이 지속되면 나타날 수 있는 문제를 보기 에서 두 가지 골라 기호를 쓰시오.

> 보기
> ㉠ 사회의 분위기가 좋아질 것이다.
> ㉡ 고통받는 사람들이 생길 것이다.
> ㉢ 사람들 사이에 갈등이 심해질 것이다.
> ㉣ 자신의 능력을 잘 발휘할 수 있을 것이다.

13 편견과 차별을 없애기 위한 노력으로 알맞지 <u>않은</u> 것은 어느 것입니까? ( )

① 편견이나 차별을 없애자는 캠페인을 벌인다.
② 서로 다른 생각이나 문화를 이해하려고 노력한다.
③ 한쪽으로 치우치지 않는 생각을 하도록 노력한다.
④ 차이가 있는 사람들끼리는 최대한 만나지 않도록 한다.
⑤ 노인, 장애인들이 능력을 발휘할 수 있는 기회를 제공한다.

14 다문화 가족 지원법을 만든 까닭으로 알맞은 것을 보기에서 <u>두 가지</u> 골라 기호를 쓰시오.

> 보기
> ㉠ 고령화 현상을 대비하기 위해서이다.
> ㉡ 다문화 가족의 삶의 질을 높이기 위해서이다.
> ㉢ 장애를 가진 사람들에 대한 편견을 없애기 위해서이다.
> ㉣ 다문화 가족의 안정적인 가족생활을 보장하기 위해서이다.

15 빈칸에 공통으로 들어갈 알맞은 말을 쓰시오.

> 모든 [ ][ ]은/는 그 나름의 가치가 있으므로 서로 다른 [ ][ ]을/를 이해하고 존중해야 합니다. 우리 사회는 다양한 [ ][ ]을/를 존중하고 편견과 차별을 없애기 위해 여러 가지 노력을 하고 있습니다.

16 편견과 차별을 없애기 위한 방안을 실천하는 활동을 할 때 가장 먼저 할 일로 알맞은 것은 어느 것입니까? ( )

① 해결 방안을 실천에 옮기기
② 편견과 차별의 해결 방안 토의하기
③ 편견과 차별이 나타나는 원인 토의하기
④ 해결 방안을 실천할 수 있는 방법 정하기
⑤ 직접 겪거나 본 적이 있는 편견과 차별의 사례 찾기

서술형

17 우리나라의 해녀 문화를 알리는 문화 소개서를 만들 때, 들어갈 내용을 서술하시오.

18 미래 사회의 직업을 예측하는 과정으로 알맞은 것을 보기에서 <u>두 가지</u> 골라 기호를 쓰시오.

> 보기
> ㉠ 미래 사회는 현재와 큰 변화가 없을 것이므로 지금의 직업에 대해 조사한다.
> ㉡ 미래 사회의 변화 모습을 바탕으로 어떤 직업이 생길지 자유롭게 표현해 본다.
> ㉢ 예측한 미래 직업이 현재 있는 직업인지 확인하고, 없는 경우 다른 것으로 바꾼다.
> ㉣ 저출산·고령화, 세계화, 정보화의 특징을 고려해 미래 사회의 변화 모습을 생각한다.

1 오늘날 나타난 사회 변화로 알맞지 <u>않은</u> 것은 어느 것입니까? ( )

① 정보화 ② 고령화
③ 저출산 ④ 세계화
⑤ 계급화

2 다음 그림은 사회 변화에 대비하기 위한 노력을 나타냅니다. 이와 관련 있는 사회 변화로 알맞은 것은 어느 것입니까? ( )

함께해서 더 즐거운 운동회

▲ 소규모 학교들의 함께하는 운동회

① 세계화 ② 다양화
③ 정보화 ④ 지역화
⑤ 저출산

서술형

3 다음 대화를 읽고, 밑줄 친 부분에 들어갈 알맞은 내용을 서술하시오.

> 승기: 어! 여기 좀 봐. 이상한 기호가 있네. 무슨 의미일까?
> 주희: 그 기호들은 저작권과 관련된 표시야.
> 승기: 그래? 신기하다. 이렇게 저작권 기호들이 있는 것을 보니 저작권을 지키는 게 중요하다는 것을 다시 한번 느끼게 되었어.
> 주희: 그렇지. 저작권을 지키기 위해서는 어떤 태도를 가져야 할까?
> 승기: 저작권을 지키기 위해서는 _____

4 빈칸에 들어갈 알맞은 말을 쓰시오.

□□□ 현상은 전체 인구 가운데 65세 이상 노인 인구가 차지하는 비율이 높아지는 현상을 말합니다. 이러한 현상으로 인해 노인들의 병을 전문적으로 치료하는 병원의 수가 늘어나고 있습니다.

5 정보화 사회에서 나타나는 문제점의 해결 방안을 보기에서 두 가지 골라 기호를 쓰시오.

> **보기**
> ㉠ 인터넷에서 사용하는 비밀번호를 자주 바꾼다.
> ㉡ 다른 사람에게 댓글을 쓸 때에는 예의를 지킨다.
> ㉢ 누리 소통망 서비스(SNS)를 통해 친구들에 대한 모든 소문을 최대한 퍼뜨린다.
> ㉣ 정보를 효율적으로 쓰기 위해 음악과 영화를 최대한 인터넷에서 불법으로 내려받는다.

6 빈칸에 들어갈 알맞은 말을 쓰시오.

□□□(으)로 인해 일상생활 속에서 외국에서 만들어진 물건을 우리나라에서도 쉽게 접할 수 있습니다. 이 현상은 세계 여러 나라가 다양한 분야에서 교류하며 영향을 주고받는 것을 말합니다.

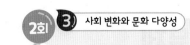
💬 서술형

7 다음에서 알 수 있는 사회 변화와 이로 인해 나타나는 일상생활 모습의 다른 예를 서술하시오.

> 현준: 주말에 차이나타운에 가서 중국의 전통 음식을 맛있게 먹었어.
> 선민: 나는 ○○ 타워에 갔는데, 다양한 나라의 관광객들이 아주 많이 있었어.

_____

_____

8 세계화로 나타나는 부정적인 영향을 보기에서 두 가지 골라 기호를 쓰시오.

> **보기**
> ㉠ 한 나라에서 발생한 바이러스가 전 세계에 빠르게 퍼진다.
> ㉡ 다른 나라의 문화에만 관심을 가지고, 전통 문화에 대해 관심을 갖지 않는다.
> ㉢ 세계 기후 변화라는 문제에 캠페인 등의 행사를 통해 함께 협력하여 참여한다.
> ㉣ 외국에서 열리는 시상식에 참여한 우리나라 배우의 모습을 실시간으로 볼 수 있다.

_____

🔴중요

9 사회 변화에 따른 일상생활의 모습으로 알맞지 않은 것은 어느 것입니까? (　　　)

① 저출산으로 출생아 수가 줄어들고 있다.
② 고령화로 노인 복지 제도가 늘어나고 있다.
③ 세계화로 인해 우리나라에서도 다른 나라의 문화를 접할 수 있다.
④ 정보화로 인해 인터넷으로 다양한 정보를 얻거나 주고받을 수 있다.
⑤ 세계화로 인해 디지털 교과서로 다양한 정보를 이용해 공부할 수 있다.

🔴중요

10 사회 변화로 나타난 일상생활의 특징을 모둠별로 조사해서 발표할 때 가장 먼저 해야 하는 일로 알맞은 것은 어느 것입니까? (　　　)

① 모둠이 선택한 사회 변화의 특징이 나타난 자료를 조사한다.
② 모둠이 만든 발표 자료를 다른 친구들이 이해하기 쉽도록 발표한다.
③ 발표를 들은 후에 자신의 생각을 다른 친구들과 함께 적극적으로 나눈다.
④ 조사한 내용을 정리해 사회 변화의 특징이 드러나게 발표 자료를 만든다.
⑤ 저출산·고령화, 정보화, 세계화 가운데 하나의 사회 변화 모습을 주제로 정한다.

11 문화에 대한 설명으로 알맞은 것을 보기에서 두 가지 골라 기호를 쓰시오.

> **보기**
> ㉠ 사람들의 옷차림은 문화가 아니다.
> ㉡ 문화는 모든 사회에서 비슷하게만 나타난다.
> ㉢ 문화는 사람들이 가지고 있는 공통의 생활 방식이다.
> ㉣ 문화는 사람들이 함께 생활하면서 만들어지고 전해진다.

12 빈칸에 들어갈 알맞은 말을 쓰시오.

> 다른 나라 사람들과 교류가 많아지면서 외국의 음식이나 놀이, 음악 등이 우리 사회에 전파되고 있습니다. 이에 따라 우리는 일상생활에서 다양한 ☐☐을/를 경험하고 있습니다.

_____

13 빈칸에 들어갈 알맞은 말을 쓰시오.

'나이가 많으면 컴퓨터를 잘 다루지 못한다', '손으로 음식을 먹는 것은 이상하다' 등의 생각이나 의견은 모두 ☐☐에 해당합니다.

14 빈칸에 공통으로 들어갈 말로 알맞은 것은 어느 것입니까? ( )

어떤 기준을 두어 사람들을 구별하고 다르게 대우하는 것을 ☐☐(이)라고 합니다. 우리 주변에서 종교, 나이, 피부색, 출신 지역, 언어 등이 다르다는 이유로 ☐☐받는 사람들이 있습니다.

① 이해   ② 차이
③ 차별   ④ 구분
⑤ 존중

🔷 서술형

15 다음 글을 읽고, 병규가 수미에게 해 줄 수 있는 성별에 따른 편견의 예시를 서술하시오.

수미는 책에서 우리 사회에 퍼져 있는 성별에 따른 편견이 많다는 내용을 보았습니다. 그 내용을 읽고, 수미는 곰곰이 고민해 보았지만 잘 생각나지 않았습니다. 그래서 가장 친한 친구인 병규에게 경험했거나 본 적이 있는 성별에 따른 편견을 물어보기로 했습니다.

16 편견으로 알맞은 것을 보기에서 두 가지 골라 기호를 쓰시오.

보기
㉠ 여자가 남자보다 요리를 잘한다.
㉡ 좋아하는 음식은 사람들마다 다를 수 있다.
㉢ 사람들은 각자 다양한 생각을 가지고 있다.
㉣ 장애인은 모든 일에 서투르므로 항상 도움이 필요하다.

🔷 서술형

17 다음 「동물 농장」 이야기를 읽고, 문제점을 해결할 수 있는 방안을 서술하시오.

양들은 자신과 다르게 생겼다며 염소를 가까이하지 않고 동물 농장에서 쫓아냅니다. 염소는 양들과 같은 모습이 되고 싶어서 양들의 털을 모아 뜨개질한 옷을 입고 뿔을 잘라 양인 척했습니다. 하지만 염소의 옷에서 실밥 한 올이 빠져 옷이 다 풀어졌고, 결국 염소라는 사실이 들통나 염소는 다시 외톨이가 됩니다.

18 편견을 가지지 않고 서로 다름을 이해하고 존중하는 태도를 가진 어린이는 누구입니까? ( )

① 성민: 손으로 음식을 먹는 건 이상해.
② 진철: 외국인은 모두 영어를 잘할 거야.
③ 지은: 피부색이 다른 친구는 잘 안 씻어.
④ 경진: 남자아이들은 모두 꼼꼼하지 못해.
⑤ 지혜: 나이가 많은 사람도 사용법을 배우면 스마트폰을 잘 사용할 수 있을 거야.

1 다음 설명을 읽고 물음에 답하시오.

> (가) 현상으로 나타난 사회 변화: 학교 알림이 공시 자료에 따르면 입학생이 10명 이하인 초등학교가 1,479곳이나 되었습니다.
> (나) 현상으로 나타난 사회 변화: 다양한 분야에서 노인 일자리를 제공하고 사회 활동을 지원하는 사업이 펼쳐지고 있습니다.

(1) (가), (나)가 무엇인지 각각 쓰시오.

_____

(2) (가) 현상에 대비하는 방법을 서술하시오.

_____

> 평가 실마리
> • **관련 내용** 교과서 102~105쪽, 개념 톡톡 106쪽
> • **출제 의도** 저출산·고령화로 달라진 일상생활 모습 알아보기
> • **선생님의 한마디**
> "초등학교에 입학하는 학생 수가 줄어드는 현상과 관련된 사회 변화가 무엇인지 생각해 봐!"

2 그림에 나타난 정보화 사회의 문제점을 서술하시오.

_____

> 평가 실마리
> • **관련 내용** 교과서 108~109쪽, 개념 톡톡 108쪽
> • **출제 의도** 정보화 사회의 문제점
> • **선생님의 한마디**
> "정보화 사회에서는 편리한 점과 함께 문제점도 나타나."

3 다음 대화에서 지운이가 이어서 할 말로 알맞은 내용을 두 가지 이상 서술하시오.

> **지운:** 이번에 새로운 액션 영화가 나왔대. 우리도 영화관에 보러 가자!
> **정욱:** 그래? 그러면 굳이 영화관에 갈 필요 없이 인터넷에서 바로 무료로 내려받아 봐야겠다.
> **지운:** 그건 안 될 것 같아. 왜냐하면 _____
> _____

> 평가 실마리
> • **관련 내용** 교과서 108~109쪽, 개념 톡톡 108쪽
> • **출제 의도** 정보화 사회의 문제점과 해결 방안 알아보기
> • **선생님의 한마디**
> "정보화 사회의 문제점과 해결 방안을 함께 알아야 한단다!"

4 다음을 통해 알 수 있는 사회 변화를 쓰고, 그 사회 변화가 주는 부정적인 영향을 서술하시오.

> 타코는 멕시코의 대표적인 요리 중 하나입니다. 본래는 옥수수로 만든 빵 자체를 의미했지만, 현재는 멕시코식 샌드위치로 널리 알려져 있습니다. 타코는 옥수숫가루 반죽을 살짝 구워 만든 토르티야라는 빵에 채소나 고기를 싸서 먹습니다. 최근에는 우리나라에서도 멕시코 음식인 타코를 맛볼 수 있습니다.

_____

> 평가 실마리
> • **관련 내용** 교과서 110~113쪽, 개념 톡톡 110쪽
> • **출제 의도** 세계화로 나타나는 문제점 알아보기
> • **선생님의 한마디**
> "세계화는 긍정적인 영향과 함께 부정적인 영향을 주기도 해."

5 (가)와 (나) 문화의 차이점을 서술하시오.

(가) 우리나라의 설날 음식

▲ 떡국

(나) 베트남의 설날 음식

▲ 바인땟

_____

6 다음과 같이 일상생활에서 다양한 문화를 경험할 수 있는 까닭을 서술하시오.

• 다른 나라의 전통 춤 공연을 보았습니다.
• 다른 나라의 전통 놀이를 즐겼습니다.
• 시장에 있는 스페인 음식점에서 스페인 음식을 사 먹었습니다.

_____

7 다음 설명을 읽고, 다양한 문화에 대해 가져야 하는 자세를 <u>두 가지</u> 이상 서술하시오.

플라멩코란 노래, 춤, 음악적 기교가 합쳐진 예술적 표현을 말합니다. 플라멩코의 중심지는 에스파냐 남부의 안달루시아입니다. 플라멩코에서는 다양한 감정과 심리 상태가 여러 가지 방법으로 나타나며, 열정과 구애의 춤으로 슬픔부터 기쁨까지 풍부한 상황을 표현합니다.

_____

8 다음은 우리 주변에서 볼 수 있는 편견을 정리한 표입니다. 편견을 없애기 위해 우리가 할 수 있는 노력을 <u>두 가지</u> 이상 서술하시오.

친구들이 말한 편견	내가 가지고 있나요?	
	예	아니요
손으로 음식을 먹는 사람들을 이상하게 봄.		
특정한 종교를 가진 사람은 친해지기 어려움.		
피부색이 다른 친구와는 친해지기 어려움.		

_____

MEMO

초등 사회
자습서&평가문제집 4-2

정답

금성출판사

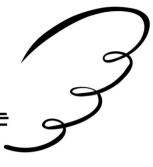

푸르넷

학교 성적에 날개를 달아 주는
완전 학습 프로그램

푸르넷 본교재
교과 내용을 철저히 분석하여 핵심 내용을 체계적으로 학습할 수 있는, 학교 내신 대비에 최적화된 교재

푸르넷 공부방 맞춤형 지도
'두 번째 담임 선생님'으로 불리는 풍부한 경험과 노하우를 갖춘 선생님의 전문적인 지도. 개별 밀착 지도로 체계적인 맞춤 지도가 가능!

푸르넷 아이스쿨
동영상 강의와 다양한 멀티미디어 학습 자료, 문제 은행을 지원하는 학습 평가 인증 시스템

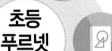

초등 푸르넷 학습 시스템

온라인 보충 학습 콘텐츠
과목별 멀티미디어, 독서·논술, 영어 문법 및 내신 대비 등 다양한 보충 학습 자료로 학습과 재미를 동시에!

푸르넷 주간학습
본교재와 함께하는 주간별 자기 주도 학습. 온라인 강의와 수학 수준별 문제 제공!

우리학교 시험대비
기출문제를 분석하여 출제율 높은 문제로 엄선하여 구성한 학교 시험 대비 교재

전 과목 학습지 초등 푸르넷

본교재
개념 – 유형 – 서술형 – 단원 마무리까지 체계적인 학습
• 1~6학년 국어, 수학, 사회, 과학(월 1권)

주간 평가 교재
주간별 실력 점검으로 만점 대비
• 1~6학년 국어, 수학, 사회, 과학(월 1권)

보충 학습 교재
과목별 배경지식과 사고력 향상
• 1~6학년 푸르넷 프렌즈(월 1권)

온라인 강의
쉽고 재밌는 동영상 강의와 멀티미디어 학습
• 푸르넷 아이스쿨, 영어 보충 학습실

부록
• 1~6학년 우리학교 시험대비(학기별 1권)
• 3~6학년 사회·과학 알짜 핵심 노트(학기별 1권)

초등 사회
자습서 & 평가문제집 4-2

정답

톡 톡

개념 톡톡 정답과 해설

문제 톡톡 정답과 해설

금성출판사

차례

개념 정답과 해설

문제 정답과 해설

사 회를 이 해하고 다 함께 탐구하자!

1 촌락과 도시의 생활 모습

1 촌락과 도시의 특징

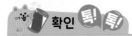

13쪽 **1** ㉢, ㉣ **2** (1) ○ (2) ○
15쪽 **1** 자연환경 **2** (1) ㉡ (2) ㉠ (3) ㉢
17쪽 **1** ㉠, ㉡, ㉣
19쪽 **1** 촌락 **2** (1) × (2) ○
21쪽 **1** 인구 감소 **2** 귀촌
23쪽 **1** 환경 문제 **2** 교통 문제
25쪽 **1** 공익 광고 **2** ㉢-㉠-㉡-㉣

27~29쪽

1 촌락 **2** ⑩ 논과 밭에서 농사를 짓습니다. 과수원에서 과일을 기릅니다. **3** ④ **4** 어촌 **5** ㉠, ㉣ **6** ④ **7** 서비스 **8** ⑩ 도시에서는 높은 건물이 보이고 촌락에서는 낮은 건물이 보입니다. **9** ④ **10** 교통 시설 부족 **11** ⑤ **12** ㉡, ㉣ **13** 이웃 간 갈등 **14** ⑩ 주택 부족 문제, 아파트를 지어야 합니다. **15** ④ **16** ⑩ 마을에 있는 저수지에서 밤낚시를 하거나 마을을 산책하는 것입니다. **17** ⑩ 백화점, 사람들에게 물건을 판매합니다.

---

1 자연환경을 주로 이용하여 살아가는 지역은 촌락입니다. 촌락은 사람들의 생활 모습에 따라 농촌, 어촌, 산지촌으로 구분할 수 있습니다.

한눈에 쏙쏙 촌락의 구분

농촌	논과 밭에서 곡식이나 채소를 기르는 농업을 함. 비닐하우스, 정미소와 같은 농업 관련 시설이 있음.
어촌	바다에서 물고기를 잡거나 김과 미역을 따는 어업을 함. 등대나 수산물 직판장과 같은 어업 관련 시설이 있음.
산지촌	산에서 나무를 길러 목재를 생산하거나 버섯을 재배하는 임업을 함. 버섯 농장이나 양봉장 같은 임업 관련 시설이 있음.

2 촌락 중 농촌에 대한 설명입니다. 농촌에 사는 사람들은 논과 밭에서 곡식이나 채소를 기르는 일 등 농업을 주로 합니다.

> **[채점 기준]** '논과 밭에서 농사를 짓는다', '과수원에서 과일을 기른다' 등의 내용 중 한 가지를 포함하여 바르게 썼다.

3 양식장을 만들어 김과 미역을 기르는 것은 어촌에서 볼 수 있는 사람들의 생활 모습입니다. 산지촌에서 볼 수 있는 생활 모습으로는 ① 산나물을 캐는 모습, ② 벌을 기르는 양봉을 하는 모습, ③ 산에서 나무를 기르는 모습, ⑤ 버섯 농장을 하거나 목장에서 가축을 기르는 모습 등이 있습니다.

4 어촌에 사는 사람들은 바다에서 물고기를 잡거나 김과 미역을 따는 일 등 어업을 주로 합니다. 또 어업에 필요한 기구를 팔거나 배를 수리하는 일을 하기도 합니다. 어촌에서는 갯벌, 양식장, 횟집, 숙박 시설, 등대, 수산물 직판장 등을 볼 수 있습니다.

5 도시에는 사람과 높은 건물이 많고 여가 생활을 즐길 수 있는 문화 시설이 풍부합니다. ㉡ 도시에는 집들이 주로 모여 있고, ㉢ 사람들이 자연환경을 주로 이용하여 생활하는 곳은 촌락입니다.

6 세종특별자치시는 행정 중심 도시로 계획하여 만든 도시입니다. 수도권에서 세종특별자치시로 옮겨진 공공 기관들이 많이 있습니다.

7 도시 사람들은 다양한 일을 하며 살아갑니다. 그중 영화관이나 도서관 등의 문화 시설에서 서비스를 제공하는 일이 있습니다. 서비스는 남을 위해 도움을 주는 것을 뜻합니다.

8 사진에 나타난 촌락과 도시는 모두 바다 가까이에 있지만 보이는 풍경은 다릅니다. 도시에서는 높은 건물과 공장 등이 보이고 촌락에서는 어업을 하기 위한 배와 낮은 건물들이 보입니다.

> **[채점 기준]** '도시에서는 높은 건물이 보이고 촌락에서는 낮은 건물이 보인다', '도시에는 공장이 있고 촌락에는 배가 있다' 등의 내용을 포함하여 바르게 썼다.

9 늦은 시간에도 영화관에서 여가 생활을 즐기는 모습은 주로 도시에서 볼 수 있는 생활 모습입니다. 촌락에서는 영화관과 같은 인문환경을 이용한 여가 생활보다 주로 자연환경을 이용한 여가 생활을 즐깁니다.

10 촌락에는 교통 시설이 부족하여 버스 등의 대중교통을 이용하기 힘듭니다.

11 주차 공간 부족은 도시에서 주로 발생하는 문제입니다.

한눈에 쏙쏙 촌락에서 나타나는 문제

학생 수 부족	촌락의 전체 인구가 점점 줄어들어 학생 수가 부족하여 학교가 문을 닫고 있음.
일손 부족	일을 할 수 있는 사람이 줄어들어 농사지을 때 일손이 부족함.
소득 감소	외국에서 값싼 농산물이 들어와서 우리 농산물이 잘 팔리지 않아 소득이 감소함.
시설 부족	도시에 비해 교통 시설, 의료 시설, 편의 시설, 문화 시설 등이 부족함.

12 촌락의 일손 부족을 해결하기 위해 농업용 드론과 같은 다양한 기계와 최첨단 기술을 활용할 수 있습니다. 또한 촌락의 인구를 늘리기 위해서 귀촌에 관한 정책을 만들기도 합니다. ㉠ 촌락의 소득을 높이기 위해 품질 좋은 농수산물을 생산하고 새로운 품종을 개발하여 생산량을 늘려야 하며, ㉡ 촌락 사람들의 편리한 생활을 위해 부족한 문화 시설 등을 만들어야 합니다.

13 도시에서는 층간 소음에 따른 이웃 간 갈등을 해결하기 위해 해당 분쟁을 조정하는 센터를 만들기도 합니다.

14 도시의 인구가 계속 늘어나면서 여러 문제가 생기고 있습니다. 많은 인구에 비해 주택 수가 부족하고, 자동차가 많아 교통이 혼잡하며 주차 공간도 부족합니다. 그리고 환경 오염 문제도 일어나고 있습니다.

> [채점 기준] '주택 부족 문제, 아파트를 지어야 한다', '교통 문제, 대중교통을 이용한다, 카풀을 활용한다, 차량 2부제나 자동차 요일제 등의 교통 관련 정책을 시행한다', '주차 공간 부족 문제, 공용 주차장을 만든다', '환경 문제, 쓰레기를 분리해서 배출한다, 길에 쓰레기통과 분리수거함을 설치한다, 공장에는 오염된 물을 정화하는 시설을 설치한다' 등의 내용을 포함하여 도시의 문제와 해결 방안을 바르게 썼다.

15 교통 혼잡과 같은 교통 문제와 대기 오염과 같은 환경 문제는 도시에서 주로 발생합니다. ① 인구 감소, ② 의료 시설 및 편의 시설 부족, ③ 일손 부족, ⑤ 외국 농산물 수입으로 인한 소득 감소의 문제는 촌락에서 주로 발생합니다.

16 농촌에서는 저수지에서 밤낚시를 하거나 마을을 산책하면서 여가 시간을 보낼 수 있습니다. 농촌에서의 여가 생활은 주로 자연환경을 이용하는 경우가 많습니다.

> [채점 기준] '마을에 있는 저수지에서 밤낚시를 하는 것입니다', '마을에 있는 저수지 주변 산책길을 산책하는 것입니다' 등의 내용을 포함하여 바르게 썼다.

17 도시에서 볼 수 있는 시설로는 백화점이 있고, 그곳에서 일하는 사람은 손님들에게 물건을 판매합니다. 이 외에도 도시에는 공공 기관, 회사, 공장, 영화관 등 다양한 시설들에서 할 수 있는 여러 가지 일이 있습니다.

> [채점 기준] '백화점, 사람들에게 물건을 판매한다', '회사, 여러 가지 일을 한다', '공장, 물건을 만든다' 등의 내용을 포함하여 바르게 썼다.

2 함께 발전하는 촌락과 도시

확인

33쪽 1 교류 2 ㉎ 가정 간 교류, 학교 간 교류
35쪽 1 생산 2 촌락 체험 활동
37쪽 1 자매결연 2 단오제
39쪽 1 ㉡-㉢-㉣-㉠

주제 톡톡 문제

41~43쪽

1 교류 **2** ㉎ 이웃집에서 우리 집에 음식을 주어서 우리 집에서도 이웃집에 과일을 주었습니다. **3** ② **4** 발전 **5** ④ **6** ㉎ 도시에서는 종합 병원을 방문할 수 있습니다. **7** ② **8** ⑤ **9** 농수산물 직거래 장터 **10** ⑤ **11** 상호 의존 **12** 강릉 단오제 **13** 부산 국제 영화제 **14** ㉎ 도시 사람들은 좋은 물건을 싸게 구입할 수 있으며, 촌락 사람들은 농수산물 판매로 소득을 올릴 수 있습니다. **15** ⑤ **16** ㉎ 체험 활동을 운영하면서 생긴 소득으로 경제적 이익을 얻을 수 있습니다. **17** 교류, ㉎ 도시와 촌락은 농수산물 직거래 장터를 통해서 교류합니다.

---

1 물건, 문화, 기술 등을 주고받거나 사람이 오가면서 서로 도움을 주고 가깝게 지내는 것을 교류라고 합니다.

2 이웃과의 교류나 학교에서 있었던 교류의 경험을 생각해 볼 수 있습니다.

> [채점 기준] '이웃집에서 우리 집에 음식을 주어서 우리 집에서도 이웃집에 과일을 주었다', '다른 학교 친구들과 함께 보드게임 동아리 활동을 했다' 등의 내용을 포함하여 바르게 썼다.

3 연합 동아리 활동이나 학교 스포츠 클럽 대회 등은 학교 간 교류를 통해 이루어집니다.

4 촌락과 도시는 교류를 통해 서로 부족한 점을 채워주고 도움을 주고받으면서 함께 발전할 수 있습니다.

5 촌락과 도시는 서로 생산되는 것이 다르고 부족한 것이 다르기 때문에 교류가 필요합니다. 부족한 것이 다른 이유는 ① 촌락과 도시의 문화, ② 생산되는 물건, ③ 지니고 있는 기술, ⑤ 이용할 수 있는 자연환경 등이 다르기 때문입니다. 이는 주민들의 나이와는 상관이 없습니다.

6 도시에는 종합 병원, 공연장, 백화점, 대형 상점가 등 여러 가지 편리한 시설이 있습니다. 도시는 촌락에 비해 인문환경이 발달했습니다.

> **[채점 기준]** '도시에서는 종합 병원을 방문할 수 있다', '도시에서는 늦은 시간에도 음식점에 가거나 영화관에 갈 수 있다' 등의 내용을 포함하여 바르게 썼다.

7 도시 사람들이 등산, 낚시, 농촌 체험 등을 하며 여가를 즐기기 위해 촌락을 찾습니다.

8 촌락 사람들이 도시에 있는 백화점을 이용합니다.

9 농수산물을 살 사람과 팔 사람이 직접 거래하는 장터는 농수산물 직거래 장터입니다.

10 농촌 체험장은 촌락에서 이용할 수 있는 시설이기 때문에 촌락 사람들이 이를 이용하려고 도시로 가지는 않습니다.

11 촌락과 도시는 지역 축제를 통해 교류하면서 상호 의존하고 있습니다. 촌락과 도시 모두 지역 축제를 통해서 얻을 수 있는 좋은 점이 있습니다. 촌락에서 축제가 열리면 도시 사람들은 촌락의 축제에 참여하여 그 지역의 특산물을 구매할 수 있습니다. 또 축제 기간에 많은 사람이 모이면 경제활동이 더욱 활발해져 촌락 지역의 소득을 높일 수 있습니다.

12 강릉 단오제는 강원도 강릉에서 개최하며, 가장 대표적인 단오 행사이자 지역 축제입니다.

13 부산 국제 영화제는 부산광역시에서 개최하며 다양한 나라의 영화를 초청하여 상영하는 국제적인 지역 축제입니다. 이러한 지역 축제를 통해 서로 다른 지역의 사람들끼리 친분을 쌓을 수 있고, 지역의 소득을 높일 수도 있습니다.

14 농수산물 직거래 장터에서 도시 사람들은 좋은 물건을 싸게 살 수 있고, 촌락 사람들은 이를 통해 소득을 올릴 수 있습니다.

> **[채점 기준]** '도시 사람들은 좋은 물건을 싸게 구입할 수 있다', '도시 사람들은 촌락에 가지 않고도 편리하게 농산물을 구입할 수 있다', '촌락 사람들은 농수산물을 한 자리에 모아놓고 편리하게 판매할 수 있다', '촌락 사람들은 농수산물 판매로 소득을 올릴 수 있다' 등의 내용 중 도시와 촌락 각각 한 가지를 포함하여 바르게 썼다.

15 지역 축제를 통해 촌락과 도시는 서로 부족한 점을 채워 주며 교류할 수 있습니다.

16 촌락 사람들은 농촌 체험 활동을 운영하면서 경제적 이익을 얻어 농가의 소득을 올릴 수 있습니다.

> **[채점 기준]** '체험 활동을 운영하면서 생긴 소득으로 경제적 이익을 얻을 수 있다'는 내용을 포함하여 바르게 썼다.

17 촌락과 도시의 사람들은 서로 부족한 것을 채워 주는 교류를 하면서 상호 의존하고 있습니다. 촌락과 도시의 교류의 예로는 지역 축제, 농수산물 직거래 장터 등이 있습니다.

> **[채점 기준]** '도시와 촌락은 농수산물 직거래 장터를 통해서 교류한다', '도시와 촌락은 지역 축제를 통해서 교류한다' 등의 내용을 포함하여 바르게 썼다.

쪽지 시험
48쪽

1 자연환경 **2** 농촌 **3** 도시 **4** 서비스 **5** ○ **6** 이웃 분쟁 조정 센터 **7** 교통 문제 **8** 가정 **9** ○ **10** 지역 축제

단원 톡톡 문제
49~51쪽

1 산지촌 **2** 예 정미소, 비닐하우스 **3** ㉡ **4** ⑤ **5** 교통수단 **6** ④ **7** ㉡, ㉢ **8** 도시 **9** ㉣, 예 촌락 사람들은 자연환경을 이용한 생산 활동을 주로 한다. **10** ㉡, ㉢ **11** ② **12** 귀촌 **13** ① **14** ㉠, ㉣ **15** ⑤ **16** 예 서로 생산되는 물건이 다르기 때문입니다. **17** ② **18** 도시 **19** 예 각 지역의 특징을 살린 지역 축제입니다. **20** ①

1 높은 산지에 있으며, 주민들이 임업, 목축업 등의 생산 활동을 하는 지역은 산지촌입니다. 산지촌에는 버섯 농장, 양봉장 같은 임업과 관련된 시설이나 목

장 등이 있습니다.

2 농촌에서는 정미소, 비닐하우스, 과수원, 농산물 저장고 등의 시설을 볼 수 있습니다.

> **[채점 기준]** '정미소', '비닐하우스', '과수원', '농산물 저장고' 중 두 가지를 포함하여 바르게 썼다.

3 어촌 사람들은 주로 바다에서 물고기를 잡거나 기르고, 김과 미역을 따는 양식업을 주로 합니다. ㉠ 양봉, ㉢ 임업은 산지촌, ㉣ 벼농사는 농촌 사람들이 주로 하는 생산 활동입니다.

4 촌락과 도시의 공통점은 사람들이 마을을 이루며 자연환경과 더불어 살아간다는 것입니다.

한눈에 쏙쏙 촌락과 도시의 공통점과 차이점

촌락과 도시의 공통점	• 사람들이 마을을 이루며 삶. • 사람들이 자연환경과 더불어 살아감. • 사람들이 생활하는 데 필요한 시설들이 있음.
촌락과 도시의 차이점	• 사람들이 주로 일하는 장소가 다름. • 볼 수 있는 건물 모습이 다름. • 사람들이 여가 생활을 즐기는 장소가 다름.

5 도시에는 버스나 지하철 같은 교통수단이 발달해 있습니다. 도시의 사람들은 출퇴근을 할 때 주로 대중교통이나 자가용을 이용합니다.

6 우리나라의 수도이자 현재 가장 많은 인구가 살고 있는 도시는 서울특별시입니다.

7 ㉠ 도시는 주로 땅이 평평한 곳이나 교통이 편리한 곳에 발달하며, ㉣ 주로 나이가 많은 사람들이 모여 사는 곳은 촌락입니다.

8 높은 건물, 큰 도로, 많은 차, 바쁜 사람들의 모습을 볼 수 있는 곳은 도시입니다. 도시에는 다양한 공공 기관, 회사, 공장 등의 시설이 있습니다.

9 촌락에 사는 사람들은 주로 자연환경을 이용한 생산 활동을 하고, 도시에 사는 사람들은 회사에 다니거나 물건을 파는 등 다양한 생산 활동을 합니다.

10 도시에서 발생하는 교통 문제를 해결하기 위한 방안은 가까운 거리는 걷거나 대중교통을 이용하는 것입니다. 또한 주차 공간 부족 문제를 해결하기 위해서는 공용 주차장을 더 지을 수 있습니다. ㉠은 주택 문제, ㉢은 환경 문제를 해결하기 위한 방안입니다.

11 인구 감소는 촌락에서 발생하는 문제입니다. 도시에서는 이웃 갈등, 주택 부족, 환경 오염, 교통 혼잡 등의 문제가 발생합니다.

한눈에 쏙쏙 도시에서 나타나는 문제

주택 문제	오래되고 낡은 주택이 많고, 많은 인구에 비해 주택 수가 부족함.
교통 문제	자동차가 많아 교통이 혼잡하고, 주차할 공간이 부족함.
환경 문제	쓰레기 문제, 대기 오염, 수질 오염 문제가 발생함.
기타 문제	범죄 문제, 소음 공해, 일자리 부족 등

12 도시에 살던 사람들이 촌락으로 돌아가 생활하는 것을 귀촌이라고 합니다. 촌락의 공공 기관에서는 도시 사람들의 귀촌을 장려하기 위해서 다양한 정책을 시행하고 홍보를 위한 박람회를 개최하기도 합니다.

13 작은 영화관 만들기는 촌락의 문화 시설 부족 문제를 해결하기 위한 방안입니다.

14 ㉢ 촌락에서는 자연환경을 체험하기 쉬우며, ㉣ 아파트가 많아 층간 소음이 발생하는 문제는 주로 도시에서 일어납니다.

15 두 나라가 친선 스포츠 경기를 하는 것은 국가 간 교류입니다.

한눈에 쏙쏙 교류의 다양한 모습

가정 간 교류	이웃끼리 교류, 마을 공동체, 공동 육아 등
학교 간 교류	연합 대회, 연합 동아리, 공동 축제 등
지역 간 교류	도농 교류, 시도 자매결연, 도시 장터 등
국가 간 교류	친선 스포츠 경기, 세계 대회, 국제 기구 설립 등

16 서로에게 없는 것을 주고받는 교류는 촌락과 도시 모두에게 도움이 될 수 있습니다.

> **[채점 기준]** '서로 생산되는 물건이 다르기 때문이다'의 내용을 포함하여 바르게 썼다.

17 도시에 사는 사람들은 촌락에서 여가 활동으로 낚시, 캠핑 등을 즐기면서 촌락 사람들과 교류할 수 있습니다.

한눈에 쏙쏙 촌락과 도시의 방문 모습

촌락에서 도시를 방문하는 경우	대형 병원 진료를 위한 도시 방문, 다양한 공연을 보기 위한 도시 방문, 백화점이나 대형 상점가 이용을 위한 도시 방문 등
도시에서 촌락을 방문하는 경우	자연환경을 이용한 여가를 즐기기 위한 촌락 방문, 농수산물 직거래 장터를 이용하기 위한 촌락 방문, 자매결연을 맺은 곳에서 일손을 돕기 위한 촌락 방문 등

18 도시 사람들은 촌락의 지역 축제를 통해 새로 접하는 지역의 문화를 체험하면서 지역의 특산물을 싼 가격에 구매할 수 있습니다.

19 강릉 단오제, 부산 국제 영화제, 서산 해미 읍성 축제, 원주 풍기 인삼 축제는 모두 지역의 특성을 살린 지역 축제라는 공통점이 있습니다.

> **[채점 기준]** '각 지역의 특징을 살린 지역 축제이다', '각 지역의 대표적인 문화나 특산물을 소개하는 축제이다' 등의 내용을 포함하여 바르게 썼다.

20 귀촌은 도시의 사람들이 촌락으로 돌아가는 것을 말합니다. 귀촌은 촌락의 인구 감소를 해결하기 위한 방안으로 지역의 공공 기관에서는 관련 정책을 마련하거나 박람회 등을 개최하고 있습니다.

서술형 특특문제 52쪽

1 **예** ㉠에서는 들, ㉡에서는 바다, ㉢에서는 산을 볼 수 있습니다. **2** **예** ㉠ 논과 밭에서 곡식이나 채소를 기르고 과수원에서 과일을 재배합니다. ㉡ 바다에서 물고기를 잡거나 기르고, 김이나 미역을 땁니다. ㉢ 산에서 나무를 기르고 버섯 농장에서 버섯을 재배합니다. **3** **예** 지하철역, 버스 터미널, 영화관, 백화점, 회사, 공장, 아파트, 법원 등이 있습니다. **4** **예** ㉠ (지역 간) 교류, ㉡ 어촌에서 갯벌 체험을 합니다. **5** **예** 촌락 사람들은 수입을 올릴 수 있고 도시 사람들은 농수산물을 싸게 구입할 수 있습니다. **6** **예** 사람들은 지역 축제를 통해 자기가 사는 지역의 문화와 전통을 많은 사람에게 알릴 수 있고, 관광으로 소득을 올릴 수 있습니다.

---

1 ㉠은 농촌 ㉡은 어촌 ㉢은 산지촌이므로 각각 들, 바다, 산의 자연환경을 볼 수 있습니다.

> **[채점 기준]** '㉠ 들', '㉡ 바다', '㉢ 산'의 내용을 모두 포함하여 바르게 썼다.

2 농촌의 사람들은 논과 밭에서 곡식이나 채소를 기르거나 과일을 재배합니다. 어촌의 사람들은 바다에서 물고기를 잡거나 기르고 김이나 미역을 땁니다. 산지촌의 사람들은 산에서 나무를 기르거나 버섯 농장에서 버섯을 재배하기도 합니다.

> **[채점 기준]** '㉠ 논과 밭에서 곡식이나 채소를 기르고 과수원에서 과일을 재배한다', '㉡ 바다에서 물고기를 잡거나 기르고 김이나 미역을 딴다', '㉢ 산에서 나무를 기르고 버섯 농장에서 버섯을 재배한다' 등의 내용을 포함하여 바르게 썼다.

3 ㉢은 도시로 도시에서 볼 수 있는 인문환경에는 업무 시설, 교통 시설, 편의 시설, 문화 시설 등이 있습니다.

> **[채점 기준]** '지하철역', '버스 터미널', '영화관', '백화점', '회사', '공장', '아파트', '법원' 등의 인문환경 중 두 가지 이상을 포함하여 바르게 썼다.

한눈에 쏙쏙 도시의 시설

업무 시설	공공 기관, 공장, 회사 등
교통 시설	기차역, 버스 터미널, 지하철역 등
문화 시설	영화관, 미술관, 박물관, 공연장 등
편의 시설	백화점, 식당, 대형 상점가, 대형 병원 등

4 물건, 기술 등을 주고받으며 도움을 주고받고 친밀한 사이가 되는 것을 교류라고 합니다. 교류의 예로는 체험 활동이 있는데, 농촌, 어촌, 산지촌에서 다양한 체험 활동을 할 수 있습니다.

> **[채점 기준]** '㉠ (지역 간) 교류'를 바르게 쓰고 '㉡ 어촌에서 갯벌 체험을 한다', '㉡ 농촌에서 모내기 체험을 한다' 등의 내용을 포함하여 바르게 썼다.

5 농수산물 직거래 장터를 통해 도시 사람들은 좋은 농수산물을 싸게 살 수 있는 장점이 있고, 촌락의 사람들은 농수산물 판매로 수입을 얻을 수 있습니다.

> **[채점 기준]** '농수산물 직거래 장터를 통해서 촌락 사람들은 수입을 올릴 수 있다', '농수산물 직거래 장터를 통해서 도시 사람들은 농수산물을 싸게 구입할 수 있다' 등의 내용을 포함하여 바르게 썼다.

6 지역 축제를 통한 교류의 좋은 점은 도시와 촌락 모두에게 도움이 된다는 것입니다. 지역 축제를 통해 서로의 문화와 전통을 체험해 볼 수 있고, 지역의 소득을 높일 수 있습니다. 또한 촌락에서 축제가 열리면 도시 사람들은 촌락의 축제에 참여하여 그 지역의 특산물을 편리하게 구매할 수 있습니다. 이렇게 지역 축제를 통해 촌락과 도시가 서로 상호 의존하며 도움을 주고받을 수 있습니다.

> **[채점 기준]** '지역 축제를 통해 사람들은 자기가 사는 지역의 문화와 전통을 알릴 수 있다', '지역 축제를 통해서 관광으로 소득을 올릴 수 있다', '지역 축제를 통해서 도시 사람들은 그 지역의 특산물을 편리하게 구매할 수 있다' 등의 내용을 포함하여 바르게 썼다.

② 필요한 것의 생산과 교환

1 경제활동과 현명한 선택

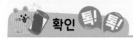 **확인**

59쪽 1 경제활동 2 ⓒ, ⓓ, ⓔ 3 (1) × (2) ○
61쪽 1 선택 2 (자원의) 희소성
63쪽 1 만족감 2 (1) × (2) ○
67쪽 1 (1) ○ (2) ×
69쪽 1 ⓒ, ⓓ, ⓔ 2 (1) ○ (2) ○

 **주제 톡톡 문제** 71~73쪽

1 경제활동 2 ⑤ 3 예 타고 싶은 놀이 기구는 많지만, 시간은 한정되어 있기 때문입니다. 4 ⓒ, ⓓ, ⓔ 5 예 자원의 희소성 때문입니다. 사람들이 원하는 것은 많지만 돈과 자원은 한정되어 있기 때문입니다. 6 현명한 선택 7 ⑤ 8 ⓒ 9 ① 10 ① 11 소비 12 ⓒ, ⓔ 13 생활을 편리하고 즐겁게 해 주는 활동 14 ① 15 ⓒ-ⓐ-ⓒ 16 예 돈과 자원을 절약할 수 있고, 더 큰 만족감을 얻을 수 있습니다. 17 예 (가)는 생활에 필요한 것을 자연에서 얻는 생산 활동이고, (나)는 생활에 필요한 것을 만드는 생산 활동입니다.

1 사람이 생활하는 데 필요하거나 원하는 것을 만들고 사용하는 것과 관련된 일을 경제활동이라고 합니다.

한눈에 쏙쏙 경제활동의 사례

사람들이 생활하는 데 필요하거나 원하는 것을 만드는 일	• 옷 가게에서 옷을 파는 일 • 빵집에서 빵을 만드는 일 • 시장에서 과일을 파는 일
사람들이 생활하는 데 필요하거나 원하는 것을 사용하는 일	• 영화관에 가서 영화를 보는 일 • 문구점에서 공책을 사는 일 • 야구장에 가기 위해 버스를 타는 일

2 경제활동은 사람들이 생활하는 데 필요하거나 원하는 것을 만들고 사용하는 것과 관련된 일입니다. ① 시장에서 생선을 팔거나, ② 빵집에서 빵을 만들거나, ③ 가게에서 떡볶이를 사 먹거나, ④ 학교에 가기 위해 버스를 타는 일은 경제활동입니다.

3 우리가 원하는 것은 많지만 쓸 수 있는 돈이나 시간은 한정되어 있습니다. 이러한 상태를 희소성이라고 합니다.

[채점 기준] '하고 싶은 일을 모두 하기에는 시간이 부족해서이다', '자원이 무한하지 않기 때문이다', '돈과 시간이 한정되어 있기 때문이다' 등의 내용을 포함하여 바르게 썼다.

4 선택의 문제는 경제활동을 하는 모든 사람에게 발생합니다. 이는 자원의 희소성 때문입니다. ⓒ 축구공을 살지 야구공을 살지 고민하는 일, ⓓ 단팥빵을 살지 크림빵을 살지 고민하는 일, ⓔ 아이스크림을 살지 음료수를 살지 고민하는 일은 선택의 문제입니다. ⓐ 케이크를 만들어 판매하는 일은 생산 활동입니다.

5 경제활동에서 선택의 문제는 자원의 희소성 때문에 발생합니다.

[채점 기준] '사람들이 원하는 것은 많지만 돈과 자원은 한정되어 있기 때문이다', '자원의 희소성 때문이다' 등의 내용을 포함하여 바르게 썼다.

6 현명한 선택을 하려면 선택의 기준을 세우고 여러 가지 상황을 꼼꼼하게 따져 자신에게 알맞은 선택을 해야 합니다.

7 경제활동에서 현명한 선택을 하기 위해서는 ① 가격이 적당한지, ② 품질은 좋은지, ③ 나에게 필요한 물건인지, ④ 물건을 산 후 만족감은 어떠한지를 생각해 보아야 합니다.

8 현명한 선택을 하기 위한 기준은 사람마다 다를 수 있습니다. 민진이는 보관이 편리하고, 모양이 예쁜 자전거를 사길 원하기 때문에 보관의 편리성과 모양을 기준으로 선택을 해야 합니다. ⓒ 자전거는 모양이 예쁘고 접을 수 있어서 보관이 편리하기 때문에 민진이가 선택해야 할 물건에 해당합니다.

9 현명한 선택을 하면 돈과 자원을 절약할 수 있고, 더 큰 만족감을 얻을 수 있습니다.

10 생활에 필요한 물건을 만들거나 생활을 편리하고 즐겁게 해 주는 활동을 생산이라고 합니다. 또한 생산한 것을 사용하는 일을 소비라고 합니다. ② 약을 만드는 일, ③ 과자를 만드는 일, ④ 물고기를 잡는 일, ⑤ 운동 경기를 하는 일은 생산 활동이고, ① 우유를 사는 일은 소비 활동입니다.

11 생산한 것을 사용하는 일을 소비라고 합니다. 사람들이 과일을 사거나 병원에서 진료받는 일, 머리 손질을 받는 일은 소비 활동입니다.

12 ⓒ 만두를 사 먹는 일, ⓔ 미용실에서 머리 손질을 받는 일 등은 소비 활동입니다. ⓐ 물건을 운반하는

일, ⓒ 의사가 진료를 하는 일 등은 생산 활동에 속합니다.

13 생산 활동에는 생활에 필요한 것을 자연에서 얻는 활동, 생활에 필요한 것을 만드는 활동, 생활을 편리하고 즐겁게 해 주는 활동이 있습니다. 생활을 편리하고 즐겁게 해 주는 활동은 물건 운반하기, 공연하기, 운동 경기하기 등이 있습니다.

한눈에 쏙쏙 생산 활동의 종류

생활에 필요한 것을 자연에서 얻는 활동	과일 수확하기, 물고기 잡기, 채소 재배하기 등
생활에 필요한 것을 만드는 활동	과자 만들기, 배 만들기, 약 만들기 등
생활을 편리하고 즐겁게 해 주는 활동	물건 옮기기, 공연하기, 운동 경기하기 등

14 현명한 소비 생활을 하기 위해서는 ② 돈을 어떻게 사용할지 미리 계획하고, 물건을 사기 전에 ③ 물건의 가격을 따져 보고, ④ 알맞은 선택 기준을 세우고, ⑤ 나에게 꼭 필요한 물건인지 생각해야 합니다. 용돈을 모두 저축하기보다는 일부를 저축하는 것이 현명한 소비 생활이라고 할 수 있습니다.

15 시장놀이를 할 때 생산 활동 모둠은 선택 카드를 뽑아 만들 물건의 수량을 먼저 정합니다. 그리고 소비 활동 모둠이 어떤 물건을 살지 살펴 생산할 물건을 생각합니다. 팔고 싶은 물건이 정해지면 이를 생산자 카드에 그리고, 뒷면에 제품명과 가격을 씁니다.

16 진선이는 선택의 기준을 세우고 소비를 하여 현명한 선택을 했다고 말할 수 있습니다. 현명한 선택을 하면 돈과 자원을 절약할 수 있고, 더 큰 만족감을 얻을 수 있습니다.

[채점 기준] '돈과 자원을 절약할 수 있다', '더 큰 만족감을 얻을 수 있다' 등의 내용을 포함하여 바르게 썼다.

17 (가) 물고기를 잡는 것은 생활에 필요한 것을 자연에서 얻는 생산 활동이고, (나) 과자를 만드는 것은 생활에 필요한 것을 만드는 생산 활동입니다.

[채점 기준] '(가)는 생활에 필요한 것을 자연에서 얻는 활동, (나)는 생활에 필요한 것을 만드는 활동이다' 등의 내용을 포함하여 바르게 썼다.

2 교류하며 발전하는 우리 지역

확인 북북!

77쪽 1 생산지(원산지) 2 다양한 지역에서
79쪽 1 품질 인증 마크 2 큐아르 코드
83쪽 1 물자 교류
85쪽 1 ㄱ, ㄷ, ㄹ 2 (1) ○ (2) ○ 3 ㄴ-ㄱ-ㄷ

주제 톡톡 문제 87~89쪽

1 생산지(원산지) 2 ④ 3 📝 교실에 있는 물건이 다양한 지역에서 왔다는 것을 알 수 있습니다. 4 ① 5 ③ 6 큐아르(QR) 코드 스캔하기 7 ㄴ, ㄹ 8 ㄴ, ㄷ, ㄹ 9 ③ 10 ㄴ 11 경제적 교류 12 ⑤ 13 ④ 14 📝 두 지역은 각 지역에 풍부한 상품을 주고, 부족한 상품을 받을 수 있습니다. 15 ② 16 📝 시·도청 누리집을 통해 지역 간의 경제적 교류를 조사한 것입니다. 17 📝 두 지역 간의 경제적 교류를 통해 지역 주민들 간에 화합이 이루어졌습니다.

1 어떤 물품이 생산된 지역 또는 나라를 생산지(원산지)라고 합니다.

2 급식의 생산지(원산지) 확인을 통해 급식의 재료가 다양한 지역에서 왔다는 것을 알 수 있습니다.

3 옷은 인도네시아, 책은 경기도 파주시, 달력은 서울특별시에서 만들어졌다는 것을 통해 교실에 있는 물건이 다양한 지역에서 왔다는 것을 알 수 있습니다.

[채점 기준] '교실에 있는 물건이 다양한 지역에서 왔다', '교실에 있는 물건 중에는 다른 나라에서 온 것도 있다', '우리가 사용하는 물건은 우리 지역에서만 만들어진 것이 아니다' 등의 내용을 포함하여 바르게 썼다.

4 생산지(원산지)를 확인하는 방법으로는 상품에 표시된 원산지 표시판 확인하기, 누리집에서 상품 소개하는 부분 읽기, 할인 매장 광고지 살펴보기, 제품의 상품 정보나 품질 인증 마크 확인하기, 큐아르(QR) 코드 스캔하기 등이 있습니다.

한눈에 쏙쏙 상품의 생산지(원산지)를 확인하는 방법

원산지 표시판	상품에 표시된 원산지 표시판 확인하기
상품 정보	상품에 붙어 있는 상품 정보 살펴보기
할인 매장 광고지	할인 매장에서 상품을 홍보하는 광고지 살펴보기

누리집	누리집에서 상품 소개하는 부분에 들어가 설명 읽어 보기
품질 인증 마크	품질 인증 마크를 살펴보기
큐아르(QR) 코드	스마트폰으로 큐아르(QR) 코드를 스캔해서 정보 확인하기

5 품질 인증 마크는 품질이 우수한 제품을 신뢰할 수 있는 기관에서 인정해 주는 제도를 말합니다. 품질 인증 마크를 통해 유기농 제품, 무농약 제품, 무항생제 제품 등을 확인할 수 있습니다.

6 큐아르(QR) 코드는 정보를 담고 있는 무늬로, 스마트폰으로 큐아르(QR) 코드를 스캔하면 상품의 생산지(원산지)를 확인할 수 있습니다.

7 ㉠ 컴퓨터 본체와 마우스, ㉢ 티셔츠는 다른 나라인 중국과 필리핀에서 왔습니다.

8 우리 지역의 상품의 생산지(원산지) 조사 방법으로는 ㉢ 지역에서 판매하는 상품의 포장지 뒷면 확인하기, ㉣ 지역 할인점에서 온 광고지를 살펴보기, ㉢ 부모님과 우리 지역의 전통 시장 방문하기 등이 있습니다. ㉠ 우리 지역 상품의 생산지(원산지)를 조사할 때 외국의 누리집을 찾아볼 필요는 없습니다.

9 우리 지역 상품의 생산지(원산지) 확인을 통해 우리 지역에서 판매되는 상품이 다양한 지역에서 생산되었음을 알 수 있습니다.

10 ㉡ 지역마다 생산하는 상품이 서로 다르기 때문에 우리 지역과 다른 지역 간에 상품이 들어오고 나갑니다. ㉠ 우리 지역에서 모든 상품을 만들 수 없으며, ㉢ 지역마다 자연환경과 기술, 자원 등이 다르고 ㉣ 지역끼리 상품을 주고받으며 서로 협력합니다.

11 개인이나 지역 등이 이익을 얻기 위해 물건, 기술, 정보 등을 서로 주고받는 것을 경제적 교류라고 합니다.

12 경제적 교류를 하는 대상은 개인과 기업, 기업과 지역, 지역과 지역, 국가와 국가 등 다양하게 나타납니다. 그림에는 국가와 국가가 서로 상품과 자원을 교류하고 있는 모습이 나타나 있습니다.

13 지역 간 경제적 교류를 통해 지역은 발전하고, 지역 주민들이 서로 화합할 수 있습니다. 반대로 지역 간에 경제적 교류를 하지 않으면 우리 지역의 우수한 상품을 판매하거나 지역 간의 화합을 이루기 어려워집니다.

14 두 지역이 교류를 하면 각 지역에서 풍부한 상품을 교환하여 필요한 것을 얻고 경제적 이익을 얻을 수

있습니다.

[채점 기준] '두 지역은 각 지역에서 풍부한 상품을 주고, 부족한 상품을 얻을 수 있다', '지역에서 생산되지 않는 다른 지역의 물건을 구할 수 있다', '각 지역에서 필요한 것을 얻을 수 있다', '경제적 이익을 얻을 수 있다' 등의 내용을 포함하여 바르게 썼다.

15 ○○도와 □□ 국가 기업 간의 공동 연구와 기술 협력은 기술 교류에 해당합니다.

한눈에 쏙쏙 다양한 경제적 교류의 모습

물자 교류	물품이나 자원을 서로 교류하는 것 ⑩ 어촌 지역의 수산물과 농촌 지역의 농산물
기술 교류	기술을 교류하여 서로 협력해 더 나은 기술이나 상품을 개발하는 것 ⑩ 우리나라 ○○ 기업과 △△시의 공동 연구
관광 교류	각 지역의 관광 자원을 활용해 관광 사업을 공동으로 추진하거나 관광 상품 개발 ⑩ 중국, 일본, 러시아에서 우리나라로 관광객이 오고, 우리나라에서 이웃 나라로 관광을 감.
문화 교류	다른 지역(국가)과 무용 공연, 청소년 체험 행사 공유, 운동 경기 등의 문화 활동 교류

16 지역 간의 경제적 교류 모습을 조사하는 방법으로 시·도청 누리집 찾아보기, 지역 신문 찾아보기, 지역 방송 보기 등이 있습니다. 시·도청 누리집을 통해 우리 지역과 다른 지역 사이에 이루어지는 다양한 분야의 경제적 교류를 알 수 있고, 경제적 교류가 이루어지는 까닭도 알 수 있습니다.

[채점 기준] '시·도청 누리집을 통해 지역 간의 경제적 교류를 조사하는 것이다', '시·도청 누리집을 통해 우리 지역과 다른 지역 간의 경제적 교류 사례를 찾는 것이다', '시·도청 누리집을 통해 다양한 분야의 경제적 교류를 조사하는 것이다' 등의 내용을 포함하여 바르게 썼다.

17 대구와 광주의 자매결연 사례를 통해 두 지역이 다양한 분야에서 서로 협력하고 있으며, 두 지역 간의 경제적 교류로 지역 주민들 간에 화합이 이루어지고 있다는 것을 알 수 있습니다.

[채점 기준] '다양한 분야에서 경제적 교류가 이루어지고 있다', '지역 주민들 간의 화합이 이루어지고 있다' 등의 내용을 포함하여 바르게 썼다.

 쪽지 시험   94쪽

1 경제활동 2 희소성 3 만족감 4 버섯 캐기 5 소비 (활동)
6 생산지 7 다양한 지역에서 8 ○ 9 경제적 교류 10 ○

1 선택의 문제 **2** ㄹ **3** ④ **4** ㄷ **5** 예 필요한 물건인지, 물건이 튼튼한지 따져 보고 삽니다. **6** ㄹ **7** 생활에 필요한 것을 만드는 활동 **8** ㄱ, ㄹ **9** ㄱ, ㄹ **10** ③ **11** 예 급식의 재료가 다양한 지역에서 왔다는 사실을 알 수 있습니다. **12** ① **13** 누리집에서 상품 소개 검색하기 **14** 예 지역에서 나는 상품이 서로 다르기 때문입니다. **15** 직거래 장터 **16** ③ **17** 자매결연 **18** ② **19** ㄱ, ㄷ, ㄹ **20** ④

---

1 경제활동을 할 때 우리는 선택의 문제에 부딪힙니다. 자전거를 살 때 어떤 자전거를 살지 고민하거나, 음식점에서 어떤 음식을 먹을지 고민하는 것은 경제활동을 하는 사람 모두에게 일어납니다.

2 ㄹ 경제활동에서 선택의 문제가 일어나는 까닭은 자원의 희소성 때문입니다. ㄱ, ㄷ 쓸 수 있는 돈과 자원은 정해져 있으며, ㄴ 사람들이 원하는 것은 다양하고 많기 때문에 선택의 문제가 일어납니다.

3 현명한 선택을 하기 위해서는 ① 가격이 적당한지, ② 물건이 필요한지, 품질은 좋은지, ③ 내가 원하는 색과 모양인지, ⑤ 내가 가진 용돈으로 살 수 있는지 등을 살펴보아야 합니다.

4 현명한 선택을 하기 위해서는 ㄱ 가격이 적당한지, ㄴ 나에게 필요한 물건인지, ㄹ 물건을 산 후 만족감은 어떠할지 등을 생각해 보아야 합니다.

5 현명한 선택을 하기 위해서는 그 물건이 꼭 필요한 것인지, 가격은 적당한지, 만족감을 줄 수 있는지 등을 따져 보아야 합니다.

[채점 기준] '나에게 필요한 물건인지 따져 보고 산다', '가격이 적당한지 따져 보고 산다', '만족감을 줄 수 있는 물건인지 따져 보고 산다' 등의 내용을 포함하여 바르게 썼다.

6 ㄱ 생선을 파는 일, ㄴ 빵을 굽는 일, ㄷ 물건을 배달하는 일 등은 생산 활동입니다. 생활에 필요한 물건을 만들거나 생활을 편리하고 즐겁게 해 주는 활동을 생산이라고 합니다. 또한 생산한 것을 사용하는 일은 소비라고 합니다.

7 생산 활동의 종류는 3가지가 있습니다. 그중 과자 만들기, 배 만들기, 건물 짓기, 자동차 만들기 등은 생활에 필요한 것을 만드는 활동에 해당합니다.

8 ㄱ 만두를 사 먹는 일, ㄹ 머리 손질을 받는 일은 소비 활동입니다. ㄴ 물건을 운반하는 일, ㄷ 버섯을

재배하는 일은 생산 활동입니다. 소비는 생산한 것을 사용하는 일입니다.

9 현명한 소비 생활을 하기 위해서는 ㄱ 용돈의 일부를 저축해야 합니다. 용돈을 모두 저축하기보다는 일부를 저축하는 것이 현명한 소비 생활이라고 할 수 있습니다. ㄹ 또한 돈을 어떻게 사용할지 미리 계획하고, 물건을 사기 전에 물건에 관한 정보를 따져 보고, 물건을 고를 때 알맞은 선택 기준을 세워야 합니다. ㄴ 친구가 물건을 살 때 따라 사거나 ㄷ 물건의 가격만 보고 선택 기준 없이 구매하는 것은 현명한 소비 생활을 하기 위한 방법이 아닙니다.

 한눈에 쏙쏙 현명한 소비 생활을 하는 방법

계획하기	돈을 어떻게 사용할지 미리 계획함.
정보 따져 보기	물건을 구입하기 전에 물건에 관한 정보를 따져 봄.
선택 기준 세우기	물건을 고를 때 알맞은 선택 기준을 세움.
저축하기	용돈의 일부를 저축함.

10 시장놀이를 할 때 ① 서로 존중하고 규칙을 지키며 놀이에 참여합니다. ④ 생산 활동 모둠은 소비 활동 모둠이 어떤 물건을 살지 살펴보고, 물건을 생산해야 합니다. ②, ⑤ 소비 활동 모둠은 어떤 물건을 어디에서 살지 계획을 세우고 물건을 구입합니다.

11 급식 재료별 생산지(원산지)를 통해 급식의 재료가 다양한 지역에서 왔다는 것을 알 수 있습니다.

[채점 기준] '급식의 재료가 여러 지역에서 왔다는 것을 알 수 있다', '급식이 다양한 지역에서 생산된 재료로 만들어졌다는 것을 알 수 있다' 등의 내용을 포함하여 바르게 썼다.

12 원산지 표시판에 원산지의 정보를 표시하면 소비자에게 정확한 원산지 정보를 제공할 수 있습니다. 원산지 표시 제도는 농수산물과 가공품의 원산지 표시를 규정하는 제도입니다.

13 누리집에서 상품을 소개하는 부분에 들어가서 설명을 확인하면 상품의 생산지(원산지) 정보를 확인할 수 있습니다.

14 지역마다 자연환경과 기술, 자원이 달라 생산되는 물건이 다르기 때문에 지역 간에 경제적 교류가 발생합니다.

[채점 기준] '지역에서 나는 상품이 서로 다르다', '지역이나 국가마다 자연환경과 기술, 자원 등이 다르다' 등의 내용을 포함하여 바르게 썼다.

15 직거래 장터는 생산자와 소비자가 중개인을 거치지 않고 직접 거래하는 시장을 말합니다.

16 A 보안 회사와 B 통신사의 업무 협약은 기업과 기업 간의 경제적 교류에 해당합니다.

17 자매결연을 한 지역은 기술, 문화, 관광 교류 등 다양한 경제적 교류를 통해 경제적·문화적으로 발전하도록 서로 협력합니다.

18 지역 신문은 특정 지역에서 발행하는 신문으로 우리 지역의 경제적 교류 모습과 지역의 새로운 소식, 화제 등을 확인할 수 있습니다.

19 지역 간 경제적 교류 조사 보고서에는 ㉠ 조사 주제, ㉢ 경제적 교류의 내용, ㉣ 교류한 지역, 경제적 교류의 모습, 알게 된 점과 느낀 점을 씁니다. ㉡ 조사한 날의 날씨를 지역 간 경제적 교류 조사 보고서에 담을 필요는 없습니다.

20 지역 간 경제적 교류를 하면 어려운 일이 생겼을 때 서로 도울 수 있습니다.

서술형 문제

98쪽

1 예 생산 활동은 생활에 필요한 물건을 만들거나 생활을 편리하고 즐겁게 해 주는 활동이며, ㉠은 생활에 필요한 것을 자연에서 얻는 활동입니다. 2 예 운동 경기를 하는 일, 의사가 환자를 치료하는 일, 버스를 운전하는 일 등이 있습니다. 3 예 돈을 어떻게 사용할지 미리 계획을 세우고, 알맞은 선택 기준에 따라 구매합니다. 4 예 시청이나 도청의 누리집 찾아보기, 지역 신문 살펴보기, 지역 방송 보기 등이 있습니다. 5 예 지역마다 자연환경이 달라 생산하는 상품이 다르기 때문입니다. 6 예 우리 지역에 부족한 물건이나 자원을 얻을 수 있습니다.

1 생산 활동의 종류에는 생활에 필요한 것을 자연에서 얻는 활동, 생활에 필요한 것을 만드는 활동, 생활을 편리하고 즐겁게 해 주는 활동이 있습니다.

[채점 기준] '생활에 필요한 것을 자연에서 얻는 활동', '생활에 필요한 것을 만드는 활동', '생활을 편리하고 즐겁게 해 주는 활동' 등의 내용을 포함하여 바르게 썼다.

2 생산 활동 중 운동 경기를 하는 일, 의사가 진료하는 일, 버스를 운전하는 일 등은 사람들의 생활을 편리하고 즐겁게 해 주는 일입니다.

[채점 기준] '운동 경기를 하는 일', '의사가 환자를 진료하는 일', '버스를 운전하는 일', '미용사가 고객의 머리 손질을 해 주는 일' 등 사람들의 생활을 편리하고 즐겁게 해 주는 생산 활동의 내용 중 두 가지 이상을 포함하여 바르게 썼다.

3 생산한 것을 사용하는 활동을 소비라고 합니다. 현명한 소비 생활을 하기 위해서는 평소에 용돈의 일부를 저축하고 돈을 어떻게 사용할지 미리 계획하고 물건을 사기 전에 물건에 관한 정보를 따져 알맞은 선택 기준에 따라 구매해야 합니다.

[채점 기준] '용돈의 일부를 저축한다', '돈을 어떻게 사용할지 미리 계획을 세운다', '물건에 관한 정보를 따져 본다', '알맞은 선택 기준에 따라 구매한다' 등의 내용을 포함하여 바르게 썼다.

4 지역 간 경제적 교류 모습은 우리 지역의 시·도청 누리집 검색하기, 지역 신문 또는 지역 방송 자료 찾아보기, 지방 자치 단체 국제 자매결연 현황 살펴보기 등이 있습니다.

[채점 기준] '시청이나 도청의 누리집 찾아보기', '지역 신문 살펴보기', '지역 방송 보기' 등의 내용을 포함하여 바르게 썼다.

5 지역마다 자연환경과 생산 기술, 자원 등이 다르기 때문에 경제적 교류를 통해 물자 교류, 문화 교류, 관광 교류, 기술 교류 등이 발생하게 됩니다.

[채점 기준] '지역에서 나는 상품이 서로 다르고, 지역(국가)마다 자연환경과 기술, 자원 등이 다르기 때문이다'의 내용을 포함하여 바르게 썼다.

6 다른 지역과 경제적 교류를 하면 우리 지역에서 생산되지 않는 물건을 구할 수 있고, 더 나은 상품을 함께 개발할 수 있습니다.

[채점 기준] '우리 지역에 부족한 물건이나 자원을 얻을 수 있다', '지역 주민의 생활이 편리해진다', '지역 주민 간 화합이 이루어질 수 있다', '어려운 일이 있을 때 서로 도울 수 있다' 등의 내용을 포함하여 바르게 썼다.

한눈에 쏙쏙 지역 간 경제적 교류가 필요한 까닭

다른 지역의 물건 획득	우리 지역에서 생산되지 않는 다른 지역의 물건을 구할 수 있음.
특산물 홍보	상품 설명회나 직거래 장터를 이용해 우리 지역의 특산물을 홍보할 수 있음.
기술 협력	지역 간에 서로 기술을 교류하고 협력해 더 좋은 상품을 개발할 수 있음.
주민 화합	다른 지역 주민들과 친목을 도모하고 화합할 수 있음.
정보 교류	다른 지역의 경제와 관련된 소식 등 다양한 정보를 주고받을 수 있음.

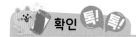
확인

105쪽 1 변화 2 ㉠, ㉢
107쪽 1 저출산 2 고령화
109쪽 1 정보화 2 (1) ㉢ (2) ㉠ (3) ㉢
111쪽 1 (1) × (2) ○ 2 ㉢, ㉣ 3 (1) ㉢ (2) ㉠ (3) ㉢
113쪽 1 ㉢-㉢-㉠ 2 (1) × (2) ○

주제 톡톡 문제

115~117쪽

1 **예** 옛날에는 아이가 많이 태어났는데 오늘날에는 태어나는 아이의 수가 적습니다. 2 ① 3 65 4 ④ 5 ㉠, ㉣ 6 정보 7 **예** 하루 중 휴대 전화를 사용하는 시간을 정하고 지킵니다. 8 **예** 인터넷상에서 이용하는 비밀번호를 자주 바꾸고 보안 프로그램을 설치합니다. 9 ④ 10 세계화 11 ④ 12 ㉢ 13 저출산, 고령화 14 ② 15 ㉠, ㉢ 16 **예** 길 찾기 애플리케이션을 이용해 도로의 교통 상황을 실시간으로 확인합니다. 17 (1) 정보화 (2) **예** 악성 댓글 문제가 있습니다.

1 오늘날 사회가 여러 분야에서 빠르게 변화하면서 사람들의 일상생활도 크게 변화했습니다. 옛날에는 태어나는 아이의 수가 많았는데 오늘날에는 많이 줄어들었습니다. 그리고 옛날에는 외국 여행을 가기가 어려웠는데 오늘날에는 자유롭게 외국 여행을 갈 수 있습니다. 또한 옛날에는 밖에서 통화할 때 공중전화를 이용했지만 오늘날에는 휴대 전화로 어디서나 통화를 할 수 있습니다.

[채점 기준] '옛날에는 아이가 많이 태어났는데 오늘날에는 태어나는 아이의 수가 적다', '옛날에는 외국 여행을 가기 어려웠는데 오늘날에는 자유롭게 외국 여행을 갈 수 있다', '옛날에는 밖에서 통화할 때 공중전화를 이용했지만 오늘날에는 휴대 전화로 어디서나 통화를 할 수 있다' 등의 내용을 포함하여 바르게 썼다.

2 그래프를 통해 우리나라의 출생아 수가 계속 줄어들고 있는 것을 알 수 있습니다. 이렇게 태어나는 아이의 수가 줄어드는 현상을 저출산 현상이라고 합니다.

3 고령화란 전체 인구 가운데 65세 이상의 노인 인구가 차지하는 비율이 높아지는 현상을 말합니다. 우리나라는 65세 이상 노인 인구 비율이 점점 높아져 고령화 현상이 심해지고 있습니다.

4 저출산 현상에 대비하기 위해 ① 양육비 지원, ② 육아 휴직, ③ 보육 시설, ⑤ 아이 돌봄 서비스 등의 다양한 시설과 제도를 마련해 부모가 걱정 없이 아이를 낳아 키울 수 있도록 지원해야 합니다. 요양 병원 시설은 노인과 관련이 있는 시설로 고령화에 따라 늘어나고 있습니다.

5 정보화 사회가 되면서 정보와 지식을 활용해 다양한 일을 쉽고 빠르게 처리할 수 있게 되었습니다. ㉢ 세계 과자 상점에서 독일 과자를 사서 먹는 것과 ㉢ 경복궁에서 많은 외국인이 한복을 입은 모습을 본 것은 세계화로 달라진 생활 모습입니다.

6 정보화 사회에서는 인터넷으로 다양한 정보를 얻거나 주고받으며 자신이 해야 할 일을 쉽게 처리할 수 있습니다. 정보화의 영향으로 우리의 일상생활은 다양하게 변화하고 있으며 더욱 편리해지고 있습니다.

7 휴대 전화 중독은 정보화로 인해 나타나는 문제점입니다. 휴대 전화 중독 문제를 해결하기 위해서 하루 중 휴대 전화를 사용하는 시간을 정하고 지켜야 합니다.

[채점 기준] '하루 중 휴대 전화를 사용하는 시간을 정하고 지킨다'의 내용을 포함하여 바르게 썼다.

8 개인 정보 유출은 정보화로 인해 나타나는 문제점입니다. 개인 정보 유출 문제를 해결하기 위해서 인터넷상에서 이용하는 비밀번호를 자주 바꾸고 보안 프로그램을 꼭 설치해야 합니다.

[채점 기준] '인터넷상에서 이용하는 비밀번호를 자주 바꾼다', '보안 프로그램을 꼭 설치한다' 등의 내용을 포함하여 바르게 썼다.

9 인터넷을 통해 우리나라 가수의 신곡을 내려받는 것은 정보화로 달라진 생활 모습입니다.

10 지구촌 전등 끄기 캠페인은 전 세계가 함께 참여한다는 점에서 세계화로 인해 나타난 일상생활 모습입니다.

11 세계화로 국경을 넘어 이동하는 사람들이 많아지면서 한 나라에서 바이러스가 생기면 전 세계에 빠르게 퍼져 어려움을 겪을 수 있습니다. ①, ③은 저출산, ②, ⑤는 정보화로 인해 나타나는 문제점입니다.

12 ㉠ 저출산·고령화는 일상생활에 여러 가지 영향을 미치고 있으며, ㉢ 세계화는 우리 생활에 부정적인 영향뿐만 아니라 긍정적인 영향을 주기도 합니다. ㉣ 정보화 사회에서는 개인 정보 보호를 위해 보안 프로그램을 꼭 설치해야 합니다.

13 초등학교에 입학하는 학생이 줄어드는 것은 출생아가 줄어들기 때문이므로 저출산과 관련이 있습니다. 노인 일자리 제공은 고령화에 따른 일상생활의 모습에 해당합니다.

14 정보화 사회에서는 인터넷으로 다양한 정보를 얻을 수 있고, 일상생활이 더욱 편리해졌지만 문제점도 나타납니다. 특히 인터넷이나 휴대 전화에 중독되어 늦은 시간까지 게임을 하는 경우가 있습니다. 이럴 때에는 하루 중 인터넷이나 휴대 전화를 사용하는 시간을 정하면 문제를 해결할 수 있습니다.

15 ⓒ 사회 변화로 나타난 일상생활의 특징을 조사할 때 가장 조사하기 쉬워 보이는 주제가 아니라 저출산·고령화, 정보화, 세계화 중 평소에 가장 관심이 갔거나 궁금했던 주제를 선택해 조사해야 합니다.

16 제시된 글에는 정보화 사회의 생활 모습이 나타나 있습니다. 정보화의 영향으로 우리의 일상생활은 더욱 편리해지고 있습니다.

> **[채점 기준]** '길 찾기 애플리케이션을 이용해 도로의 교통 상황을 실시간으로 확인한다', '휴대 전화로 미세 먼지나 날씨 정보를 실시간으로 확인한다', '애플리케이션을 이용해 피아노를 배운다', '디지털 교과서로 다양한 정보를 활용해 공부한다', '학교 누리집에서 가정 통신문을 확인한다', '도서 대출 프로그램으로 보고 싶은 도서가 언제 반납될지 확인한다', '인공 지능 프로그램을 이용해 음악을 감상한다', '인터넷으로 방문할 곳의 입장권을 미리 예약한다', '직접 가게에 가지 않고 인터넷 검색으로 물건을 산다' 등의 내용을 포함하여 바르게 썼다.

17 문제의 그림에는 개인 정보 유출 문제가 나타나 있습니다. 개인 정보 유출 문제는 정보화 사회에서 나타나는 문제점입니다.

> **[채점 기준]** (1) '정보화'라고 바르게 쓰고, (2) '악성 댓글 문제가 있다', '다른 사람이 만든 작품을 불법으로 내려받아 허락 없이 이용한다', '휴대 전화에 중독되어 늦은 시간까지 휴대 전화 게임을 한다', '누리 소통망 서비스(SNS)를 통해 친구들에 대한 나쁜 소문을 퍼뜨린다' 등의 내용을 포함하여 바르게 썼다.

한눈에 쏙쏙 정보화 사회에서 나타나는 문제점

악성 댓글 문제	악성 댓글과 거짓 소문의 확산 등으로 사람들이 고통을 겪는 문제
개인 정보 유출 문제	다른 사람의 개인 정보를 이용해서 비싼 물건을 사는 등의 행동을 하는 문제
휴대 전화 중독 문제	휴대 전화나 인터넷에 중독되어 사용 시간이 매우 길어지는 문제
저작권 침해 문제	다른 사람이 만든 작품을 허락 없이 함부로 이용하는 문제

2 다양한 문화에 대한 이해와 존중

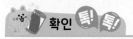 확인

121쪽 **1** 문화 **2** (1) ⓛ, ⓐ (2) ⓖ, ⓑ **3** (1) ○ (2) ×
123쪽 **1** 문화 **2** ⓛ, ⓒ, ⓔ **3** (1) × (2) ○
125쪽 **1** 차별 **2** (1) ○ (2) ○
129쪽 **1** ⓖ, ⓛ, ⓒ **2** 다문화 가족 지원법
131쪽 **1** ⓖ, ⓛ **2** (1) ○ (2) ×

 주제 톡톡 문제

133~135쪽

1 생활 방식 **2** 문화 **3** ④ **4** ① **5** 교류 **6** 편견 **7** ⑩ '할랄'이라는 이슬람교 사람들의 식사 문화에 편견을 가졌습니다. **8** ⓖ, ⓛ, ⓔ **9** ⑩ 다른 나라의 문화를 존중하지 않습니다. **10** ⓖ, ⓒ **11** 갈등 **12** ⑤ **13** ⑩ 인도 사람들이 식사하는 방법도 하나의 문화이므로 존중해야 합니다. **14** ⓛ, ⓔ **15** ⑤ **16** (1) ⑩ 몸을 보호하기 위해 옷을 입습니다. (2) ⑩ 더운 지역 사람들은 천으로 만든 옷을 입었고, 추운 지역 사람들은 두꺼운 털옷을 입었습니다. **17** ⑩ 서로의 의견을 충분히 들어 보지 않고 섣부르게 한쪽으로 치우친 판단을 했기 때문입니다.

---

1 우리나라에서는 설날에 떡국을 먹고, 베트남에서는 바인팻을 먹는 것처럼 사람들이 가지고 있는 공통의 생활 방식을 문화라고 합니다. 이것은 사람들이 함께 생활하면서 만들어지고 전해지기도 합니다.

2 사람들은 옷을 입고, 음식을 먹으며, 놀이를 즐깁니다. 하지만 옷차림이나 음식을 먹는 방법, 놀이 방법은 서로 다릅니다. 이처럼 문화는 사회마다 비슷한 모습도 있고 독특한 모습도 있습니다.

3 두 가지 식사 방법 모두 다른 사람들과 함께 음식을 나누면서 즐겁게 먹고 있습니다.

4 다른 나라 사람들과 교류가 많아지면서 일상생활 속에서 다양한 문화의 모습을 찾아볼 수 있습니다.

5 다른 나라 사람들과 교류가 많아지면서 외국의 음식이나 놀이, 음악 등이 우리 사회에 전파되고 있습니다. 이에 따라 다른 나라의 춤 공연, 음식, 전통 놀이와 같은 다양한 문화를 일상생활에서 쉽게 경험할 수 있습니다.

6 사람들은 피부색, 종교, 출신 지역, 나이 등에 차이가 있습니다. 이러한 차이를 인정하지 않고 편견을

가지면 차별이 나타날 수 있습니다.

7 해원이는 이슬람교의 식사 문화인 '할랄'에 편견을 가지고 있습니다.

[채점 기준] '이슬람교의 식사 문화에 편견을 가졌다'의 내용을 포함하여 바르게 썼다.

8 ⓒ 외국인 중에서 영어를 사용하지 않는 외국인들도 많이 있기 때문에 외국인이라고 해서 모두 영어를 잘하는 것은 아니라고 생각한 것은 편견에 해당하지 않습니다.

9 현수는 다른 나라의 문화를 존중하는 태도를 보이지 않고 있습니다.

[채점 기준] '다른 나라의 문화를 존중하지 않는다', '다른 나라의 문화를 이해하려는 노력을 하지 않는다', '다른 문화는 좋지 않다는 편견을 가지고 있다' 등의 내용을 포함하여 바르게 썼다.

10 ㉠ 서로의 의견을 충분히 듣지 않거나 ㉢ 다른 사람을 배려, 공감하는 마음이 부족하면 편견과 차별이 일어날 수 있습니다. ㉡ 다른 사람을 부당하게 대하지 않거나 ㉣ 섣부르게 치우친 판단을 하지 않는 것은 편견과 차별이 일어나는 이유가 아닙니다.

11 편견과 차별이 지속되면 고통받는 사람들이 생길 수 있습니다. 또한 사회에 갈등이 심해질 수 있습니다.

12 자신이 편견을 가지고 있지 않은지 생각해 보는 자세와 태도가 필요합니다.

13 인도 사람들이 식사하는 방법도 하나의 문화이므로 편견을 가지지 않고 존중해야 합니다.

[채점 기준] '인도 사람들이 식사하는 방법도 하나의 문화이므로 존중해야 한다'의 내용을 포함하여 바르게 썼다.

14 ㉠ 노인 일자리 박람회는 노인, ㉢ 장애인 차별 금지 공익 광고는 장애인에 대한 편견과 차별을 없애기 위한 노력입니다.

15 편견과 차별을 없애기 위해서는 ① 표어 또는 ② 포스터 만들기, ③ 캠페인 활동, ④ 반차별 서약서 쓰고 실천하기 등의 활동을 할 수 있습니다.

16 두 사진에 나타난 사람들 모두 몸을 보호하기 위해 옷을 입는다는 공통점이 있습니다. 하지만 더운 지역 사람들은 천으로 만든 긴 옷을 입었고, 추운 지역 사람들은 두꺼운 털옷을 입었습니다.

[채점 기준] (1) '몸을 보호하기 위해 옷을 입는다'의 내용을 포함하여 바르게 쓰고, (2) '더운 지역 사람들은 천으로 만든 옷을 입었고, 추운 지역 사람들은 두꺼운 털옷을 입었다'의 내용을 포함하여 바르게 썼다.

17 섣부르게 외모나 출신 지역만을 보고 한쪽으로 치우친 판단을 하게 되면 편견과 차별이 발생합니다.

[채점 기준] '서로의 의견을 충분히 들어 보지 않고 섣부르게 한쪽으로 치우친 판단을 했기 때문이다', '다른 사람을 배려하는 마음이 부족했기 때문이다' 등의 내용을 포함하여 바르게 썼다.

쪽지 시험
140쪽

1 변화 **2** 저출산 **3** 높아지는 **4** 개인 정보 유출 **5** 세계화 **6** ○ **7** 차별 **8** 편견 **9** ○ **10** 다른, 존중

단원 톡톡 문제
141~143쪽

1 ⑤ **2** ④ **3** ② **4** ① **5** 정보 **6** ㉠, ㉡ **7** 책임 **8** 교류 **9** ㉡, ㉢ **10** ③ **11** ㉡, ㉣ **12** 문화 **13** 예 (가)는 포크와 나이프를 사용하여 음식을 먹고, (나)는 손으로 음식을 먹습니다. **14** ① **15** ③ **16** ④ **17** 차별 **18** ③ **19** 예 다문화 가족의 안정적인 가족생활을 보장하기 위해 만들었습니다. **20** ㉠, ㉣

1 우리나라의 출생아 수 변화 그래프를 통해 저출산 현상이 점점 심해지고 있다는 것을 알 수 있습니다. 1995년의 출생아 수는 72만 명으로, 80만 명을 넘지 않습니다.

2 우리나라의 65세 이상 인구 비율 변화 그래프를 통해 고령화 현상이 심해지고 있다는 것을 알 수 있습니다. 그래프에서 2020년의 65세 이상 인구 비율은 20%가 넘지 않았습니다.

3 노인 의료 시설이 늘어나는 것은 고령화와 관련이 있습니다. 저출산은 태어나는 아이의 수가 줄어드는 현상을 말합니다. 저출산 현상이 심해지면서 ① 문을 닫는 학교가 생기고 ③ 학교에 입학하는 학생의 수가 줄어들어 학급당 학생 수도 줄어들고 있습니다. 또한 ④ 가족 구성원의 수가 줄어들고 가족 형태도 변하고 있습니다. ⑤ 미래에 일할 수 있는 젊은 사람이 줄어드는 현상도 나타나고 있습니다.

4 보육 시설은 저출산에 따른 변화에 대비하기 위해 마련해야 하는 시설입니다. 부모가 걱정 없이 아이를 낳아 키울 수 있도록 보육 시설, 육아 휴직, 양육비 지원, 아이 돌봄 서비스와 같은 다양한 시설과 제

도를 마련해야 합니다. 한편 고령화 현상으로 ② 노인을 위한 복지 제도가 늘어나고, ③ 일자리를 찾는 노인들도 늘어나고 있습니다. 또한 ④, ⑤ 노인 전문 병원, 요양 병원과 같이 노인을 위한 전문적인 시설들이 늘어나고 있습니다.

5 사회가 발전하고 변화하는 데 정보와 지식이 중심 역할을 하는 것을 정보화라고 합니다.

6 정보화의 영향으로 우리의 일상생활이 더욱 편리해졌지만 문제점도 나타납니다. 정보화 사회에서 나타나는 문제점으로 악성 댓글 문제, 개인 정보 유출 문제, 휴대 전화 · 인터넷 중독 문제, 저작권 침해 문제 등이 있습니다. ⓒ 개인 정보 유출 문제를 해결하기 위해서는 인터넷상에서 이용하는 비밀번호를 자주 바꾸고, 보안 프로그램을 꼭 설치해야 합니다. ② 악성 댓글 문제를 해결하기 위해서는 인터넷상에서도 상대방에게 예의를 지키고, 상대방의 입장을 생각해 보고 글을 써야 합니다.

한눈에 쏙쏙 정보화 사회의 문제점과 해결 방안

악성 댓글 문제	인터넷이나 휴대 전화로 글을 쓸 때는 상대방에게 예의를 지킴.
개인 정보 유출 문제	인터넷상에서 이용하는 비밀번호를 자주 바꾸고, 보안 프로그램을 꼭 설치함.
휴대 전화 중독 문제	하루 중 인터넷이나 휴대 전화를 사용하는 시간을 정해 놓음.
저작권 침해 문제	다른 사람의 저작물을 소중히 여기고, 정당한 방법으로 사용함.

7 정보화 사회에서 발생하는 문제점을 해결하기 위해서는 자신이 정보를 만들거나 활용할 때 왜 그렇게 했는지 설명할 수 있는 책임이 필요합니다.

8 세계 여러 나라가 교류하고 서로 영향을 주고받으면서 가까워지는 현상을 세계화라고 합니다.

9 ⓒ 다른 나라의 문화를 쉽게 접할 수 있고, ⓒ 세계 여러 나라의 물건을 쉽게 살 수 있다는 것은 세계화의 긍정적인 영향입니다. 세계화는 우리 생활에 긍정적인 영향과 함께 부정적인 영향도 줍니다. ⑦ 우리의 전통문화가 점점 사라지는 것, ② 서로의 문화를 이해하지 못해 갈등이 생기는 것은 세계화의 부정적인 영향입니다.

10 세계화는 우리 생활에 긍정적인 영향뿐만 아니라 부정적인 영향도 주기 때문에 세계화에 발맞추면서도 부정적인 영향에 대비하려는 자세가 필요합니다.

11 ⑦ 가족 구성원 수와 형태 변화는 저출산, ⓒ 애플리케이션을 이용한 길 찾기는 정보화와 관련이 있는 생활 모습입니다.

12 사람들이 가지고 있는 공통의 생활 방식을 문화라고 합니다. 문화는 사람들이 함께 생활하면서 만들어지고, 전해지기도 합니다.

13 문화는 사회마다 비슷한 모습도 있고 독특한 모습도 있습니다. 사람들은 옷을 입고, 음식을 먹으며, 놀이를 즐기지만 옷차림이나 음식을 먹는 방법, 놀이 방법은 서로 다릅니다. (가), (나) 사진에는 음식을 먹는 방법이 나타나 있습니다. (가)에는 포크와 나이프를 사용하여 음식을 먹는 모습, (나)에는 손으로 음식을 먹는 모습이 나타나 있습니다.

[채점 기준] '(가)는 포크와 나이프를 사용하여 음식을 먹고, (나)는 손으로 음식을 먹는다'의 내용을 포함하여 바르게 썼다.

14 인도 음식을 먹은 것은 다른 나라의 문화를 보거나 체험해 본 경험에 해당합니다.

15 외국인의 옷차림이 자신과 다르다는 이유로 이상하게 여기는 것은 옷차림에 대한 편견입니다.

16 제시된 글에는 많은 사람이 할머니가 컴퓨터나 스마트폰으로 이용하는 누리 소통망 서비스(SNS)를 자유롭게 활용한다는 점에 놀랐다는 내용이 나와 있습니다. 많은 사람이 노인들은 컴퓨터나 휴대 전화 사용 방법을 잘 모를 것이라는 편견을 가지고 있었기 때문에 놀라워했을 것입니다.

17 차별이란 어떤 기준을 두어 사람들을 구별하고 다르게 대우하는 것을 말합니다. 차이를 인정하지 않고 편견을 가지면 차별이 일어날 수 있습니다.

18 사람들 사이에 편견과 차별이 지속되면 고통받는 사람들이 생기고, 우리 사회에 갈등이 심해질 수 있습니다. 그렇기 때문에 편견과 차별이 없는 세상을 만들기 위해 다양한 노력을 해야 합니다.

19 다문화 가족 지원법은 다문화 가족의 안정적인 가족생활을 보장하기 위해 만든 법입니다.

[채점 기준] '다문화 가족의 안정적인 가족생활을 보장하기 위해 만들었다'의 내용을 포함하여 바르게 썼다.

20 ⓒ 전통문화가 다른 문화들보다 더 좋다는 믿음이나 ⓒ 노인들과는 만나지 않아야 한다는 생각은 편견과 차별을 불러일으킬 수 있습니다. 각 문화는 나름의 가치가 있으므로 일상생활에서 서로 다른 문화를 이해하고 존중해야 합니다.

1 예 (가)는 저출산, (나)는 고령화, (다)는 정보화, (라)는 세계화와 관련 있습니다. **2 예** 휴대 전화로 미세 먼지나 날씨 정보를 실시간으로 확인합니다. 디지털 교과서로 다양한 정보를 활용해 공부합니다. 학교 누리집에서 가정 통신문을 확인합니다. 도서 대출 프로그램으로 보고 싶은 도서가 언제 반납될지 확인합니다. **3 예** 우리 전통문화에 대한 관심이 적어졌습니다. 우리 전통문화가 점점 사라지고 있습니다. 한 나라에서 바이러스가 생기면 전 세계에 빠르게 퍼져 어려움을 겪습니다. 서로의 문화를 이해하지 못해 갈등이 생깁니다. **4 예** (가)에는 식사 방법, (나)에는 나이, (다)에는 피부색, (라)에는 옷차림에 대한 편견이 나타났습니다. **5 예** 공정하지 못하고 한쪽으로 치우친 판단을 하며, 어떤 기준을 두고 부당하게 대우하기 때문입니다. **6 예** 고통받는 사람들이 생길 수 있으며, 우리 사회에 갈등이 심해질 수 있습니다.

1 　오늘날 사회가 여러 분야에서 빠르게 변화하면서 사람들의 일상생활이 크게 변화하고 있습니다. 오늘날 나타나고 있는 사회 변화로 저출산·고령화 현상, 정보화, 세계화 등이 있습니다.

> **[채점 기준]** '(가)는 저출산, (나)는 고령화, (다)는 정보화, (라)는 세계화와 관련이 있다' 등의 내용을 포함하여 바르게 썼다.

한눈에 쏙쏙　오늘날의 사회 변화

저출산	태어나는 아이의 수가 줄어드는 현상
고령화	전체 인구 가운데 65세 이상 노인 인구가 차지하는 비율이 높아지는 현상
정보화	사회가 발전하고 변화하는 데 정보와 지식이 중심 역할을 하는 것
세계화	세계 여러 나라가 다양한 분야에서 교류하고 서로 영향을 주고받으면서 가까워지는 현상

2 　(다)와 관련 있는 사회 변화는 정보화입니다. 정보화 사회에서는 인터넷으로 다양한 정보를 얻고, 정보를 주고받을 수 있으며, 다양한 일을 쉽고 빠르게 처리할 수 있습니다.

> **[채점 기준]** '휴대 전화로 미세 먼지나 날씨 정보를 실시간으로 확인한다', '디지털 교과서로 다양한 정보를 활용해 공부한다', '학교 누리집에서 가정 통신문을 확인한다', '도서 대출 프로그램으로 보고 싶은 도서가 언제 반납될지 확인한다' 등의 내용 중 두 가지를 포함하여 바르게 썼다.

3 　(라)와 관련 있는 사회 변화는 세계화입니다. 세계화는 긍정적인 영향도 주지만 부정적인 영향도 줍니다. 다른 나라의 문화가 들어오면서 우리 전통문화에 대한 관심이 적어지고, 무분별하게 다른 나라의 문화를 받아들여 전통문화가 사라지기도 합니다. 또 국경을 넘어 이동하는 사람들이 많아지면서 한 나라에서 바이러스가 생기면 예전보다 빠르게 전 세계에 퍼져 어려움을 겪습니다. 그리고 서로의 문화를 이해하지 못해 갈등이 생기기도 합니다.

> **[채점 기준]** '우리 전통문화에 대한 관심이 적어졌다', '우리 전통문화가 점점 사라지고 있다', '한 나라에서 바이러스가 생기면 전 세계에 빠르게 퍼져 어려움을 겪는다', '서로의 문화를 이해하지 못해 갈등이 생긴다' 등의 내용 중 두 가지를 포함하여 바르게 썼다.

4 　우리 사회에 다양한 문화가 널리 퍼지면서 편견과 차별의 문제가 생기고 있습니다. 편견은 공정하지 못하고 한쪽으로 치우친 생각이나 의견을 뜻하고, 차별은 어떤 기준을 두어 사람들을 구별하고 다르게 대우하는 것을 뜻합니다.

> **[채점 기준]** '(가)에는 식사 방법, (나)에는 나이, (다)에는 피부색, (라)에는 옷차림에 대한 편견이 나타났다' 등의 내용을 포함하여 바르게 썼다.

5 　일상생활 속에서 편견과 차별이 나타나는 것은 다양한 문화를 인정하지 않고, 존중하지 않기 때문입니다.

> **[채점 기준]** '어떤 기준을 두고 부당하게 대우하기 때문이다', '공정하지 못하고 한쪽으로 치우친 판단을 하기 때문이다' 등의 내용을 포함하여 바르게 썼다.

6 　편견과 차별이 지속되면 사회에 여러 가지 문제가 생길 수 있습니다.

> **[채점 기준]** '고통받는 사람들이 생길 수 있다', '우리 사회에 갈등이 심해질 수 있다' 등의 내용을 포함하여 바르게 썼다.

❶ 촌락과 도시의 생활 모습

핵심만 쏙쏙   2쪽

❶ 촌락 ❷ 도시 ❸ 인구 ❹ 교류 ❺ 부족 ❻ 지역 축제

가로 톡! 세로 톡! 퍼즐   3쪽

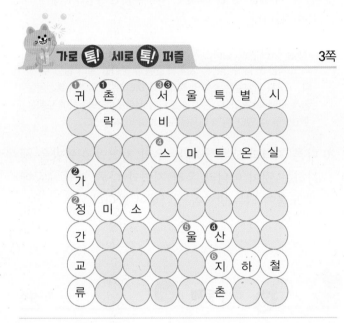

①귀	①촌		③③서	울	특	별	시
	락		비				
			④스	마	트	온	실
②가							
②정	미	소					
간			⑤울	④산			
교				지	하	철	
류				촌			

단원 팡팡 문제 1회   4~6쪽

1 (나)   2 예 논과 밭에서 곡식이나 채소를 기릅니다.   3 ②
4 ②   5 ㄹ   6 ③   7 일손 부족   8 ㄹ   9 예 도시에 너무 많
은 사람들이 모여 살면서 문제가 발생합니다.   10 ④   11 ㄴ
-ㄷ-ㄱ   12 ②   13 ④   14 ㄴ, ㄹ   15 촌락   16 예 광주광
역시에 있는 백화점을 이용하기 위해 방문합니다.   17 ①
18 자매결연   19 예 새로 접하는 지역의 문화를 체험해 볼
수 있습니다.   20 ㄷ

1 임업을 하며 살아가는 곳은 (나)인 산지촌입니다.

2 (가) 지역은 농촌입니다. 농촌에서 살아가는 사람들
  은 주로 농업을 하거나 농사와 관련된 일을 하면서
  살아갑니다.

  [채점 기준] '논과 밭에서 곡식이나 채소를 기른다', '과수원에서 과
  일을 기른다', '농기구를 판매한다' 등의 내용을 포함하여 바르게
  썼다.

3 임업으로 소득을 얻는 곳은 산지촌입니다. 어촌에서

는 주로 어업을 하고, 등대, 항구, 수산물 직판장 같
은 어업과 관련된 시설이 있습니다.

4 도시의 사람들은 다양한 곳에서 일하며 살아갑니다.
  도시 사람들이 일하는 시설로는 법원과 같은 공공
  기관이나 회사, 공장, 백화점 등이 있습니다. ① 목
  장, ③ 양식장, ④ 정미소, ⑤ 비닐하우스는 촌락에
  서 볼 수 있는 시설들입니다.

한눈에 쏙쏙 촌락과 도시에서 볼 수 있는 시설

농촌에서 볼 수 있는 시설	비닐하우스, 정미소, 농산물 저장고, 농기구 판매점 등
어촌에서 볼 수 있는 시설	등대, 수산물 직판장, 해수욕장, 관광 시설, 양식장 등
산지촌에서 볼 수 있는 시설	버섯 농장, 양봉장, 목장 등
도시에서 볼 수 있는 시설	아파트, 지하철, 회사, 공장, 영화관, 백화점, 공공 기관 등

5 큰 영화관에서 밤늦게 영화를 볼 수 있는 것은 주로
  도시에서 즐길 수 있는 여가 생활입니다. 촌락에는
  주로 문화 시설이 부족하기 때문에 영화관 같은 시
  설을 이용하려면 도시로 나가야 합니다.

6 도시는 자동차가 많아 교통이 혼잡하고, 주차 공간
  이 부족한 문제가 발생합니다.

7 촌락은 전체 인구가 점점 줄어들고 노인 인구 비율
  이 늘어나고 있습니다. 또 젊은 사람들이 도시로 떠
  나 일을 할 수 있는 사람이 부족한 일손 부족 문제가
  생기고 있습니다. 이 문제를 해결하기 위해 다양한
  기계를 개발하고, 농업용 드론, 스마트 온실과 같은
  최첨단 기술을 활용하고 있습니다.

8 농업과 관련된 문제는 촌락에서 발생할 수 있는 문
  제입니다.

9 도시로 인구가 집중되어 그로 인한 주택 문제, 환경
  문제, 교통 문제, 이웃 간 갈등 등 여러 문제가 발생
  합니다.

  [채점 기준] '도시에 많은 사람들이 모여 살면서 문제가 발생한다',
  '좋은 일자리를 찾기 위해 젊은 사람들이 촌락을 떠나 도시로 오면
  서 많은 문제가 발생한다' 등의 내용을 포함하여 바르게 썼다.

10 작은 영화관 설치는 촌락의 문화 시설 부족을 해결
   하기 위한 방안입니다. ① 대중교통 이용, ③ 차량 2

부제 실시는 도시의 교통 혼잡 문제를 해결하기 위한 방안입니다. ② 쓰레기 분리배출은 도시의 환경 오염 문제를 해결하기 위한 방안입니다. ⑤ 이웃 분쟁 조정 센터 설치는 도시에서 발생하는 이웃 간 갈등 문제를 해결하기 위한 방안입니다.

11 살기 좋은 촌락과 도시의 모습을 표현하기 위해서는 먼저 문제를 떠올리고 해결 방안을 찾아야 합니다.

12 서로 필요한 물건, 문화, 기술을 주고받거나 사람들이 오가는 것을 교류라고 합니다.

13 도시끼리 서로 자매결연을 맺은 것은 지역 간 교류입니다.

한눈에 쏙쏙 교류의 다양한 모습

가정 간 교류	이웃끼리 교류, 마을 공동체, 공동 육아 등
학교 간 교류	연합 대회, 연합 동아리, 공동 축제 등
지역 간 교류	도농 교류, 시도 자매결연, 도시 장터 등
국가 간 교류	친선 스포츠 경기, 세계 대회, 국제기구 설립 등

14 ㉡ 집 근처에서 농수산물 직거래 장터가 열린 것은 지역 간 교류입니다. ㉣ 다른 나라와 우리나라가 친선 축구 경기를 한 것은 국가 간 교류입니다. ㉠ 목장에서 소를 기르는 것은 산지촌에서 볼 수 있는 생활 모습입니다. ㉢ 무인도에 살면서 다른 지역으로 이동하지 않는 것은 교류가 이루어지지 않는 모습입니다.

15 촌락에서는 생산한 농산물을 다른 지역으로 판매합니다. 또한 다양한 농촌 체험 활동을 운영하고 자연환경과 함께할 수 있는 여가 활동을 누릴 수 있어 도시의 사람들이 방문하여 즐기기도 합니다.

16 담양군 사람이 광주광역시를 방문하는 것은 도시에 주로 있는 시설이나 서비스를 이용하기 위해서입니다.

[채점 기준] '광주광역시에 있는 백화점을 이용하기 위해 방문한다', '광주광역시에 있는 영화관을 이용하기 위해 방문한다' 등의 내용을 포함하여 바르게 썼다.

한눈에 쏙쏙 촌락과 도시의 방문 모습

촌락에서 도시를 방문하는 경우	대형 병원에서 진료를 받기 위해 도시를 방문함. 다양한 공연을 보기 위해 도시를 방문함. 백화점이나 대형 상점이 이용을 위해 도시를 방문함.
도시에서 촌락을 방문하는 경우	자연환경을 이용한 여가를 즐기기 위해 촌락을 방문함. 농수산물 직거래 장터를 이용하기 위해 촌락을 방문함. 자매결연을 맺은 곳에서 일손을 돕기 위해 촌락을 방문함.

17 촌락과 도시 간의 교류는 촌락과 도시 모두에 도움이 됩니다.

18 지역이나 단체가 서로 돕거나 교류하려고 친선 관계를 맺는 것을 자매결연이라고 합니다.

19 지역 축제를 통해서 촌락은 관광 수입을 얻을 수 있고 고장의 전통과 문화를 다른 지역 사람들에게 알릴 수 있습니다. 다른 지역의 사람들은 축제를 즐기며 새로 접하는 지역의 문화를 체험할 수 있습니다. 지역 축제를 통한 교류는 도시와 촌락 모두에게 도움이 됩니다.

[채점 기준] '새로 접하는 지역의 문화를 체험해 볼 수 있다', '지역의 소득을 높일 수 있다', '지역의 전통과 문화를 널리 알릴 수 있다', '도시 사람들은 촌락의 축제에 참여하여 그 지역의 특산물을 쉽게 구매할 수 있다', '촌락과 도시가 서로 상호 의존하며 도움을 주고받을 수 있다' 등의 내용을 포함하여 바르게 썼다.

20 다른 지역과 교류할 때는 우리 지역의 이익만을 생각하는 것이 아니라 우리 지역과 다른 지역 모두에게 도움이 되는 방향을 생각해야 합니다.

단원 팡팡 문제 2회   7~9쪽

1 자연환경 **2 예** 산에서 나무를 길러 목재를 얻습니다. **3** ④ **4** 대전광역시 **5** ③ **6** ③ **7** ㉢, ㉣ **8** 인구 감소 **9 예** 스마트 온실을 만듭니다. **10** ② **11** 환경 **12** ③ **13** ⑤ **14 예** 촌락 사람들이 도시에 있는 편의 시설을 이용합니다. 도시 사람들이 촌락에 방문하여 농수산물 직거래 장터를 이용합니다. **15** ㉢, ㉣ **16** ④ **17** ⑤ **18** ①, ⑤ **19 예** 도시의 사람들은 지역 축제를 통해 그 지역의 특산물을 쉽게 구매할 수 있습니다. **20** ㉡-㉢-㉣-㉠

1 촌락 사람들은 주로 자연환경을 이용하여 살아가고 이에 따라 주로 하는 생산 활동의 모습이 다릅니다.

한눈에 쏙쏙 촌락의 생산 활동

농촌	곡식이나 채소 기르기, 과일 기르기 등 주로 농업
어촌	바다에서 물고기 잡기, 김과 미역 따기, 해수욕장 운영 등 어업
산지촌	목재 생산하기, 버섯 재배하기, 목장에서 가축 기르기 등 주로 임업

2 목장에서 소를 키우는 것은 산지촌의 모습입니다. 정민이네 할아버지가 살고 있는 지역은 촌락 중 산지촌

입니다. 산지촌에서는 임업과 관련된 생활 모습을 볼 수 있습니다.

한눈에 쏙쏙 촌락의 구분

농촌	논과 밭에서 곡식이나 채소를 기르는 농업을 함. 비닐하우스, 정미소와 같은 농업 관련 시설이 있음.
어촌	바다에서 물고기를 잡거나 김과 미역을 따는 어업을 함. 등대나 수산물 직판장 등 어업 관련 시설이 있음.
산지촌	산에서 나무를 길러 목재를 생산하거나 버섯을 재배하는 임업을 함. 버섯 농장이나 양봉장 같은 임업 관련 시설이 있음.

3 백화점은 도시에서 볼 수 있는 시설입니다. ① 등대와 ⑤ 수산물 직판장은 어촌에서 볼 수 있는 시설입니다. ② 양봉장은 산지촌에서 볼 수 있는 시설입니다. ③ 정미소는 농촌에서 볼 수 있는 시설입니다.

4 중부 지방에 위치하며 교통의 중심 도시가 되면서 과학 기술과 관련된 대학교와 연구소가 있는 것은 대전광역시입니다.

한눈에 쏙쏙 우리나라의 도시

서울특별시	우리나라의 수도이자 정치, 경제, 사회, 문화의 중심이 되는 도시
울산광역시	해안 지역에 형성되었으며 산업이 발달해 큰 기업과 공장이 많은 공업 중심 도시
대전광역시	중부 지방과 남부 지방을 잇는 도시
세종특별자치시	새롭게 계획하여 만들어진 행정 중심 도시

5 사진에서 나타난 지역은 도시입니다. 양식장은 어촌에서 볼 수 있는 시설입니다.

6 ① 교통이 편리한 곳 등의 조건을 가진 곳, ② 다양한 일자리가 있는 곳에서 도시가 발달합니다. 이 외에도 ④ 인구가 줄어들지 않고 많이 모이는 곳, ⑤ 정치, 경제의 중심이 되는 곳에 도시가 발달합니다.

7 도시의 사람들은 자연환경보다 인문환경을 이용한 생산 활동을 합니다. 촌락의 사람들은 주로 들, 바다, 산과 같은 자연환경을 이용한 생산 활동을 합니다. 비닐하우스, 논, 밭에서 농업에 관련된 일을 하는 사람들은 농촌에 사는 사람들입니다.

8 그래프를 통해 촌락과 도시의 인구 변화를 알 수 있습니다. 도시의 인구는 계속 증가하지만 촌락의 인구는 감소하고 있습니다. 촌락에서는 인구 감소로 인한 여러 문제가 발생합니다.

9 그림에서 나타난 촌락의 문제는 일손 부족 문제입니다. 이를 해결하기 위해서 다양한 기계를 개발하고, 최첨단 기술을 농사에 활용하고 있습니다.

10 이웃 분쟁 조정 센터를 설치하는 것은 도시에서 일어나는 이웃 간 갈등의 문제를 해결하기 위한 방안입니다.

한눈에 쏙쏙 촌락의 문제를 해결하기 위한 노력

일손 부족	다양한 기계를 개발하고, 최첨단 기술을 활용함.
학생 수 감소	귀촌 박람회나 귀촌 상담소를 열어 귀촌을 장려함.
소득 감소	품질 좋은 농수산물을 생산하고, 새로운 품종을 도입해 생산량을 늘림.
시설 부족	공공 기관에서 폐교나 마을 회관을 이용해 문화 시설을 만들기 위해 노력함.

11 쓰레기 문제, 대기 오염, 수질 오염과 같은 환경 문제는 도시에서 나타나는 문제 중 하나입니다.

12 일손 부족은 촌락에서 발생하고 있는 문제입니다.

한눈에 쏙쏙 도시에서 나타나는 문제

주택 문제	오래되고 낡은 주택이 많고, 많은 인구에 비해 주택 수가 부족함.
교통 문제	자동차가 많아 교통이 혼잡하고, 주차할 공간이 부족함.
환경 문제	쓰레기 문제, 대기 오염, 수질 오염 문제가 발생함.
기타 문제	범죄 문제, 소음 공해로 인한 갈등 등

13 도시의 문제를 해결하기 위해 개인뿐만 아니라 이웃, 공공 기관에서도 노력하고 있습니다. 도시의 쓰레기 문제를 해결하기 위해 개인적으로 쓰레기 분리 배출을 잘 해야 합니다.

14 촌락과 도시의 교류 사례로는 농수산물 직거래 장터, 자연 환경을 이용한 여가 생활, 자매결연, 지역 축제 등 여러 가지가 있습니다.

15 자매결연을 맺은 다른 지역 도서관에 간 것은 지역 간 교류이고, 이웃에게 명절 선물을 받은 것은 가정 간 교류입니다. ㉠ 집에서 숙제를 한 것과 ㉡ 지역의 공원에서 자전거를 탄 것은 교류의 사례로 볼 수 없습니다.

한눈에 쏙쏙 다양한 모습의 교류

가정 간 교류	이웃끼리 필요한 것을 빌려줌. 마을에서 아이를 함께 돌봄.
학교 간 교류	학교끼리 연합 동아리 활동을 함. 지역의 학교가 모여 공동 축제를 개최함.
지역 간 교류	도시와 촌락의 자매결연, 농수산물 직거래 장터에서 농수산물 판매하기, 지역 축제 열기
국가 간 교류	지구촌 문제를 위한 국제기구 설립, 다른 나라와 친선 스포츠 경기, 올림픽 등의 국제 스포츠 대회를 통한 교류

16 도시 사람들은 촌락에서 자연환경을 이용한 여가 생활을 즐길 수 있습니다. 인문환경을 이용한 여가 생활은 주로 도시에서 즐길 수 있습니다.

17 ① 캠핑장, ② 낚시터, ③ 전통 시장, ④ 마을 회관은 주로 촌락에서 이용할 수 있는 시설입니다.

18 촌락과 도시는 각 지역의 역사나 특산물 등 지역의 특성을 살린 축제를 통해 교류할 수 있습니다. 지역 축제를 통해 지역의 문화와 전통 등 자랑거리를 많은 사람들에게 널리 알릴 수 있고, 지역 축제에 참여한 사람들은 새로운 경험을 할 수 있습니다. 또한 촌락에서 축제가 열리면 그 기간에 많은 사람들이 모여 관광 수입으로 지역의 소득을 높일 수 있습니다.

19 도시의 사람들은 지역 축제를 통해 다른 지역의 문화를 체험해 볼 수 있습니다. 또 촌락에서 축제가 열리면 그 지역의 특산물을 쉽게 구매할 수 있습니다.

[채점 기준] '도시의 사람들은 지역 축제를 통해서 다른 지역의 문화를 체험할 수 있다', '도시의 사람들은 지역 축제를 통해서 그 지역의 특산물을 쉽게 구매할 수 있다' 등의 내용을 포함하여 바르게 썼다.

20 도시와 촌락의 교류를 체험해 보기 위해서는 먼저 모둠별로 서로 다른 지역을 선택합니다. 그리고 우리 모둠이 맡은 지역의 특징을 살피고 필요한 것을 의논하면서 다른 지역과 함께 보완하고 발전할 수 있는 교류 계획을 세웁니다. 교류가 끝나면 카드 뒷면에 확인 표시를 합니다.

서술형 팡팡 문제

10~11쪽

1 (1) 예 수산물 직판장, 등대, 양식장 (2) 예 바다에서 물고기를 잡습니다. 2 예 백화점에서 물건을 판매하거나 회사에서 일합니다. 3 예 촌락의 인구가 점점 줄어들기 때문입니다. 4 예 폐교를 활용하여 작은 영화관을 만듭니다. 5 예 이웃 간 갈등이 일어납니다. 6 예 지역 간 교류에는 지역 축제가 있습니다. 7 예 대형 병원을 이용하기 위해 광주광역시를 방문합니다. 다양한 공연을 보기 위해 광주광역시의 공연장을 방문합니다. 8 예 촌락 사람들은 지역의 소득을 높일 수 있고, 도시 사람들은 지역의 특산물을 저렴한 가격에 쉽게 구매할 수 있습니다.

1 사진에 나타난 지역은 어촌입니다. 어촌에서는 어업과 관련된 시설을 볼 수 있습니다. 어촌에 사는 사람들은 어업과 관련된 다양한 생산 활동을 하는 경우가 많습니다.

[채점 기준] (1) '수산물 직판장', '등대', '양식장' 등의 내용을 포함하여 바르게 썼다.
(2) '바다에서 물고기를 잡는다', '김과 미역을 따는 일을 한다', '어업을 한다' 등의 내용을 포함하여 바르게 썼다.

2 도시에서 살아가는 사람들은 다양한 일을 하면서 살아갑니다. 또한 도시에서 살아가는 사람들이 일하는 장소는 매우 다양합니다.

[채점 기준] '백화점에서 물건을 판매한다', '회사에서 일한다', '공공 기관에서 일한다' 등의 내용을 포함하여 바르게 썼다.

3 도시가 발달하면서 일자리를 찾아 촌락을 떠나는 사람들이 늘어났습니다. 특히 촌락에 살고 있던 젊은 사람들이 일자리를 구할 때가 되면 도시로 이동하는 경우가 많습니다.

[채점 기준] '촌락의 인구가 점점 줄어들기 때문이다', '촌락에 사는 젊은 사람들이 도시로 떠나기 때문이다' 등의 내용을 포함하여 바르게 썼다.

4 농촌의 문화 시설이 부족한 문제를 해결하기 위해서 다양한 정책을 지원하고 있습니다. 특히 공공 기관에서 농촌에 작은 영화관을 만들거나 폐교나 마을 회관을 이용하여 주민들을 위한 문화 시설을 만드는 등 여러 정책을 주로 시행하고 있습니다.

[채점 기준] '폐교를 활용하여 작은 영화관을 만든다', '마을 회관에서 주민을 대상으로 문화 강좌를 연다' 등의 내용을 포함하여 바르게 썼다.

5 이웃 분쟁 조정 센터는 도시에서 일어나는 이웃 간 갈등을 해결하기 위한 시설입니다.

[채점 기준] '이웃 간 갈등이 일어난다', '층간 소음으로 이웃끼리 싸움이 발생한다' 등의 내용을 포함하여 바르게 썼다.

6 그림은 지역 간 교류를 나타낸 모습입니다. 지역 간 교류에는 지역 축제, 농수산물 직거래 장터 등이 있습니다.

[채점 기준] '지역 간 교류에는 지역 축제가 있다', 지역 간 교류에는 농수산물 직거래 장터가 있다' 등의 내용을 포함하여 바르게 썼다.

7 담양군 사람들은 광주광역시에 있는 다양한 시설과 서비스를 이용하기 위해서 도시에 방문합니다.

[채점 기준] '대형 병원을 이용하기 위해 광주광역시를 방문한다', '백화점을 이용하기 위해 광주광역시를 방문한다', '다양한 공연을 보기 위해 광주광역시에 있는 공연장을 방문한다' 등의 내용을 포함하여 바르게 썼다.

한눈에 쏙쏙 촌락과 도시의 교류 모습

촌락에서 도시를 방문하는 경우	대형 병원 진료를 위해 도시를 방문함, 다양한 공연을 보기 위해 도시를 방문함, 백화점이나 대형 상점가 이용을 위해 도시를 방문함 등
도시에서 촌락을 방문하는 경우	자연환경을 이용한 여가를 즐기기 위해 촌락을 방문함, 농수산물 직거래 장터를 이용하기 위해 촌락을 방문함, 자매결연을 맺은 곳에서 일손을 돕기 위해 촌락을 방문함 등

8 촌락 사람들은 지역 축제를 통한 관광 수입으로 소득을 올릴 수 있습니다. 또한 도시 사람들은 지역의 특산물을 저렴한 가격에 쉽게 구매할 수 있습니다.

[채점 기준] '촌락 사람들은 수확한 농산물을 제값에 팔 수 있다', '촌락 사람들은 지역의 소득을 높일 수 있다', '도시 사람들은 지역의 특산물을 저렴한 가격에 쉽게 구매할 수 있다' 등의 내용을 포함하여 바르게 썼다.

2 필요한 것의 생산과 교환

핵심만 쏙쏙
12쪽

❶ 경제활동 ❷ 희소성 ❸ 생산 ❹ 원산지 ❺ 경제적 교류 ❻ 문화

가로 톡! 세로 톡! 퍼즐
13쪽

 단원 팡팡 문제 1회
14~16쪽

1 경제활동 2 ④ 3 예 필요한 기능이 있는지 확인하고, 색과 모양이 마음에 드는지 살펴봅니다. 4 예 필요성, 가격 5 현명한 선택 6 ②, ④ 7 예 약 만들기, 과자 만들기 등이 있습니다. 8 ②, ⑤ 9 ⓒ 10 ⓒ, ⓔ 11 ① 12 예 급식의 재료가 다양한 지역에서 왔다는 사실을 알 수 있습니다. 13 ⑤ 14 원산지 표시판 15 ③ 16 ② 17 ⑤ 18 ㉠ 19 예 산나물과 목재가 부족하고 자동차와 컴퓨터를 생산하는 지역과 교류합니다. 20 ⓒ, ⓔ

1 사람들이 생활하는 데 필요하거나 원하는 것을 만들고 사용하는 것과 관련된 일을 경제활동이라고 합니다.

한눈에 쏙쏙 경제활동의 사례

사람들이 생활하는 데 필요하거나 원하는 것을 만드는 일	• 옷 가게에서 옷을 파는 일 • 빵집에서 빵을 만드는 일 • 시장에서 과일을 파는 일
사람들이 생활하는 데 필요하거나 원하는 것을 사용하는 일	• 영화관에 가서 영화를 보는 일 • 문구점에서 공책을 사는 일 • 야구장에 가기 위해 버스를 타는 일

2 사람들이 필요로 하거나 원하는 것은 많지만 쓸 수 있는 돈이나 자원은 한정되어 있습니다. 경제활동에서 선택의 문제가 일어나는 까닭은 바로 자원의 희소성 때문입니다.

3 선택을 할 때에는 가격, 품질 등 여러 가지 상황을 고려하여 현명하게 선택하는 것이 중요합니다.

> **[채점 기준]** '가격을 꼼꼼하게 따져 보고 구입한다', '필요한 기능이 있는지 확인한다', '색과 모양이 마음에 드는지 살펴본다' 등의 내용을 포함하여 바르게 썼다.

4 현명한 선택을 하기 위해서는 물건의 필요성, 가격, 내가 가진 용돈의 액수 등을 따져 보아야 합니다.

5 선택을 할 때에는 여러 가지 상황을 고려해 현명하게 선택하는 것이 중요합니다. 현명한 선택을 하면 돈과 자원을 절약할 수 있고, 더 큰 만족감을 얻을 수 있습니다.

6 생산 활동 중 ① 공연하기, ⑤ 환자 진료하기는 생활을 편리하고 즐겁게 해 주는 활동이고, ③ 버섯 따기는 생활에 필요한 것을 자연에서 얻는 활동입니다.

7 생활에 필요한 물건을 만들거나 생활을 편리하고 즐겁게 해 주는 활동을 생산이라고 합니다.

> **[채점 기준]** '약을 만든다', '과일을 수확한다', '과자를 만든다', '물건을 운반한다' 등의 내용 중 두 가지를 포함하여 바르게 썼다.

8 공장에서 운동화를 만드는 것은 생산 활동입니다. 떡볶이를 먹을지, 김밥을 먹을지 고민하는 것은 경제활동이 아닙니다.

🐻 한눈에 쏙쏙 다양한 소비 활동의 모습

미용실에서	머리 손질을 받음.
빵집에서	빵과 케이크를 삼.
병원에서	의사 선생님께 진료를 받음.

9 현명한 소비 생활을 하기 위해서는 ㉠ 친구가 물건을 산다고 해서 따라 사면 안 되고, ㉡ 용돈의 일부를 저축해야 하며, ㉣ 사고 싶었던 물건의 가격이 싸더라도 적당한 양을 구매해야 합니다.

10 시장놀이를 할 때 ㉠ 생산 활동 모둠은 소비 활동 모둠이 원하는 물건을 적당한 가격으로 생산해야 하고, ㉡ 소비 활동 모둠은 모둠원이 좋아하는 물건의 우선순위를 정해 사야 합니다.

🐻 한눈에 쏙쏙 시장놀이를 할 때 주의해야 할 점

소비 활동 모둠	• 어떤 빵과 케이크를 어떤 가게에서 살 것인지 계획을 세우기 • 현명하게 소비하는 방법을 떠올리며 소비하기
생산 활동 모둠	• 소비 활동 모둠이 쓴 내용을 확인하고 어떤 종류의 빵과 케이크를 만들지 결정하기 • 빵과 케이크를 더 많이 팔기 위해 소비 활동 모둠이 원하는 것을 생산하기 • 우리 가게의 빵과 케이크가 좋다는 것을 소비 활동 모둠에게 알리기

11 물건의 생산지(원산지)를 알아보는 방법에는 ② 포장지 겉면 확인하기, ③ 옷의 꼬리표 확인하기, ④ 상품에 붙어있는 상품 정보 확인하기, ⑤ 물건의 상품 사용 설명서 주변 확인하기 등이 있습니다.

12 학교 급식의 재료가 우리 지역뿐 아니라 다양한 지역에서 왔다는 것을 알 수 있습니다.

> **[채점 기준]** '급식의 재료가 다양한 지역에서 온다', '급식 재료의 생산지(원산지)가 다양하다', '우리 지역에서 생산된 재료만으로 만들어진 것이 아니다' 등의 내용을 포함하여 바르게 썼다.

13 사인펜, 지우개, 실내화, 필통은 다른 나라에서 만들어졌습니다. 교과서의 속지, 필통의 꼬리표, 색연필의 사용 설명서 주변을 확인하면 물건의 생산지(원산지)를 확인할 수 있습니다.

14 수산 시장에서는 수산물에 꽂혀 있는 원산지 표시판을 통해 수산물의 원산지를 알 수 있습니다. 파란색 표시판은 국내산, 흰색은 원양(육지에서 멀리 떨어진 큰 바다)산, 노란색은 수입산을 의미합니다.

15 품질 인증 마크는 우수한 제품에 대해 신뢰할 수 있는 기관에서 부여한 인증 마크입니다. ③의 사진은 상품 정보 확인입니다.

16 개인이나 지역 등이 경제적 이익을 얻기 위해 물건, 기술, 정보 등을 서로 주고받는 것을 경제적 교류라고 합니다.

🐻 한눈에 쏙쏙 경제적 교류의 이점과 경제적 교류가 발생하는 까닭

경제적 교류를 하면 좋은 점	• 경제적 교류를 하는 각 지역에서 서로 필요한 것을 얻을 수 있음. • 각 지역은 교류를 통해 서로 경제적 이익을 얻음.
경제적 교류가 발생하는 까닭	• 지역에서 나는 상품이 서로 다르기 때문임. • 지역이나 국가마다 자연환경과 기술, 자원 등이 다르기 때문임.

17 지역 간 교류를 통해 ① 우리 지역에서 생산되지 않는 물건을 구할 수 있고, ② 지역 간 화합을 가져올 수 있습니다. 또한 ③ 다른 지역에 어려운 일이 있을 때 돕기도 하며, ④ 지역끼리 서로 특산품을 홍보하여 경제적 이익을 얻을 수 있습니다.

한눈에 쏙쏙 지역 간 교류의 좋은 점

장점	• 우리 지역에서 생산되지 않는 다른 지역의 물건을 구할 수 있음. • 우수한 상품을 서로 홍보하여 지역의 상품을 더 많이 판매해 이익을 얻을 수 있음. • 기술 교류를 통해 더 나은 상품을 함께 개발할 수 있음. • 경제적 교류로 지역 간 화합을 가져올 수 있음.

18 도시에서는 옷, 컴퓨터, 자동차 등을 생산하는 공장은 많이 볼 수 있습니다. ⓒ 농촌, ⓒ 어촌, ② 산지촌에는 옷, 컴퓨터를 생산하는 공장이 많지 않습니다.

19 우리 지역에서 풍부한 것을 다른 지역으로 보내고, 다른 지역에서 풍부한 생산물을 우리 지역으로 가져올 수 있습니다.

[채점 기준] '도시에서 생산된 자동차, 컴퓨터, 옷 등과 우리 지역의 산나물, 목재를 교환한다', '산나물과 목재가 부족하고 자동차와 컴퓨터를 생산하는 지역과 교류한다' 등의 내용을 포함하여 바르게 썼다.

20 ㉠ 외국의 방송 자료를 확인하는 것과 ㉡ 다른 나라 신문에서 광고를 찾아보는 것은 우리 지역의 경제적 교류 사례를 살펴보는 방법으로 적절하지 않습니다.

단원 팡팡 문제 2회   17~19쪽

1 ② **2** 선택의 문제 **3** ④ **4** ⑤ **5** ⑩ 나에게 필요한 기능이 있는지 살펴보고, 용돈은 충분한지 생각해 봅니다. **6** 생산 **7** ⑩ 만두를 만들고 생선을 팝니다. **8** ① **9** ① **10** ㉠, ㉢, ② **11** 형우 **12** ⑩ 소비자에게 정확한 원산지 정보를 제공합니다. **13** ① **14** ④ **15** 경제적 교류 **16** ⑩ 상품의 정보를 쉽게 얻을 수 있습니다. **17** ④ **18** ㉡, ㉢ **19** ⑤ **20** ㉠, ㉢

1 사람들이 생활하는 데 필요하거나 원하는 것을 만들고 사용하는 것과 관련된 일을 경제활동이라고 합니다. 자전거를 살지 킥보드를 살지 고민하는 것은 경제활동이 아닙니다.

2 사람들이 필요로 하거나 원하는 것은 많지만 쓸 수

있는 돈이나 자원은 한정되어 있습니다. 이 때문에 경제활동에서 선택의 문제가 발생합니다.

3 ① 공책과 연필 중 무엇을 살지 고민하거나 ② 자전거와 킥보드 중 무엇을 살지 고민하거나 ③ 농구공과 축구공 중 무엇을 살지 고민하거나 ⑤ 아이스크림과 음료수 중 무엇을 살지 고민하는 것은 경제활동에서 발생하는 선택의 문제입니다.

한눈에 쏙쏙 일상생활에서 겪는 선택의 문제

분식점에서	튀김, 김밥, 어묵 중 어떤 것을 먹을지 고민함.
모자 상점에서	공룡 모자를 살지, 토끼 모자를 살지 고민함.
놀이공원에서	회전목마를 탈지, 롤러코스터를 탈지 고민함.
음료 가게에서	수박주스를 먹을지, 사과주스를 먹을지 고민함.

4 현명한 선택을 하기 위해서는 ① 용돈은 충분한지, ② 필요한 기능은 있는지, ③ 물건을 산 뒤 만족감을 느꼈는지, ④ 나에게 꼭 필요한 물건인지 따져보는 등 여러 가지 상황을 고려해야 합니다.

5 현명한 선택을 하기 위해서는 여러 가지 상황을 따져 보고 결정해야 합니다.

[채점 기준] '나에게 필요한 기능이 있는지 살펴본다', '물건은 튼튼한지 살펴본다', '용돈은 충분한지 생각해 본다' 등의 내용을 포함하여 바르게 썼다.

6 생활에 필요한 물건을 만들거나 생활을 편리하고 즐겁게 해 주는 활동을 생산이라고 합니다.

7 생산 활동은 생활에 필요한 물건을 만들거나 생활을 편리하고 즐겁게 해 주는 활동입니다.

[채점 기준] '만두를 만든다', '만두를 판다', '생선을 판다', '채소를 판다' 등의 내용 중 두 가지를 포함하여 바르게 썼다.

한눈에 쏙쏙 시장에서 볼 수 있는 생산과 소비 모습

생산 활동	• 채소를 판매함. • 물건을 운반함. • 떡볶이를 만듦. • 옷을 팖.
소비 활동	• 채소를 삼. • 생선을 삼. • 떡볶이를 사 먹음. • 그릇을 삼.

8 ② 버섯 캐기, ③ 물고기 잡기, ④ 가축 기르기, ⑤ 배추 재배하기는 필요한 것을 자연에서 얻는 활동이고, ① 공연하기는 생활을 편리하고 즐겁게 하는 활

동입니다.

9 가게에서 우유를 사거나, 피자를 사 먹는 일은 소비 활동에 속합니다. 운동 경기를 하는 것은 생산 활동입니다.

10 현명한 소비 생활을 하기 위해서는 용돈의 일부를 저축해야 하고, 물건을 고를 때 알맞은 선택 기준을 세워야 하며, 필요하지 않은 물건을 친구가 산다고 따라 사지 않아야 합니다. ⓒ 돈을 어떻게 쓸지 계획 없이 배가 고플 때마다 군것질을 하는 것은 현명한 소비 생활이 아닙니다.

11 상품의 생산지(원산지) 조사를 통해 우리 지역에서 판매하는 상품이 다른 지역, 다른 국가에서 온다는 것을 알 수 있습니다.

12 원산지 표시 제도는 소비자에게 정확한 원산지 정보를 제공하고 수입품과 국산품을 비교할 수 있도록 농수산물과 가공품의 원산지 표시를 규정하는 제도입니다.

[채점 기준] '소비자에게 정확한 원산지 정보를 제공한다'의 내용을 포함하여 바르게 썼다.

13 우리 지역 상품의 생산지(원산지)를 조사하는 방법에는 ② 우리 지역 전통 시장 방문하기, ③ 할인점에서 온 광고지 살펴보기, ④ 물건의 포장지 뒷면 확인하기, ⑤ 상품의 큐아르(QR) 코드 스캔하기 등이 있습니다.

14 큐아르(QR) 코드는 정보를 담고 있는 격자무늬의 그림으로, 스마트폰으로 스캔하면 상품의 생산지(원산지)를 확인할 수 있습니다.

15 개인이나 지역 등이 경제적 이익을 얻기 위해 물건 등을 서로 주고받는 것을 경제적 교류라고 합니다.

16 대중 매체를 이용하면 상품의 정보를 쉽게 얻을 수 있고, 장소나 시간과 관계없이 상품을 쉽고 편리하게 사고팔 수 있습니다.

[채점 기준] '상품의 정보를 쉽게 얻을 수 있다', '장소나 시간의 제약을 받지 않고 상품을 사고팔 수 있다', '시장이나 할인 매장에 직접 가지 않고도 물건을 구입할 수 있다' 등의 내용을 포함하여 바르게 썼다.

한눈에 쏙쏙 오늘날 경제적 교류의 모습과 특징

대중 매체를 이용한 경제적 교류	• 인터넷, 스마트폰, 홈 쇼핑 등 • 상품의 정보를 얻기 쉬움. • 장소나 시간과 관계없이 상품을 사고팔 수 있음.
대형 시장을 이용한 경제적 교류	• 전통 시장, 할인 매장, 직거래 장터 등 • 대중교통의 발달로 다른 지역의 대형 시장에 가기가 쉬움. • 신선한 상품을 직접 확인하고 살 수 있음.

17 도시, 농촌, 어촌, 산지촌 간의 경제적 교류는 지역과 지역 간의 경제적 교류에 해당합니다. 도시, 농촌, 어촌, 산지촌은 서로 각 지역에서 풍부한 상품을 교환하면서 경제적 교류를 합니다.

한눈에 쏙쏙 경제적 교류의 대상과 사례

개인과 기업	개인과 ◇◇ 기업이 상품이나 기술, 정보 등을 교환함.
기업과 지역	○○특별시와 △△ 기업이 업무 협약을 체결함.
지역과 지역	도시, 농촌, 어촌, 산지촌 등 각 지역이 서로 풍부한 상품을 교환함.
국가와 국가	A 국가에서 남는 상품을 B 국가로 보내고, B 국가에서 남는 자원을 A 국가가 들여옴.

18 관광 사업 공동 추진 및 관광 상품 개발과 지역 방문 교류 프로그램 및 전통 무용 공연 교류는 ㉠ 기술 교류, ㉣ 스포츠 교류로 보기 어렵습니다.

한눈에 쏙쏙 다양한 경제적 교류의 모습

물자 교류	물품이나 자원을 서로 교류하는 것 예 어촌 지역의 수산물과 농촌 지역의 농산물
기술 교류	기술을 교류하여 서로 협력하여 더 나은 기술이나 상품을 개발하는 것 예 우리나라 ○○ 기업과 △△시의 공동 연구
관광 교류	각 지역의 관광 자원을 활용하여 관광 사업을 공동으로 추진하거나 관광 상품을 개발하는 것 예 중국, 일본, 러시아에서 우리나라로 관광객이 오고, 우리나라에서 이웃 나라로 관광을 감.
문화 교류	다른 지역(국가)과 무용 공연, 청소년 체험 행사 공유, 운동 경기 등 문화 활동을 교류하는 것

19 다른 지역의 특산물은 우리 지역의 특산물을 홍보하는 데 필요가 없습니다. 우리 지역을 대표하는 특산물을 홍보하기 위해 ① 광고 제목, ② 특산물에 대한 설명, ③ 특산물의 사진, ④ 구매 방법 등을 광고지에 넣어 만들 수 있습니다.

20 지역 간 경제적 교류를 통해 다양한 지역에서 생산된 상품을 사용하고 다른 지역의 문화를 체험해 볼 수 있습니다. 또한 지역 간 경제적 교류로 ⓒ 서로 특산품을 홍보할 수 있습니다. 이를 통해 ㉣ 우리 지

역과 다른 지역 모두 경제가 발전하여 경제적 이익을 얻을 수 있습니다.

1 예 빵집에서 빵을 삽니다. 빵집에서 빵을 만듭니다. **2** 예 자전거의 가격이 적당한지 살펴봅니다. 자전거가 튼튼한지 살펴봅니다. **3** (1) 생활에 필요한 것을 자연에서 얻는 활동 (2) 예 운동선수가 운동 경기를 하고 버스 기사가 버스 운전을 합니다. **4** 예 용돈의 일부를 저축하고 용돈을 쓰기 전에 어떻게 사용할지 계획을 세워 봐. **5** 예 원산지 표시판 확인하기, 포장지 뒷면의 상품 정보 확인하기, 할인 매장 광고지 확인하기, 누리집에서 상품 소개 검색하기, 품질 인증 마크 살펴보기, 스마트폰으로 큐아르(QR) 코드 스캔하기 등이 있습니다. **6** (1) 기술 교류 (2) 예 문화 교류를 통해 지역 간 화합이 이루어질 수 있으며, 다른 지역의 생활과 문화를 체험하면서 서로 이해할 수 있습니다. **7** 예 지역에서 나는 상품이 서로 달라서 우리 지역에서 나는 상품으로는 필요한 모든 상품을 구할 수 없기 때문입니다. **8** 예 두 지역은 자매결연을 하고 다양한 분야에서 경제적 교류를 하고 있습니다.

1 사람들이 생활하는 데 필요하거나 원하는 것을 만들고 사용하는 것과 관련된 일을 경제활동이라고 합니다.

[채점 기준] '빵집에서 빵을 산다', '빵집에서 빵을 만든다', '빵집에서 빵을 판매한다' 등의 내용 중 두 가지를 포함하여 바르게 썼다.

2 현명한 선택을 하기 위해서는 물건의 가격, 기능, 특징 등 여러 가지 상황을 따져 보아야 합니다.

[채점 기준] '자전거의 가격이 적당한지 따져 본다', '자전거가 튼튼한지 살펴본다', '오래 탈 수 있는지 살펴본다' 등의 내용 중 두 가지를 포함하여 바르게 썼다.

3 생산 활동에는 생활에 필요한 것을 자연에서 얻는 활동, 생활에 필요한 것을 만드는 활동, 생활을 편리하고 즐겁게 해 주는 활동 등이 있습니다. (가)는 생활에 필요한 것을 자연에서 얻는 활동입니다.

[채점 기준] (1) '생활에 필요한 것을 자연에서 얻는 활동'이라고 바르게 쓰고, (2) '운동선수가 운동 경기를 한다', '미용사가 머리 손질을 한다', '버스 기사가 버스 운전을 한다' 등의 내용을 포함하여 바르게 썼다.

한눈에 쏙쏙 **생산 활동의 종류**

생활에 필요한 것을 자연에서 얻는 활동	버섯 따기, 가축 기르기, 물고기 잡기 등
생활에 필요한 것을 만드는 활동	자동차 만들기, 배 만들기, 약 만들기 등
생활을 편리하고 즐겁게 해 주는 활동	환자 진료하기, 공연하기, 버스 운전하기, 물건 운반하기 등

4 현명한 소비 생활을 하기 위해서는 돈을 어떻게 사용할지 미리 계획하고, 물건을 사기 전에 물건에 관한 정보를 따져 보고, 물건을 고를 때 알맞은 선택 기준을 세우고, 용돈의 일부를 저축합니다.

[채점 기준] '용돈의 일부를 저축한다', '용돈을 쓰기 전에 어떻게 사용할지 계획을 세운다', '물건을 사기 전에 물건에 관한 정보를 따져 본다' 등의 내용을 포함하여 바르게 썼다.

한눈에 쏙쏙 **현명한 소비를 하는 방법**

계획하기	돈을 어떻게 사용할지 미리 계획함.
정보 따져 보기	물건을 구매하기 전에 물건에 관한 정보를 따져 봄.
선택 기준 세우기	물건을 고를 때 알맞은 선택 기준을 세움.
저축하기	용돈의 일부를 저축함.

5 생산지(원산지)를 확인하는 방법에는 원산지 표시판, 상품 정보, 할인 매장 광고지, 누리집 상품 소개, 품질 인증 마크, 큐아르(QR) 코드 등이 있습니다.

[채점 기준] '원산지 표시판 확인하기', '포장지 뒷면의 상품 정보 확인하기', '할인 매장 광고지 확인하기', '누리집에서 상품 소개 검색하기', '품질 인증 마크 살펴보기', '스마트폰으로 큐아르(QR) 코드 스캔하기' 등의 내용 중 두 가지를 포함하여 바르게 썼다.

6 경제적 교류의 모습에는 물자 교류, 관광 교류, 기술 교류, 문화 교류 등이 있습니다. (가)는 기술 교류, (나)는 문화 교류에 해당합니다.

[채점 기준] (1) '기술 교류'라고 바르게 쓰고, (2) '문화 교류를 통해 지역 간 화합이 이루어질 수 있다', '다른 지역의 생활과 문화를 체험하면서 서로를 이해할 수 있다', '서로의 생활 모습과 문화를 공유하고 즐길 수 있다' 등의 내용을 포함하여 바르게 썼다.

7 지역에서 나는 상품이 서로 다르고, 지역이나 국가마다 자연환경과 기술, 자원 등이 다르기 때문에 경제적 교류가 필요합니다.

[채점 기준] '경제적 교류를 하면 각 지역에서 필요한 것을 얻을 수 있기 때문이다', '지역에서 나는 상품이 서로 달라서 우리 지역에서 나는 상품으로는 필요한 모든 상품을 구할 수 없기 때문이다', '지역마다 자연환경과 기술, 자원 등이 다르기 때문이다.' 등의 내용을 포함하여 바르게 썼다.

 **한눈에 쏙쏙** 지역 간 경제적 교류가 필요한 까닭

다른 지역의 물건 획득	우리 지역에서 생산되지 않는 다른 지역의 물건을 구매할 수 있음.
특산물 홍보	상품 설명회나 직거래 장터를 이용해 우리 지역의 특산물을 홍보할 수 있음.
기술 협력	지역 간에 서로 기술을 교류하고 협력해 더 나은 상품을 함께 개발할 수 있음.
주민 화합	다른 지역 주민들과 친목을 쌓아 지역 간 화합을 이룰 수 있음.
정보 교류	다른 지역의 경제와 관련된 소식 등 다양한 정보를 주고받을 수 있음.

8 지역 간 경제적 교류는 여러 분야에서 이루어집니다. 자매결연을 한 지역은 서로 협력하며 경제적, 문화적으로 발전할 수 있습니다.

[채점 기준] '두 지역은 자매결연을 하고 다양한 분야에서 경제적 교류를 하고 있다', '지역과 지역뿐 아니라 두 지역의 개인, 기업, 단체들도 서로 협력하고 있다', '지역 간 교류를 통해 두 지역의 주민들이 편리하게 생활하게 되었다' 등의 내용을 포함하여 바르게 썼다.

③ 사회 변화와 문화 다양성

핵심만 쏙쏙   22쪽

❶ 고령화 ❷ 정보화 ❸ 세계화 ❹ 문화 ❺ 편견 ❻ 차별

가로 톡! 세로 톡! 퍼즐   23쪽

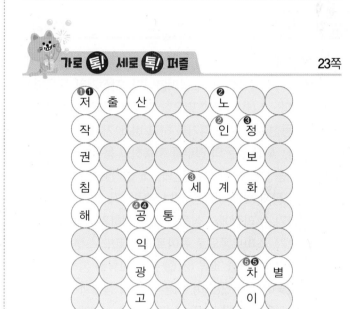

단원 팡팡 문제 1회   24~26쪽

1 저출산 **2** ③ **3** 고령화, 예 고령화란 전체 인구 가운데 65세 이상 노인 인구가 차지하는 비율이 높아지는 것을 의미합니다. **4** ㉠, ㉢ **5** ④ **6** 세계화 **7** 예 다른 나라의 문화를 무분별하게 받아들이고 있습니다. **8** ① **9** 예 우리나라와 베트남 모두 차례를 지낸다는 공통점이 있습니다. **10** ② **11** ㉢ **12** ㉡, ㉢ **13** ④ **14** ㉡, ㉣ **15** 문화 **16** ⑤ **17** 예 해녀는 서로 도우며 살아가던 우리 전통을 이어 나가고 있습니다. **18** ㉡, ㉣

1 최근 다자녀 가정에 기차 요금과 전기 요금을 할인해 주는 제도가 마련되었습니다. 이는 태어나는 아이가 줄어드는 저출산 현상이 심해졌기 때문입니다.

 **한눈에 쏙쏙** 저출산 현상

의미	태어나는 아이의 수가 줄어드는 현상
우리나라의 저출산 현상	• 1975년에는 80만 명이 넘는 아이가 태어났음. • 태어나는 아이의 수가 계속 줄어들어 저출산 현상이 점점 심해지고 있음.

2 저출산·고령화로 가족 구성원의 수가 줄어들고, 가족의 형태도 변하고 있습니다.

저출산에 따른 변화 모습	• 학급당 학생 수가 줄어들고, 문을 닫는 학교가 생김.
	• 가족 구성원의 수가 줄어들고, 가족 형태가 변함.
	• 미래에 일할 수 있는 젊은 사람이 줄어들고 있음.
고령화에 따른 변화 모습	• 노인을 위한 전문적인 시설들이 늘어남.
	• 노인을 위한 복지 제도가 늘어남.
	• 일자리를 찾는 노인들이 늘어남.

3 노인 일자리·사회 활동 지원은 고령화 사회에 대비하기 위한 노력에 해당합니다. 고령화란 전체 인구 가운데 65세 이상 노인 인구가 차지하는 비율이 높아지는 것을 의미합니다.

[채점 기준] '고령화'라고 바르게 쓰고, '전체 인구 가운데 65세 이상 노인 인구가 차지하는 비율이 높아지는 것을 의미한다'의 내용을 포함하여 바르게 썼다.

4 ㉡ 누리 소통망 서비스(SNS)로 지역의 특산물을 홍보하는 것과 ㉣ 휴대 전화의 애플리케이션으로 피아노를 배우는 것은 정보화에 따라 나타난 변화 모습으로 문제점에 해당하지 않습니다.

 한눈에 쏙쏙 **정보화 사회에서 나타나는 문제점**

악성 댓글 문제	악성 댓글과 거짓 소문의 확산 등으로 사람들이 고통을 겪는 문제
개인 정보 유출 문제	다른 사람의 개인 정보를 이용해서 비싼 물건을 사는 등의 행동을 하는 문제
휴대 전화 중독 문제	휴대 전화나 인터넷에 중독되어 사용 시간이 매우 길어지는 문제
저작권 침해 문제	다른 사람이 만든 작품을 허락 없이 함부로 이용하는 문제

5 이탈리아 음식을 먹기 위해 직접 음식점을 방문하는 것은 세계화와 관련 있는 생활 모습입니다. 정보화로 인해 인터넷으로 다양한 정보를 얻거나 주고받을 수 있습니다. 또한 자신이 해야 할 일을 쉽고 빠르게 처리할 수 있습니다. 이렇게 정보화의 영향으로 우리의 일상생활은 다양하게 변화하고 있습니다.

6 세계화는 세계 여러 나라가 다양한 분야에서 교류하고 서로 영향을 주고받으면서 가까워지는 현상입니다. 세계화의 영향으로 일상생활에서 다른 나라의 음식을 쉽게 사 먹을 수 있고, 다양한 문화를 접할 수 있습니다. 또한 우리나라 가수의 공연을 보러 오는 외국인을 발견할 수 있습니다.

7 수정이는 다른 나라인 미국의 문화를 무분별하게 받아들이는 문제점을 가지고 있습니다. 세계화는 우리

생활에 긍정적인 영향을 주기도 하지만 부정적인 영향도 주기 때문에 세계화에 발맞추면서도 부정적인 영향에 대비하려는 자세가 필요합니다.

[채점 기준] '다른 나라의 문화를 무분별하게 받아들이고 있다' 등의 내용을 포함하여 바르게 썼다.

 한눈에 쏙쏙 **세계화의 부정적인 영향**

부정적인 영향	• 다른 나라의 문화에 대한 관심이 높아졌지만, 우리의 전통문화에 대한 관심이 낮아짐.
	• 우리의 전통문화가 사라지고 있음.
	• 한 나라에서 바이러스가 생기면 전 세계에 빠르게 퍼져 어려움을 겪음.
	• 서로의 문화를 이해하지 못해 갈등이 생김.

8 서래 마을에 프랑스어가 쓰인 소화전이 있는 것은 이곳에 프랑스인이 많이 살고 있기 때문입니다. 세계화로 우리나라에 사는 외국 사람이 많아지면서 프랑스인들이 사는 마을, 프랑스어가 쓰인 소화전 등도 생겨났습니다.

9 베트남에서는 음력 1월 1일 설날을 '땟'이라고 부르며 최대 명절로 기념합니다. 새 옷을 선물하거나 사 입는 것, 차례를 지내는 것, 어린이들이 어른에게 새해 인사를 하고, 어른들은 덕담과 함께 용돈을 주는 것, 떡을 먹는 것은 우리나라 설날 문화와의 공통점입니다.

[채점 기준] '새 옷을 선물하거나 사 입는다', '차례를 지낸다', '어린이들이 어른에게 새해 인사를 한다', '어른들이 덕담과 함께 용돈을 준다', '떡을 먹는다' 등의 내용을 포함하여 바르게 썼다.

10 우리 사회에는 다양한 문화의 모습이 나타납니다. ① 영화관에서 영화를 보고, ③ 산책을 하고, ④ 인도 음식을 사 먹고, ⑤ 누리 소통망 서비스(SNS)에 사진을 올리는 것은 모두 문화의 모습입니다.

11 일상생활 속에서 ㉠ 나이, ㉡ 옷차림, ㉣ 식사 방법 등에 대한 편견을 발견할 수 있는데, 그림 속 편견은 피부색에 가지는 편견입니다.

12 편견과 차별이 지속되면 ㉠ 사회 분위기가 나빠질 것이고, ㉣ 자신의 능력을 발휘하기 어려워질 것입니다.

13 편견과 차별이 지속되면 문제가 되기 때문에 편견과 차별을 없애기 위해 노력해야 합니다. 우리 사회는 관련 법과 기관을 만들어 편견과 차별이 없는 사회를 만들고자 노력합니다. 또한 캠페인을 벌이거나 공익 광고를 하기도 합니다. 우리는 ② 서로 다른 생

각이나 문화를 이해하려고 노력해야 하고, ③ 한쪽으로 치우친 생각을 하지 않아야 합니다. ⑤ 다양한 사람이 능력을 발휘할 수 있도록 기회가 제공되어야 합니다.

14 다문화 가족 지원법은 ⊙ 고령화 현상을 대비하거나 ⓒ 장애를 가진 사람들에 대한 편견을 없애기 위해 만들어진 것이 아닙니다.

15 모든 문화는 그 나름의 가치가 있으므로 서로 다른 문화를 이해하고 존중해야 합니다. 우리 사회는 다양한 문화를 존중하고 편견과 차별을 없애기 위해 여러 가지 노력을 하고 있습니다.

16 편견과 차별의 문제를 찾아 해결하고자 할 때에는 가장 먼저 직접 겪거나 본 적이 있는 편견과 차별의 사례를 찾아야 합니다.

한눈에 쏙쏙 편견과 차별을 없애기 위한 방안 실천

활동 순서	❶ 직접 겪거나 본 적이 있는 편견이나 차별의 사례를 찾아봄.
	❷ 편견과 차별이 나타나는 원인과 해결 방안을 모둠원들과 토의함.
	❸ 모둠별로 해결 방안을 실천하는 방법을 정하고, 이를 실천함.

17 해녀 문화는 우리나라에서 오랜 세월 이어 온 독특한 전통문화입니다. 해녀는 바다에서 해산물을 채취하거나 조개를 캐는 일을 합니다. 이들은 환경을 파괴하지 않고 서로 도우며 살아가던 우리 조상들의 전통을 이어 나가고 있습니다.

> [채점 기준] '해녀는 바다에서 해산물을 채취한다', '해녀는 바다에서 조개를 캔다', '해녀는 환경을 파괴하지 않고 서로 도우며 살아가던 우리 조상들의 전통을 이어 나가고 있다' 등의 내용을 포함하여 바르게 썼다.

18 ⊙ 저출산·고령화, 정보화, 세계화가 지속되면 미래 사회는 지금과 다르게 변화할 것이므로 이를 바탕으로 미래의 직업을 생각해야 합니다. ⓒ 예측한 미래의 직업은 여러 가지 사회 변화로 지금은 없는 새로운 직업들을 다루도록 합니다.

한눈에 쏙쏙 미래 사회 직업 예측

활동 순서	❶ 저출산·고령화, 정보화, 세계화가 지속되면 미래 사회는 어떻게 변화할지 생각함.
	❷ 미래 사회의 변화 모습을 바탕으로 어떤 직업이 생길지 생각 그물로 자유롭게 표현함.
	❸ 미래 직업을 소개하는 자료를 만든 후 발표함.
	❹ 미래 직업을 발표한 후 알게 된 점과 느낀 점을 친구들과 함께 이야기함.

1 ⑤ 2 ⑤ 3 ⑩ 다른 사람의 저작물을 소중히 여기고, 허락 없이 다른 사람의 저작물을 함부로 사용하지 않습니다. 4 고령화 5 ⊙, ⓒ 6 세계화 7 세계화, ⑩ 우리나라 가수의 공연을 보러 오는 외국인이 많아졌습니다. 8 ⊙, ⓒ 9 ⑤ 10 ⑤ 11 ⓒ, ⓔ 12 문화 13 편견 14 ③ 15 ⑩ 남자가 여자보다 힘이 세서 운동을 잘할 것입니다. 16 ⊙, ⓔ 17 ⑩ 염소가 함께 살도록 양들이 배려해 줍니다. 18 ⑤

---

1 오늘날에는 저출산·고령화, 정보화, 세계화가 나타나고 있습니다.

한눈에 쏙쏙 오늘날의 사회 변화

저출산	태어나는 아이의 수가 줄어드는 현상
고령화	전체 인구 가운데 65세 이상 노인 인구가 차지하는 비율이 높아지는 현상
정보화	사회가 발전하고 변화하는 데 정보와 지식이 중심 역할을 하는 것
세계화	세계 여러 나라가 다양한 분야에서 교류하고 서로 영향을 주고받으면서 가까워지는 현상

2 저출산 현상이 심해져 태어나는 아이의 수가 점점 줄어들어 학생 수가 적은 학교들이 많아지고 있습니다. 이러한 소규모 학교에서 나타나는 어려움을 해결하기 위해 이웃한 학교들이 운동회 등 다양한 단체 활동을 함께할 수 있습니다.

3 저작권은 책이나 예술 작품 등을 만든 사람이 자신이 만든 것에 대하여 가지는 권리입니다. 저작권을 지키기 위해서는 다른 사람이 만든 작품을 소중히 여기고 허락 없이 저작물을 함부로 사용하지 않아야 합니다.

> [채점 기준] '다른 사람의 저작물을 소중히 여긴다', '허락 없이 다른 사람의 저작물을 함부로 사용하지 않는다', '다른 사람의 글을 인용할 때는 출처를 밝힌다', '인터넷에 올라온 파일을 함부로 내려받지 않는다' 등의 내용을 포함하여 바르게 썼다.

4 고령화 현상은 전체 인구 가운데 65세 이상 노인 인구가 차지하는 비율이 높아지는 현상을 말합니다. 이러한 현상으로 인해 노인들의 병을 전문적으로 치료하는 병원이나 노인정 같은 노인 관련 시설이 늘어나고 있으며, 노인을 위한 복지 제도도 다양하게 늘어나고 있습니다.

의미	전체 인구 가운데 65세 이상 노인 인구가 차지하는 비율이 높아지는 현상
우리나라의 고령화 현상	• 우리나라도 65세 이상 노인 인구가 차지하는 비율이 점점 늘어나 고령화 현상이 나타나고 있음. • 2050년에는 65세 이상 인구 비율이 40% 가까이 될 것으로 예상됨.

5 ⓒ 누리 소통망 서비스(SNS)를 통해 친구들에 대한 소문을 퍼뜨리는 것과 ② 다른 사람의 저작물을 인터넷에서 불법으로 내려받는 것은 정보화 사회의 문제점입니다.

6 세계화는 세계 여러 나라가 다양한 분야에서 교류하며 영향을 주고받는 것을 말합니다. 세계화로 인해 일상생활 속에서 외국에서 만들어진 물건을 우리나라에서도 쉽게 접할 수 있습니다.

7 세계화로 우리의 일상생활 모습도 달라지고 있습니다. 우리나라 운동선수가 외국에서 활약하고 있는 경기를 실시간으로 볼 수 있고, 외국의 음식이나 물건도 쉽게 살 수 있습니다. 또한 사람과 문화의 이동도 쉬워져 우리나라에 온 다양한 나라의 관광객을 볼 수 있습니다.

> [채점 기준] '세계화'라고 바르게 쓰고, '우리나라 가수의 공연을 보러 오는 외국인이 많아졌다', '외국에서 활약하는 우리나라 운동선수의 경기를 실시간으로 볼 수 있다', '관광지에서 외국인 관광객을 볼 수 있다', '세계 여러 나라의 음식을 사 먹을 수 있다', '다른 나라의 음식을 사 먹을 수 있다', '전 세계가 함께하는 캠페인에 참여한다', '다른 나라의 다양한 문화를 접할 수 있다' 등의 내용을 포함하여 바르게 썼다.

8 ⓒ 세계 기후 변화 관련 캠페인 등의 행사에 참여하는 것, ② 외국에서 열리는 시상식에 참여한 우리나라 배우의 모습을 실시간으로 보는 것은 세계화로 인한 부정적인 영향으로 보기 어렵습니다.

9 디지털 교과서로 다양한 정보를 이용해 공부할 수 있게 된 것은 학교에서 정보와 지식을 활용하는 모습입니다. 이렇게 사회가 발전하고 변화하는 데 정보와 지식이 중심 역할을 하는 것을 정보화라고 합니다.

10 사회 변화로 나타난 일상생활의 특징을 모둠별로 조사해서 발표할 때 가장 먼저 해야 하는 일은 모둠별로 저출산·고령화, 정보화, 세계화 가운데 하나의 사회 변화 모습을 주제로 정하는 것입니다.

활동 순서	❶ 모둠별로 저출산·고령화, 정보화, 세계화 가운데 하나의 사회 변화 모습을 정함. ❷ 우리 모둠이 선택한 사회 변화의 특징이 나타난 자료를 조사함. ❸ 조사한 내용을 정리해 사회 변화의 특징이 드러난 자료를 만들어 발표함.

11 문화는 사람들이 가지고 있는 공통의 생활 방식으로, 사람들이 함께 생활하면서 만들어지고 전해지기도 합니다. ⓐ 사람들의 옷차림, 먹는 방법, 놀이 등 다양한 문화의 모습이 있습니다. ⓑ 문화는 사회마다 비슷한 모습도 있고 독특한 모습도 있습니다.

12 다른 나라 사람들과 교류가 많아지면서 외국의 음식이나 놀이, 음악 등이 우리 사회에 전파되고 있습니다. 이에 따라 우리는 일상생활에서 다양한 문화를 경험할 수 있습니다.

13 '나이가 많으면 컴퓨터를 잘 다루지 못한다', '손으로 음식을 먹는 것은 이상하다' 등의 생각이나 의견은 모두 편견에 해당합니다.

편견의 의미	공정하지 못하고 한쪽으로 치우친 생각이나 의견
편견의 사례	• 나이가 많은 사람은 스마트폰 사용 방법을 모를 것이라고 생각함. • 외국인이 입은 옷이 이상하다고 생각함. • 피부색이 어두운 외국인의 옆자리에 앉고 싶지 않아 함. • 손으로 음식을 먹는 것이 이상하다고 생각함.

14 차별에 대한 설명입니다. 종교, 나이, 피부색, 출신 지역, 언어 등에서의 차이를 인정하지 않고 편견을 가지면 차별이 나타날 수 있습니다.

15 성별에 따른 편견의 예로는 '여자가 남자보다 섬세해서 요리를 잘한다', '남자가 여자보다 운동을 잘한다' 등이 있습니다.

> [채점 기준] '여자가 남자보다 섬세하다', '남자가 여자보다 힘이 세서 운동을 잘할 것이다' 등의 내용을 포함하여 바르게 썼다.

16 ⓑ 좋아하는 음식이 사람들마다 다를 수 있다고 보는 것과 ⓒ 사람들은 각자 다양한 생각을 가지고 있다고 보는 것은 편견에 해당하지 않습니다.

17 「동물 농장」 이야기 속에서 양들이 자신과 다르게 생긴 염소에 대해 편견을 가지고 같이 살 수 없도록 차별하면서 문제가 생겼습니다. 이러한 편견과 차별의

문제를 해결하기 위해서는 양들이 염소도 함께 살 수 있도록 배려해 주어야 합니다. 또 양도 똑같은 입장을 느낄 수 있도록 다양한 동물들이 함께 사는 농장으로 만들 수도 있습니다.

> [채점 기준] '염소가 함께 살도록 양들이 배려해 준다', '양도 똑같은 입장을 느낄 수 있도록 다양한 동물들이 함께 사는 농장으로 만든다' 등의 내용을 포함하여 바르게 썼다.

18 편견은 공정하지 못하고 한쪽으로 치우친 생각이나 의견을 뜻합니다. ① 성민이는 식사 방법에, ② 진철이는 국적에, ③ 지은이는 피부색에, ④ 경진이는 성별에 편견을 가지고 있습니다.

서술형 팡팡 문제

30~31쪽

1 (1) (가) 저출산, (나) 고령화 (2) ⑩ 학생 수가 적은 소규모 학교에서는 이웃한 학교들이 모여 공동으로 여러 가지 활동을 하고, 아이를 낳아 키우는 부모를 위해 다양한 시설과 제도를 마련합니다. 2 ⑩ 휴대 전화에 중독되어 길을 걸을 때도 휴대 전화만 보고 있습니다. 3 ⑩ 인터넷에서 함부로 영화를 내려받는 것은 저작권 침해가 될 수 있어. 다른 사람이 만든 작품을 소중히 여기고 함부로 사용하지 않아야 해. 다른 사람의 저작물을 소중하게 여기고 정당한 방법으로 사용해야 해. 4 세계화, ⑩ 세계화로 국경을 넘어 이동하는 사람들이 많아지면서 바이러스가 예전보다 빠르게 퍼집니다. 5 ⑩ 우리나라는 떡을 국에 넣어 먹고, 베트남은 떡을 바나나잎에 싸서 먹습니다. 6 ⑩ 다른 나라 사람들과 교류가 많아지면서 외국의 음식이나 놀이, 음악 등이 우리 사회에 전파되었기 때문입니다. 7 ⑩ 다양한 문화를 인정하고 존중합니다. 다른 문화를 이해하려고 노력합니다. 문화를 있는 그대로 인정하고 차이를 존중합니다. 서로 다른 문화를 이해하고 존중합니다. 8 ⑩ 편견을 없애자는 캠페인을 벌입니다. 다문화 가정의 친구가 반 친구들과 잘 생활할 수 있도록 돕습니다. 서로 다른 문화를 이해하고 존중합니다.

---

1 (가) 현상으로 초등학교에 입학하는 학생 수가 점점 줄어들고 있다는 내용이 실려 있습니다. 태어나는 아이의 수가 줄어드는 저출산 현상이 심해지면서 학교의 학급당 학생 수가 줄어들고, 문을 닫는 학교도 생기고 있습니다. (나) 현상으로 다양한 분야에서 노인 일자리를 제공하고 사회 활동을 지원하는 사업이 펼

쳐지고 있다는 내용이 실려 있습니다. 전체 인구 중 65세 이상 노인 인구가 차지하는 비율이 높아지는 고령화 현상이 나타나면서 노인 전문 시설과 노인을 위한 복지 제도가 늘어나고 있습니다. 저출산에 대비하는 방법으로 아이를 낳아 키우는 부모를 위해 다양한 시설과 제도를 마련하는 것 등이 있습니다.

> [채점 기준] (1) '(가) 저출산, (나) 고령화'라고 바르게 쓰고, (2) '학생 수가 적은 소규모 학교에서는 이웃한 학교들이 모여 공동으로 여러 가지 활동을 한다', '부모가 걱정 없이 아이를 낳아 키울 수 있도록 지원한다', '아이를 낳아 키우는 부모를 위해 다양한 시설과 제도를 마련한다' 등의 내용을 포함하여 바르게 썼다.

2 정보화 사회에서는 인터넷으로 다양한 정보를 얻거나 주고받을 수 있고, 자신이 해야 할 일을 쉽게 처리할 수 있어 매우 편리합니다. 하지만 정보화 사회에서는 악성 댓글 문제, 개인 정보 유출 문제, 휴대 전화 중독 문제, 저작권 침해 문제 등의 문제점도 나타납니다. 그림에는 휴대 전화 중독 문제가 나타나 있습니다.

> [채점 기준] '휴대 전화에 중독되어 길을 걸을 때도 휴대 전화만 보고 있다'의 내용을 포함하여 바르게 썼다.

3 인터넷에 올리온 음악, 영화 등의 파일과 같이 다른 사람이 만든 작품을 허락 없이 함부로 내려받으면 안 됩니다. 다른 사람의 저작물을 소중하게 여기고 정당한 방법으로 사용해야 합니다.

> [채점 기준] '인터넷에서 함부로 내려받는 것은 저작권 침해가 될 수 있어', '다른 사람이 만든 작품을 소중히 여기고 함부로 사용하지 않아야 해', '다른 사람의 저작물을 소중히 여기고 정당한 방법으로 사용해야 해' 등의 내용 중 두 가지를 포함하여 바르게 썼다.

한눈에 쏙쏙 정보화 사회의 문제점과 해결 방안

악성 댓글 문제	인터넷이나 휴대 전화로 글을 쓸 때는 상대방에게 예의를 지킴.
개인 정보 유출 문제	인터넷상에서 이용하는 비밀번호를 자주 바꾸고, 보안 프로그램을 꼭 설치함.
휴대 전화 중독 문제	하루 중 인터넷이나 휴대 전화를 사용하는 시간을 정해 놓음.
저작권 침해 문제	다른 사람의 저작물을 소중히 여기고, 정당한 방법으로 사용함.

4 멕시코의 대표적인 음식인 타코를 우리나라에서 맛볼 수 있는 것은 세계화와 관련이 있습니다. 세계화로 다른 나라의 음식이나 문화를 쉽게 접할 수 있고, 외국에서 활약하는 우리나라 선수의 경기를 실시간

으로 볼 수 있습니다. 그러나 세계화로 전통문화가 점점 사라지고, 한 나라에서 생긴 바이러스가 전 세계에 빠르게 퍼지고, 사람들이 서로의 문화를 이해하지 못해 갈등이 생기는 등 부정적인 현상도 생깁니다.

[채점 기준] '세계화'라고 바르게 쓰고 '세계화로 국경을 넘어 이동하는 사람들이 많아지면서 바이러스가 예전보다 빠르게 퍼진다' 등의 내용을 포함하여 바르게 썼다.

한눈에 쏙쏙 세계화의 긍정적인 영향과 부정적인 영향

긍정적인 영향	• 외국의 축구 경기를 실시간으로 볼 수 있음. • 우리나라에서 다른 나라의 음식을 쉽게 접할 수 있음. • 전 세계가 함께하는 캠페인에 참여할 수 있음.
부정적인 영향	• 전통문화가 점점 사라지고 있음. • 바이러스가 전 세계에 빠르게 퍼짐. • 서로의 문화를 이해하지 못해 갈등이 생김.

5 떡국과 바인팻은 모두 설날에 먹는 떡이지만, 먹는 방식이 다릅니다. 우리나라는 떡을 국에 넣어 먹고 베트남에서는 바나나잎에 싸서 먹습니다.

[채점 기준] '우리나라는 떡을 국에 넣어 먹고, 베트남은 떡을 바나나잎에 싸서 먹는다'의 내용을 포함하여 바르게 썼다.

6 우리 일상생활에는 다양한 문화의 모습이 나타납니다. 다른 나라의 전통 춤 공연을 볼 수 있고, 세계 여러 나라의 음식을 쉽게 즐길 수 있습니다. 또 다른 나라의 전통 놀이도 즐길 수 있습니다. 이렇게 일상생활에서 다양한 문화를 경험할 수 있는 까닭은 다른 나라 사람들과 교류가 많아지면서 외국의 음식이나 놀이, 음악 등이 우리 사회에 전파되었기 때문입니다.

[채점 기준] '다른 나라 사람들과 교류가 많아지면서 외국의 음식이나 놀이, 음악 등이 우리 사회에 전파되었기 때문이다'의 내용을 포함하여 바르게 썼다.

7 다른 나라 사람들과 교류가 많아지면서 다른 나라의 다양한 문화가 우리 사회에 전파되었습니다. 이에 따라 우리는 플라멩코와 같은 다양한 문화를 인정하고 존중하는 자세를 가져야 합니다.

[채점 기준] '다양한 문화를 인정하고 존중한다', '다른 문화를 이해하려고 노력한다', '문화를 있는 그대로 인정하고 차이를 존중한다', '서로 다른 문화를 이해하고 존중한다' 등의 내용 중 두 가지를 포함하여 바르게 썼다.

8 편견과 차별이 지속되면 고통받는 사람들이 생기고,

우리 사회에 갈등이 심해질 수 있습니다. 그렇기 때문에 편견과 차별이 없는 세상을 만들기 위해 다양한 노력을 해야 합니다. 우리 사회는 편견과 차별을 없애기 위해 관련 기관이나 법을 만드는 등의 여러 가지 노력을 하고 있습니다. 또한 우리는 편견을 없애자는 캠페인을 벌일 수 있고, 다문화 가정의 친구와 친하게 지내며 같이 잘 생활할 수 있도록 도와줄 수 있습니다. 무엇보다 서로 다른 문화를 이해하고 존중하는 마음을 가져야 합니다.

[채점 기준] '편견을 없애자는 캠페인을 벌인다', '다문화 가정 친구가 반 친구들과 잘 생활할 수 있도록 돕는다', '서로 다른 문화를 이해하고 존중한다' 등의 내용 중 두 가지를 포함하여 바르게 썼다.

MEMO

똑똑한
교과서 풀이로
언택트 시대
자기 주도 학습을
돕습니다.

초등 사회
자습서&평가문제집 **4-2**

정답 톡

단과 학습 프로그램

푸르넷 수학

현직 초등학교 교사와 일타 강사들의 경험을 토대로 각종 문제들을 종합 분석하여 만든 초등 수학 전문 프로그램

• 본교재(월 1권), 플러스북(월 1권)
• 중간고사·기말고사 예상문제(연 4회 / 4·6·9·11월)
• 푸르넷 아이스쿨(동영상 강의, 유사·발전 문제, 학습만화 e-book)

오! 역사논술

초·중등 역사 교육 과정을 반영하여 한국사를 총 48주 탐구 주제로 풀어낸 역사 논술 프로그램

• 본교재(월 1권), 활동자료(월 1종)
• 동영상 강의(월 4강)
• 오! 역사논술 퀴즈(월 40문항)

푸르넷 독서논술

다양한 분야의 책을 읽고, 창의·융합적 지식과 공부의 원천 기술을 기르는 독서논술 프로그램

• /~5단계: 리딩북(월 2~4권), 워크북(월 4권), 리딩다이어리(연 1권),
  X-파일북(연 2권)
• 1~5단계: 동영상 강의(월 2~3강)

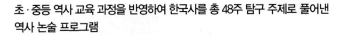

푸르넷 한자

실생활에서의 한자 활용 능력, 어휘력, 교과서 한자어 인지도 등을 종합적으로 향상시켜 주는 한자 학습 프로그램

• 본교재(월 1권), 교과서 한자어(월 1권), 한자 쓰기 연습장(월 1권)
• 한자 만화 e-book

영어 학습 프로그램

English Buddy

공신력 있는 리딩 프로그램과 체계적인 커리큘럼, 영어 학습에 최적화된 다양한 디지털 콘텐츠, 정확한 개별 진단 및 지도 교사의 맞춤 지도가 융합된 영어 전문 프로그램

• **Beginner** Reading Book 4권, Reading Study Book 1권,
  Phonics Study Book 1권, Pencil Book 1권,
  MP3 CD 1장, Smart Learning 서비스
• **Prime** Reading Book 4권, Reading Study Book 1권(Writing Note
  포함), Study Book 1권, Smart Learning 서비스
• **Experience** Reading Book 4권, Study Book 1권, Webtoon for
  Daily Conversation 1권, Test Buddy 1권, MP3 CD 1장,
  Smart Learning 서비스

초등 사회 4-2
자습서 & 평가문제집

발행일 • 2022년 8월 15일 초판 발행
발행인 • 김무상
발행처 • (주)금성출판사
주소 • 서울특별시 마포구 만리재옛길 23 (우)04210
등록 • 1965년 10월 19일 제10-6호
구입문의 • TEL 02-2077-8144~6 / mall.kumsung.co.kr
내용문의 • TEL 02-2077-8252(8267)

mall.kumsung.co.kr
발간 이후에 발견되는 오류는 정오표를
다운로드하면 확인할 수 있습니다.